수능 영어 꽉 잡는 직독직해

해커스

완전독학
구문독해

해커스북 중·고등
HackersBook.com

- 영작 워크시트
- 해석 워크시트
- 문장 MP3
- 어휘 리스트
- 어휘 테스트

입문

베스트
셀러

HACKERS

영어능력 1위 해커스다.

19년 연속 토익 베스트셀러 1위 해커스

22년 연속 토플 베스트셀러 1위 해커스

14년 연속 텝스 베스트셀러 1위 해커스

중·고등 영어도 역시 **1위 해커스**다.

해커스북 ^{중·고등}
HackersBook.com

해커스
완전숙련
구문독해와 함께하면
해석이 쉬워지는 이유!

독해에 꼭 필요한 핵심 구문을 모두 담았으니까!

1

해석에 꼭 필요한
모든 구문을
실제 기출 문장으로 학습

2

독해를 쉽고 빠르게 할 수 있는
친절하고 간결한
구문 설명

해커스 완전숙련 구문독해

입문   기본   심화

촘촘한 훈련으로 배운 구문을 완전히 내 것으로 만드니까!

3

어떤 문장이든 자신 있게
직독직해할 수 있는
**1,100여 개의
문장 끊어 읽기 연습**

4

영작/해석 워크시트,
어휘 리스트/테스트 등
**다양한 부가 학습 자료로
독해 완전숙련**

해커스 완전숙련 구문독해 시리즈를 검토해주신 선생님들

경기

김보경	성일고등학교
박가영	한민고등학교
성미경	위너영수학원
송혜령	듀크영어학원
전성훈	훈선생영어학원
정준	고양외국어고등학교
조수진	수원 메가스터디학원
최지영	다른영어학원

| 탁은영 | EiE고려대학교어학원 |
| | 태전퍼스트캠퍼스 |

대전

| 위지환 | 청명중등생학원 |

서울

권지현	독한영어학원
김대니	채움학원
김종오	입시형인간학원

박철홍	에픽영어
양세희	양세희수능영어학원
장보금	EaT영어학원
채가희	대성세그루학원

울산

| 윤창호 | 공부하는멘토학원 |

인천

| 김경준 | 러셀스터디 |

전북

| 김설아 | 에듀캠프학원 |

충남

| 설재윤 | 마스터입시학원 |

충북

| 강은구 | 박재성영어학원 |

해커스 어학연구소 자문위원단 2기

강원

| 안서아 | 숲어학원 남산캠퍼스 |
| 최현주 | 최샘영어 |

경기

강민정	김진성의 열정어학원
강상훈	평촌RTS학원
강유빈	일링영어수학학원
권계미	A&T+ 영어
김남균	SDH어학원 세교캠퍼스
김보경	성일고등학교
김세희	이화킴스영어전문학원
김은영	신갈고등학교
나한샘	해법영어교실 프라임수학학원
두형호	잉글리쉬피티 어학원
박은성	GSE 어학원
박지승	신갈고등학교
배동영	이바인어학원탄현캠퍼스
서현주	웰어학원
연원기	신갈고등학교
윤혜영	이루다학원
이미연	김상희수학영어학원
이선미	정현영어학원
이슬기	연세센크레영어
이승주	EL영어학원
이주의	뉴욕학원
이충기	영어나무
이한이	엘케이영어학원
장명희	이루다영어수학전문학원
장소연	우리학원
장한상	티엔디플러스학원
전상호	평촌 이지어학원
전성훈	훈선생영어학원
정선영	코어플러스영어학원
정세창	팍스어학원
정재식	마스터제이학원
정필두	정상어학원
조원웅	클라비스영어전문학원
조은혜	이든영수학원
천은지	프링크어학원
최지영	다른영어학원
최한나	석사영수전문

경남

김선우	이해성 김해 의대관
라승희	아이작잉글리쉬
박정주	타임영어 전문학원
이지선	PMS영재센터학원

경북

김대원	포항영신중학교
김주훈	아너스영어
문재원	포항영신고등학교
성룡	미르어학원
엄경식	포항영신고등학교
정창용	엑소더스어학원

광주

강창일	MAX(맥스) 에듀학원
김태호	금호고등학교
임희숙	설월여자고등학교
정영철	정영철 영어전문학원
조유승	링즈영어학원

대구

구수진	석샘수학&제임스영어 학원
권익재	제이슨영어교습소
김광영	e끌리네영어학원
김보곤	베스트영어
김연정	달서고등학교
김원회	글로벌리더스어학원
위영선	위영선영어학원
이가영	어썸코칭영어학원
이승현	학문당입시학원
이정아	능인고등학교
조승희	켈리외국어학원
주현아	강고영어학원
최윤정	최강영어
황은진	상인황샘영어학원

대전

김미경	이보영의토킹클럽유성분원
성태미	한울영수학원
신주희	파써블영어학원
이재근	이재근영어수학학원
이혜숙	대동천재학원
최애림	ECC송촌제우스학원

부산

고영하	해리포터영어도서관
김미혜	더멘토영어
김서진	케이트예일학원
김소희	윤선생GSE 센텀어학원
박경일	제니스영어
성현석	닉쌤영어교습소
신연주	도담학원
이경희	더에듀기장학원

이아린	명진학원
이종혁	대동학원
이지현	7번방의 기적 영어학원
전재석	영어를담다
채지영	리드앤톡영어도서관학원

서울

갈성은	씨앤씨(목동) 특목관
공현미	이은재어학원
김시아	시아영어교습소
김은주	열정과신념영어학원
박병배	강북세일학원
신이준	정영어학원
신진희	신진희영어
양세희	양세희수능영어학원
윤승완	윤승완영어학원
이계윤	씨앤씨(목동) 학원
이상영	와이즈(WHY's) 학원
이정욱	이은재어학원
이지연	중계케이트영어학원
정미라	미라정영어학원
정용문	맥코칭학원
정윤정	대치명인학원 마포캠퍼스
조용현	바른스터디학원
채가희	대성세그루영수학원

세종

김주년	드림하이영어학원
하원태	백년대계입시학원
홍수정	수정영어입시전문학원

울산

김한중	스마트영어전문학원
오충섭	인트로영어전문학원
윤창호	로제타스톤어학원
임예린	와엘영어학원
최주하	더 셀럽학원
최호선	마시멜로영어전문학원

인천

권효진	Genie's English
송숙진	예스영어학원
임민선	SNU에듀
정진수	원리영어
함선임	리본에듀학원
황혜림	SNU에듀

전남

| 류성준 | 타임영어학원 |

전북

강동현	커넥트영수전문학원
김길자	군산맨투맨학원
김두환	해남맨체스터영수학원
김유경	이엘 어학원
노빈나	노빈나영어학원
라성남	하포드어학원
박지연	박지연영어학원
변진호	쉐마영어학원
송윤경	줄리안나영어국어전문학원
이수정	씨에이엔영어학원
장윤정	혁신뉴욕어학원

제주

| 김랑 | KLS어학원 |
| 박자은 | KLS어학원 |

충남

문정효	좋은습관 에토스학원
박서현	EiE고려대학교 어학원 논산
박정은	탑씨크리트학원
성승민	SDH어학원 불당캠퍼스
손세윤	최상위학원 (탕정)
이지선	힐베르트학원

충북

강은구	강쌤영어학원
남장길	에이탑정철어학원
이혜인	위즈영어학원

해커스
완전숙련
구문독해

입문

해커스 어학연구소

PREFACE

빠르고 정확한 해석을 위한
해커스 **완전숙련 구문독해**를 내면서

해커스
완전숙련 구문독해는 이렇게 시작되었습니다.

문법을 배우고, 어휘를 암기하고 나서도 지문을 읽기 힘들어하는 학습자가 많습니다. 해커스는 이런 학습자들을 어떻게 도울 수 있을지 고민해왔습니다. **"지문은 문장으로 이루어져 있으니, 일단 문장부터 이해하는 것으로 시작해보면 어떨까?"**

문장을 하나하나 끊어서 읽는 연습을 하며 구조를 파악하게 되면, 그 다음엔 문장을 일부러 끊지 않아도 학습자의 머리에서 문장이 성분 단위로 나뉘게 됩니다. 자연스럽게 해석이 되는, '내 것'인 문장들이 모인 지문 읽기는 자연스럽게 수월해지기 마련입니다.

해커스
완전숙련 구문독해는 독해력을 기르는 발판이 되고자 합니다.

해커스 완전숙련 구문독해에는 지문이 없으며, 오직 문장만으로 독해력을 기르도록 합니다. 해커스 완전숙련 구문독해는 학습자들이 수많은 문장들에 헤매기 전, 내가 마주치게 될 구문들을 미리 내 것으로 만드는 과정을 돕습니다. 모든 구문을 습득하고 나면 미로 같았던 지문이 하나의 아름다운 그림으로 보이게 됩니다.

해커스
완전숙련 구문독해는 누구나 학습할 수 있습니다.

예비 수험생인 중·고등학생부터, 영어를 제대로 다시 시작하고 싶은 성인 학습자까지 누구나 학습할 수 있습니다. 엄선된 수능 및 모의고사 기출 문장뿐 아니라, 정치·사회·과학·일상생활 등 다양한 주제로 문장들을 구성하여 학습자의 폭을 넓혔습니다. 모국어가 아닌 언어로 된 글을 읽는 것은 어렵지만, 그 벽을 넘으면 누구에게나 공평하게 더 큰 세상이 펼쳐질 수 있기에 수험생부터 성인까지 모두가 학습할 수 있도록 구성했습니다.

모든 영어 학습자가 이 책에 담긴 구문을 **완전숙련**하고, 읽고 싶었던 영어 지문과 원서를 자유롭게 읽으며 시야가 넓어지는 즐거운 경험을 하기를 응원합니다.

해커스 어학연구소

CONTENTS

책의 특징과 구성

본책

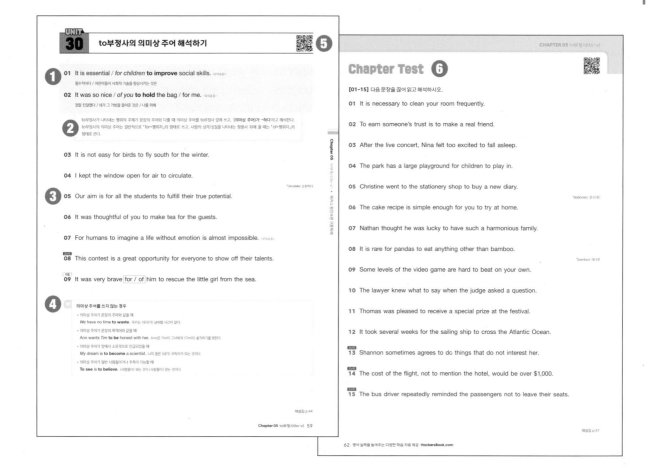

① 대표 예문
필수 구문이 포함된 기출 문장을 확인하고, 문장 분석 및 해석을 통해 구문을 학습할 수 있습니다.

② 구문 설명 및 해석 방법
명쾌하고 쉬운 설명으로 필수 구문을 정확하게 이해하고 해석하는 방법을 배울 수 있습니다.

③ 구문독해 연습
다양한 주제의 실용적인 문장과 수능/모의고사 기출 문장으로 학습한 구문에 완전히 숙련될 수 있습니다. 또, 고난도 문장을 통해 실력을 한층 더 상승시키고 어법 문제를 통해 수능에 출제된 문법 포인트까지 확인할 수 있습니다.

④ TIP
구문과 관련된 문법/어휘/표현에 대한 추가 설명으로 구문을 더 완벽하게 이해할 수 있습니다.

⑤ QR코드 - 문장 MP3
각 UNIT에서 학습한 문장을 QR코드를 통해 MP3로 들어보며 문장을 복습할 수 있습니다.

⑥ Chapter Test
각 Chapter에서 학습한 모든 구문을 이용한 문장으로 확실히 복습하고 이해도를 점검할 수 있습니다.

해설집

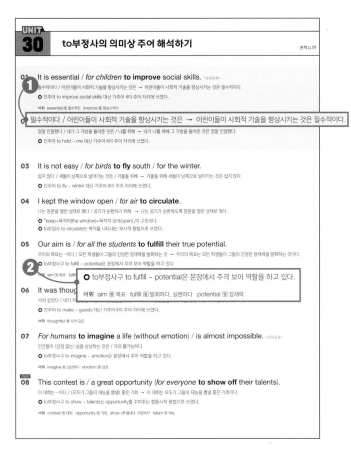

① 끊어 읽기 해석과 전체 해석

끊어 읽기를 통한 직독직해로 문장 구조를 쉽고 빠르게 파악하고, 전체 해석으로 문장의 자연스러운 의미를 확인합니다.

② 구문 해설과 어휘

구조 파악 및 해석이 더욱 쉬워지는 구문 해설과 필수 어휘 정리로 독해 실력을 한층 더 강화합니다.

✚ 추가 부가물

부가물 다운로드: www.HackersBook.com

| 영작 워크시트 | 해석 워크시트 | 어휘 리스트 | 어휘 테스트 |

(Step 1, 2, 3)

교재에 수록된 문장을 단계별로 영작해보고, 다시 해석해보며 확실하게 문장에 익숙해질 수 있습니다.

해석에 필요한 주요 어휘를 효과적으로 암기하고, 테스트를 통해 어휘 실력까지 완성할 수 있습니다.

구문독해가 쉬워지는 끊어 읽기

❶ 끊어 읽기의 필요성

영어와 한국어는 문장 성분이 나오는 순서가 다른데, 영어는 대체로 주어 다음에 바로 동사가 오지만 한국어는 동사가 문장의 맨 끝에 오는 경우가 많다. 아래 예시의 영어 문장에서는 주어 'She' 뒤에 동사 'enjoys'가 바로 나왔지만, 한국어 문장에서는 주어 '그녀는' 뒤에 여러 가지 세부적인 내용이 나오고 동사 '즐긴다'가 가장 마지막에 오는 것을 확인할 수 있다.

She enjoys playing with her brother in the playground.
주어   동사

그녀는 그녀의 오빠와 함께 놀이터에서 노는 것을 즐긴다.
주어   동사

이처럼 영어와 한국어의 어순이 다르기 때문에 영어를 한국어로 해석할 때 어려움이 생기며, 특히 문장에 여러 세부적인 내용이 나와 길어지면 영어 문장을 한번에 해석하는 것이 더욱 어려워진다.

그렇기 때문에 영어 문장이라는 큰 단위를 적절한 단위로 작게 끊어서 해석하는 것이 중요하며, 이때 적절한 끊어 읽기의 단위를 의미 단위라고 한다. 한번에 이해할 수 있을 만큼의 의미 단위만큼 묶어서 읽고, 이를 한국어 어순에 맞게 이어 붙이는 것을 연습하면 길고 복잡한 영어 문장도 쉽게 해석할 수 있게 된다.

❷ 끊어 읽기 연습 방법

처음 끊어 읽기를 시작할 때는 작은 단위로 끊어서 정확하게 해석하는 연습을 시작하고, 이것에 익숙해지면 끊어 읽기 단위를 늘려 더 큰 구나 절 단위로 끊어 읽는 연습을 한다. 이때, 보통 전치사나 접속사 앞에서 끊으면 의미 단위를 파악하기 쉬워진다. 실력이 늘면서 끊어 읽는 단위를 확장시켜 읽으면 더 빠르고 자연스럽게 해석을 할 수 있다.

She / enjoys / playing / with / her brother / in / the playground.
그녀는 / 즐긴다 / 노는 것을 / ~와 함께 / 그녀의 오빠 / ~에서 / 놀이터

She enjoys / playing with her brother / in the playground.
그녀는 즐긴다 / 그녀의 오빠와 함께 노는 것을 / 놀이터에서

She enjoys playing with her brother / in the playground.
그녀는 그녀의 오빠와 함께 노는 것을 즐긴다 / 놀이터에서

끊어 읽기에는 정답이 없으며 학습자의 수준에 따라 다양하게 나타날 수 있다. 따라서, 본인의 끊어 읽기가 본 책에서 제시하는 것과 다르더라도 틀린 것이 아니며, 전체적인 의미가 통하도록 해석하면 된다.

※ 해석할 때 알아두면 좋은 영어 문장 부호

콤마(,), 콜론(:), 세미콜론(;), 대시(—) 등의 문장 부호는 문장 안에서 다양하게 쓰이므로, 이를 알아두면 해석을 더욱 빠르고 정확하게 할 수 있다.

1. 콤마(,)   단어나 구를 나열할 때 이를 구분해준다. 절과 절 사이를 구분해주기 위해 쓰이기도 하며, 삽입어 구/절의 앞뒤에 쓰이기도 한다.

2. 콜론(:)   문법적으로 완전한 문장이 뒤따라올 때 앞서 언급된 내용을 구체적으로 설명해준다. 콜론 뒤에 리스트 형식으로 단어를 나열하기도 하며, 이때 "즉"이라고 해석한다.

3. 세미콜론(;)   세미콜론은 의미상 서로 연관이 있는 두 문장을 연결해주며, 문맥상 적절한 부사절 접속사를 넣어서 해석한다. 실제로는 마침표(.)나 콤마(,)만큼 일반적으로 쓰이지 않는다.

4. 대시(—)   대시는 콜론(:), 세미콜론(;)과 비슷한 역할을 한다. 또, 문장에 부가적인 정보를 제공하기도 한다.

구문독해가 쉬워지는 **기초 문법**

❶ 품사 | 영어 단어의 8가지 종류

영어 단어는 기능과 성격에 따라 명사, 대명사, 동사, 형용사, 부사, 전치사, 접속사, 감탄사의 8품사로 분류할 수 있다.

1. 명사
사람, 사물, 장소, 개념 등의 이름을 나타내는 말로, 문장에서 주어, 목적어, 보어 역할을 한다.

The movie was scary. <주어> 그 영화는 무서웠다.

Diane visited Paris last summer. <목적어> Diane은 지난여름에 파리를 방문했다.

My best friend is Johnny. <보어> 나의 가장 친한 친구는 Johnny이다.

2. 대명사
명사를 대신해서 쓰는 말로, 문장에서 주어, 목적어, 보어 역할을 한다.

Kate runs really fast. She is the fastest girl in my class. <주어>
Kate는 아주 빠르게 달린다. 그녀는 나의 반에서 가장 빠른 여자아이이다.

James was shopping yesterday. I saw him at the mall. <목적어>
James는 어제 쇼핑을 하고 있었다. 나는 그를 쇼핑몰에서 봤다.

My biggest concern is this. <보어> 나의 가장 큰 걱정은 이것이다.

3. 동사
동작이나 상태를 나타내는 말로, 문장에서 술부를 이끄는 동사(술어) 역할을 한다. 동사에는 be동사, 일반동사, 조동사가 있다.

The man is a cook. <be동사> 그 남자는 요리사이다.

She swims every day. <일반동사> 그녀는 매일 수영을 한다.

I can play the violin. <조동사+일반동사> 나는 바이올린을 연주할 수 있다.

4. 형용사
명사나 대명사의 형태, 성질, 상태 등을 나타내는 말로, 문장에서 보어 또는 명사나 대명사를 꾸며주는 수식어 역할을 한다.

The children were so active. <주격 보어> 그 아이들은 매우 활동적이었다.

The final exam made us busy. <목적격 보어> 기말고사는 우리를 바쁘게 만들었다.

Gold is an expensive metal. <수식어> 금은 비싼 금속이다.

5. 부사

동사, 형용사, 다른 부사, 또는 문장 전체를 꾸며주는 말로, 문장에서 수식어 역할을 한다.

I speak English **well**. <동사 수식> 나는 영어를 잘 말한다.

Our teacher is **very** angry. <형용사 수식> 우리의 선생님은 매우 화가 나셨다.

Mr. Holt drives **really** carefully. <부사 수식> Holt씨는 아주 조심스럽게 운전한다.

Eventually, he told me the truth. <문장 전체 수식> 결국, 그는 나에게 사실을 말해줬다.

6. 전치사

명사나 대명사 앞에서 **장소, 시간, 방법 등을 나타내는 말**이다.

I will meet my friends **at** the theater. <장소> 나는 극장에서 나의 친구들을 만날 것이다.

The bridge was built **in** 2007. <시간> 그 다리는 2007년에 지어졌다.

People can go to the airport **by** bus. <방법> 사람들은 그 공항에 버스로 갈 수 있다.

7. 접속사

단어와 단어, 구와 구, 절과 절을 연결해주는 말이다.

This dress is pretty **but** small. <단어와 단어 연결> 이 드레스는 예쁘지만 작다.

Billy woke up **and** went to the gym. <구와 구 연결> Billy는 일어나서 체육관에 갔다.

My sister was born **when** I was five years old. <절과 절 연결>
나의 여동생은 내가 5살일 때 태어났다.

8. 감탄사

기쁨, 놀람, 슬픔과 같은 다양한 감정을 표현하는 말이다.

Wow! The cake looks delicious! 와! 그 케이크는 맛있어 보여!

Oops! I forgot to turn off the lights. 이런! 나는 불을 끄는 것을 까먹었어.

❷ 문장의 성분 | 영어 문장을 만드는 재료

영어 문장을 만드는 재료 역할을 하는 문장 성분에는 주어, 동사, 목적어, 보어가 있다. 이들은 문장을 구성하는데 필수적으로 있어야 하는 요소들이므로 필수 성분이라고 한다. 수식어는 필수 성분은 아니지만, 문장의 내용이 조금 더 풍부하도록 부가적인 정보를 제공한다.

1. 주어

동작이나 상태의 주체가 되는 말로, '누가, 무엇이'에 해당한다. 명사나 대명사, 명사구나 명사절처럼 명사 역할을 하는 것이 주어 자리에 올 수 있다.

Helen called me yesterday. Helen은 어제 나에게 전화했다.

The author received an award. 그 작가는 상을 받았다.

2. 동사

주어의 동작이나 상태를 나타내는 말로, '~하다, ~이다'에 해당한다.

The kids **went** to the amusement park. 그 아이들은 놀이공원에 갔다.

David **has** a high fever. David는 높은 열이 있다.

3. 목적어

동사가 나타내는 행위의 대상이 되는 말이다. 주어와 마찬가지로 명사 역할을 하는 것이 목적어 자리에 올 수 있다.

My family will buy **a new house**. 나의 가족은 새 집을 살 것이다.

Alice made **me a bracelet**. Alice는 나에게 팔찌를 만들어줬다.

4. 보어

주어나 목적어를 보충 설명하는 말이다. 주어를 보충 설명하는 주격 보어와 목적어를 보충 설명하는 목적격 보어가 있으며, 명사 역할을 하는 것이나 형용사 역할을 하는 것이 보어 자리에 올 수 있다.

Mr. Brown is **friendly** to his neighbors. <주격 보어> Brown씨는 그의 이웃들에게 친절하다.

We call our cat **Happy**. <목적격 보어> 우리는 우리의 고양이를 Happy라고 부른다.

5. 수식어

문장의 내용이 조금 더 풍부하도록 부가적인 정보를 제공하는 말이다. 형용사 역할을 하는 것이나 부사 역할을 하는 것이 수식어 자리에 올 수 있다.

It was a **funny** joke. 그것은 재미있는 농담이었다.

I left the classroom **after the class**. 나는 수업 후에 교실을 떠났다.

❸ 구와 절 | 말 덩어리

두 개 이상의 단어가 모여 하나의 의미를 나타내는 말 덩어리를 구나 절이라고 하며, 구는 「주어+동사」를 포함하지 않고 절은 「주어+동사」를 포함한다. 구와 절은 문장에서 명사, 형용사, 부사 역할을 할 수 있다.

1. 구

「**주어+동사**」**를 포함하지 않은 두 개 이상의 단어가 모인 말 덩어리**로, 문장에서 명사, 형용사, 부사 역할을 할 수 있다.

> 명사구 「명사+형용사구」, to부정사구, 「의문사+to부정사」, 동명사구 등이 명사구가 된다.
> **The players on the soccer field** look tired. 축구장에 있는 선수들은 피곤해 보인다.
> Jackson hopes **to become an astronaut.** Jackson은 우주비행사가 되기를 바란다.

> 형용사구 「전치사+명사(구)」, to부정사구, 분사구 등이 형용사구가 된다.
> My plan **for the trip** seems perfect. 그 여행을 위한 나의 계획은 완벽해 보인다.
> Do you have any homework **to do?** 너는 해야 할 숙제가 있니?

> 부사구 「전치사+명사(구)」, to부정사구, 분사구문 등이 부사구가 된다.
> Emma bought a concert ticket **at a discounted price.**
> Emma는 할인된 가격으로 콘서트 표를 샀다.
> **Getting off the bus,** I fell down. 버스에서 내리면서, 나는 넘어졌다.

2. 절

「**주어+동사**」**를 포함한 두 개 이상의 단어가 모인 말 덩어리**로, 문장에서 명사, 형용사, 부사 역할을 할 수 있다.

> 명사절 that, whether, 의문사, 관계대명사 what 등이 이끄는 절이 명사절이 된다.
> I think **that Ms. White is a kind person.** 나는 White씨가 친절한 사람이라고 생각한다.
> I don't know **when the train will arrive.** 나는 기차가 언제 도착할지 모른다.

> 형용사절 who, which, that, whose, when, where 등의 관계사가 이끄는 절이 형용사절이 된다.
> I have a friend **who I meet every day.** 나는 내가 매일 만나는 친구가 있다.
> This is a fruit **that comes from India.** 이것은 인도에서 온 과일이다.

> 부사절 when, while, because, as, if, though 등의 부사절 접속사가 이끄는 절이 부사절이 된다.
> **When Carl was little,** he sang well. Carl은 어렸을 때, 노래를 잘했다.
> I got lost **because it was the first time I visited the city.**
> 내가 그 도시를 처음 방문하는 것이었기 때문에 나는 길을 잃었다.

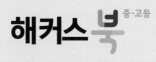

www.HackersBook.com

교재 내 기호 및 표기법

S	주어	S´	종속절의 주어	/	일반적인 끊어 읽기
V	동사	V´	구/종속절의 동사	//	등위절 간의 구분
O	목적어	O´	구/종속절/전치사의 목적어	to-v	to부정사
IO	간접 목적어	C´	구/종속절의 보어	v-ing	동명사/현재분사
DO	직접 목적어	M´	구/종속절의 수식어	p.p.	과거분사
C	보어	S¹	중복 문장 성분 구분	Vr	동사원형
SC	주격 보어	( )	형용사구/생략어구/생략 가능 어구	cf.	비교
OC	목적격 보어	[ ]	형용사절	e.g.	예시
M	수식어	(( ))	삽입어구	→	문장 전체 해석

CHAPTER 01

문장의 구조

영어 문장은 주로 어떤 동사가 쓰였는지에 따라 다섯 가지 구조로 나뉜다. 문장의 구조를 파악하는 것은 구문 분석의 가장 기본이므로, 다양한 구조를 구분할 수 있다면 영어 문장 해석이 더욱 쉬워진다.

01 A truck **appeared** / ahead. <모의용용>
　　　　S　　　V　　　　M
트럭 한 대가 나타났다 / 앞에

주어(S)와 동사(V)만으로 문장이 성립되는 「S+V」 구조의 문장은 'S는 V하다'라고 해석하며, 동사 자리에 아래 동사들이 자주 온다. 문장에 추가적인 의미를 더하기 위해 종종 형용사나 부사 등의 수식어(M)가 함께 쓰인다.

appear 나타나다	stay 머무르다	get up 일어나다
go/come 가다/오다	happen 일어나다, 발생하다	grow up 자라다
arrive 도착하다	rise/fall (떠)오르다/떨어지다	run away 도망가다

02 Our school bus arrived.

03 My package came yesterday.

04 The sun rises in the east in the morning.

05 The cat slowly got up from the sofa.

06 I stayed at my friend's house over the weekend.

07 The thief ran away from the jewelry shop.

08 My grandfather grew up in a small town.

09 Changes for the better happen to hard-working people.

10 Thomas goes to the park near his apartment every day.

해설집 p.2

주어+동사+주격 보어 구조 해석하기

01 <u>The man</u> **<u>is</u>** <u>a famous pianist.</u> <모의응용>
　　　S　　V　　　SC
그 남자는 유명한 피아노 연주자이다.

> 주격 보어(SC)는 주어가 무엇인지, 어떤 상태인지 등을 보충 설명하며, 주격 보어 자리에는 주로 명사나 형용사가 온다. 「S+V+SC」 구조의
> 문장은 'S는 SC이다, S는 SC하게 V하다'라고 해석하며, 동사 자리에 아래 동사들이 자주 온다.
>
> > be ~이다
> > stay, remain, keep (~한 상태로) 있다
> > become, turn, get (~한 상태가) 되다, ~해지다
> > seem, appear ~인 것처럼 보이다, ~인 것 같다
> > look/sound/smell/taste/feel ~하게[한] 보이다/들리다/냄새가 나다/맛이 나다/느껴지다

02 Marie Curie was a great scientist.

03 My new classmates appear friendly.

04 The students remained quiet during class.

05 The ice cream looked delicious, but it tasted awful.

06 She became a world-class golfer at 16. <모의>

07 The subject of the debate sounds interesting.

08 Mark got angry at himself for his mistake.

09 The chair with the backrest seems comfortable. <모의응용>

고난도
10 Mr. Williams became successful after ten years of effort.

> **TIP** **주격 보어 자리에는 올 수 없는 부사**
>
> '~하게'라는 해석 때문에 주격 보어 자리에 부사를 쓰지 않도록 주의한다.
> I *feel* (~~happily~~, **happy**). 나는 행복하게 느낀다.
>
> cf. friendly(다정한), lovely(사랑스러운), lonely(외로운)와 같이 형용사지만 -ly로 끝나 부사처럼 보이는 단어에 유의한다.
> Your dress *looks* **lovely**. 너의 드레스는 사랑스럽게 보인다.

해설집 p.3

01 My neighbor **has** a pretty garden. <수능>
     S   V   O

나의 이웃은 예쁜 정원을 가지고 있다.

> 목적어(O)는 동사가 나타내는 행위의 대상이 되는 말이다. 「S+V+O」 구조의 문장은 'S는 O를 V하다'라고 해석한다.

02 Our team needs more team members.

03 Lisa ordered a cup of strawberry juice from the menu.

04 Vincent van Gogh painted *The Starry Night* in 1889.

05 I borrowed a tent from my cousin for the camping trip.

06 The songwriter wrote beautiful pieces of music.

07 The restaurant delivers its food throughout the nearby area.

08 The film distributor changed the release date of the movie.

*distributor: 배급사, 유통업자

09 Kevin broke a window by mistake during basketball practice.

^{고난도}
10 The teacher received many letters from students at the end of the semester.

TIP **주격 보어와 목적어의 구분**

주격 보어와 목적어 둘 다 동사 뒤에 오지만, 주격 보어는 주어를 보충 설명하므로 주어와 같은 대상이다. 목적어는 주어가 하는 행위의 대상이므로 주로 주어와 같지 않다.

Sarah became a well-known artist. Sarah는 유명한 예술가가 되었다. (S = SC)
  S   V   SC

Sarah secretly admired the artist. Sarah는 남모르게 그 예술가를 동경했다. (S ≠ O)
  S   M   V   O

해설집 p.4

목적어를 가지는 구동사 해석하기

01 Linda **thought of** a poem / in front of the painting. <모의>
　　　 S　　　 V　　 O　　　　　 M

Linda는 시를 생각해냈다 / 그 그림 앞에서

> 「S+V+O」 구조의 동사 자리에는 동사가 전치사나 부사와 함께 쓰인 구동사가 올 수 있으며, 각각 아래와 같이 해석한다.
>
> | think of ~을 생각해내다 | look for ~을 찾다 | look forward to ~을 고대하다 |
> |---|---|---|
> | put off ~을 미루다 | throw away ~을 버리다 | take care of ~을 돌보다 |

02 We are looking forward to our summer vacation.

03 Eva threw away some unfashionable clothes from her closet.

04 The gardener takes care of the plants every week.

05 Ted has looked for his missing laptop for a long time.

전치사를 쓰지 않는 동사 해석하기

06 Paul **explained** his idea / to his father. <모의>
　　　 S　　 V　　 O　　　 M

Paul은 그의 생각에 대해 설명했다 / 그의 아버지에게

Paul explained *about* his idea to his father. (X)

> 아래 동사들은 전치사가 뒤에 오는 것처럼 해석되지만 실제로는 전치사를 쓰지 않고 바로 뒤에 목적어를 가진다.
>
> explain/discuss/suggest ~~about~~ ~에 대해 설명하다/논의하다/제안하다
> contact/marry/resemble ~~with~~ ~와 연락하다/결혼하다/닮다
> reach/enter/attend/answer ~~to~~ ~에 도달하다/들어가다/참석하다/대답하다

07 The student answered the question with confidence.

08 Joe and his friends discussed the plan for the party.

09 We entered the movie theater 20 minutes early.

10 I finally reached the exciting part of the book.

해설집 p.5

01 My friend **lent** / me a heating pad. <모의>
　　　　　S　　　V　　IO　　　DO
나의 친구는 빌려줬다 / 나에게 전기담요를

> 동사 뒤에 두 개의 목적어가 올 때 앞에 있는 목적어는 간접 목적어(IO), 뒤에 있는 목적어는 직접 목적어(DO)라고 한다. 「S+V+IO+DO」 구조의 문장은 'S는 IO에게 DO를 V하다'라고 해석한다.

02 Max sent Amy a bouquet of flowers.

03 Ms. Benson taught the class a science lesson.

04 Brian showed his friends his childhood photos.

05 The chef cooked us a tasty meal, and we enjoyed it.

06 Many reporters asked the mayor questions.

07 My mom bought me a book about Korean history.

08 The coach brought the players snacks during the break.

09 The waiter found the guest a seat near the window.

10 My uncle built the birds a birdhouse with wood.

TIP 「S+V+O」로 바꿔 쓸 수 있는 「S+V+IO+DO」

「S+V+IO+DO」 구조의 문장은 「S+V+O(기존 DO)+전치사(to/for/of)+전치사의 목적어(기존 IO)」 구조로 바꿔 쓸 수 있다. 이때 동사에 따라 쓰는 전치사가 다르다.

전치사 **to**를 쓰는 동사	give, send, bring, show, teach, tell, lend 등
전치사 **for**를 쓰는 동사	make, buy, cook, find, build 등
전치사 **of**를 쓰는 동사	ask, inquire 등

Jake **gave** his sneakers *to* his brother. Jake는 그의 남동생에게 그의 운동화를 줬다.
The woman **made** chocolate cookies *for* her children. 그 여자는 그녀의 아이들에게 초콜릿 쿠키를 만들어줬다.

01 The hand cream **made** / their hands soft. <모의응용>
　　　　　　S　　　V　　　　　　O　　　OC
그 핸드크림은 만들었다 / 그들의 손을 부드럽게

> 목적격 보어(OC)는 목적어를 보충 설명하며, 목적격 보어 자리에는 주로 명사나 형용사가 온다. 「S+V+O+OC」 구조의 문장은 동사 자리에 아래 동사들이 자주 온다.
>
> | make | O를 OC로[하게] 만들다 |
> | --- | --- |
> | keep, leave | O를 OC한 상태로 두다 |
> | think, believe, consider, find | O가 OC라고[하다고] 생각하다 |
> | call/name | O를 OC라고 부르다/이름 짓다 |

02 James believes himself a good writer.

03 The couple named their baby Angela after her grandmother.

04 The readers found the newspaper article educational.

05 Mason's constant good grades made him confident.

06 Susan's classmates think her brave for standing against injustice.

07 The lid keeps the food in the container fresh for a longer time.

08 My name is Elizabeth, but my friends always call me "Lizzy".

09 The teacher left the classroom door open after school for special classes.

고난도
10 People hardly considered badminton a sport before. <모의>

TIP **명사 목적격 보어와 직접 목적어의 구분**

명사 목적격 보어와 직접 목적어 둘 다 목적어 뒤에 오지만, 목적격 보어는 목적어를 보충 설명하므로 목적어와 같은 대상이다. 간접 목적어와 직접 목적어는 주어가 하는 행위의 대상들이며 서로 같지 않다.

The movie made him a star. 그 영화는 그를 스타로 만들었다. (O = OC)
　　　S　　V　　O　OC
I made him some sandwiches. 나는 그에게 약간의 샌드위치를 만들어줬다. (IO ≠ DO)
S　V　IO　　DO

해설집 p.7

Chapter 01　문장의 구조 • 해커스완전숙련 구문독해

Chapter Test

[01-15] 각 문장 성분을 표기한 뒤 구조에 유의하여 다음 문장을 해석하시오.

01 Mr. Hill's guests will arrive here soon.

02 Honesty is the best policy. <속담>

03 The chameleon is turning yellow.

04 Natural disasters can happen in any country.

05 The squirrel ran away from the dog quickly.

06 Broccoli tastes bitter to people with many taste buds. <모의>

*taste bud: 미뢰(허의 미각 기관)

07 The boxer ate fewer calories and lost weight.

08 Almost every student found the test difficult.

09 The farmer gave his cow carrots and potatoes.

10 Amanda closely resembles her older sister in appearance.

11 Antony often puts off his homework until the day before the due date.

12 The company's staff attend a meeting every Monday morning.

13 Many people consider diligence an important quality.

고난도
14 The salesperson sent her customers free samples of the new product.

고난도
15 With my friends, I frequently discuss ways to protect the Earth.

해설집 p.8

CHAPTER 02

시제

시제는 동사가 나타내는 행위가 발생한 시간을 표현하는 것이다. 각 시제에 맞는 동사의 형태와
의미를 학습하면 문장에서 말하고자 하는 시점을 정확하게 파악하여 해석할 수 있다.

현재시제 해석하기

01 Ben **goes** to Spanish class / on Thursday evenings. <모의응용>

Ben은 스페인어 수업에 간다 / 목요일 저녁마다

> 현재시제는 주로 현재의 사실이나 상태, 현재의 습관이나 반복되는 일, 일반적·과학적 사실을 나타내며, '~한다'라고 해석한다. 현재시제는 미래를 나타내는 부사(구)와 함께 이미 확정된 미래의 일을 나타낼 때도 쓰이는데, 이때 '~할 것이다'라고 해석한다.

02 Some flowers bloom in winter.

03 Monica drinks apple juice every morning.

04 My skin burns easily in the sun.

05 The flight to London leaves at 2 P.M.

고난도
06 You look very smart when you have those glasses on.

과거시제 해석하기

07 We all **got** a text message / from the teacher / last week. <모의>

우리는 모두 문자 메시지를 받았다 / 그 선생님으로부터 / 지난주에

> 과거시제는 과거의 동작이나 상태, 역사적 사실을 나타내며, '~했다'라고 해석한다.

08 Scott wore a new outfit at yesterday's party.

09 In 1945, Korea finally gained independence.

10 Vikings lived in long wooden houses a long time ago.

11 Wendy ordered spaghetti, but pizza came out.

고난도
12 I spoke with my grandmother on the telephone last night.

미래시제 해석하기

13 Only five groups **will advance** / to the final round. <모의>

다섯 팀만이 진출할 것이다 / 결승전에

> 미래시제는 「will+동사원형」 또는 「be going to+동사원형」의 형태로 앞으로 일어날 일을 나타내며, '**~할 것이다**'라고 해석한다.

14 I will bake a cake for my father's birthday.

15 The artist is going to win an award for his excellent artwork.

16 Louis will sleep over at his friend's house tomorrow.

17 Katherine will take care of her neighbor's dog next week.

고난도
18 This spring is not going to last long due to global warming.

> **TIP** **특정 시제와 함께 자주 쓰이는 시간 표현**
> • 현재시제(현재의 습관이나 반복되는 일을 나타낼 때): every day, on weekends, always, sometimes 등
>   Colin **plays** soccer *on weekends*. Colin은 주말마다 축구를 한다.
> • 과거시제: yesterday, last night, last week, two months ago, in 1997 등
>   I **watched** a documentary *yesterday*. 나는 어제 다큐멘터리를 봤다.
> • 미래시제: tomorrow, next Monday, next month, soon 등
>   It **will become** dark *soon*. 곧 어두워질 것이다.

해설집 p.10

현재진행시제 해석하기

01 I **am looking for** a wedding gift / for my cousin. <모의응용>

나는 결혼 선물을 찾고 있다 / 나의 사촌을 위해

> 현재진행시제는 「am/are/is+v-ing」의 형태로 지금 진행되고 있는 동작을 나타내며, '~하고 있다'라고 해석한다. 현재진행시제는 미래를
> 나타내는 부사(구)와 함께 예정된 가까운 미래의 일을 나타낼 때도 쓰이는데, 이때 '~할 것이다'라고 해석한다.

02 The radio is playing my favorite song.

03 The sunflowers in the garden are growing very tall.

04 The restaurant is changing its opening hours from next week.

과거진행시제 해석하기

05 It was a cold day, // and Jim **was waiting** for a bus. <모의응용>

추운 날이었다 // 그리고 Jim은 버스를 기다리고 있었다

> 과거진행시제는 「was/were+v-ing」의 형태로 과거의 특정 시점에 진행되고 있던 동작을 나타내며, '~하고 있었다'라고 해석한다.

06 The doorbell rang as we were having dinner.

07 I was reading a magazine when you called earlier.

08 Alice was traveling across South America this time last year.

미래진행시제 해석하기

09 We **will be holding** / our annual charity event / next weekend. <모의응용>

우리는 주최하고 있을 것이다 / 우리의 연례 자선 행사를 / 다음 주말에

> 미래진행시제는 「will be+v-ing」의 형태로 미래의 특정 시점에 진행될 동작을 나타내며, '~하고 있을 것이다'라고 해석한다.

고난도
10 The kids will be learning about outer space in science class tomorrow.

해설집 p.11

현재완료시제 해석하기

완료의 의미를 가진 현재완료시제 해석하기

01 This brand **has** just **released** / a new shampoo. <모의>

이 브랜드는 막 출시했다 / 새로운 샴푸를

> 현재완료시제는 「have/has+p.p.」의 형태로 과거에 일어난 일이 현재까지 영향을 미칠 때 쓴다. 완료의 의미를 가진 현재완료시제는 과거에 일어난 일이 현재에 완료되었음을 나타내며, '~**했다**'라고 해석한다. just, already, yet, lately 등과 주로 함께 쓴다.

02 We have spent a lot of time together lately.

03 Ms. Turner hasn't paid her Internet bill yet.

04 I have just auditioned for a part in the school play.

고난도
05 The author has already finished writing the next novel in the series.

경험의 의미를 가진 현재완료시제 해석하기

06 My parents **have climbed** this mountain / before. <모의응용>

나의 부모님은 이 산을 등반한 적이 있다 / 이전에

> 경험의 의미를 가진 현재완료시제는 과거부터 현재까지의 경험을 나타내며, '~**해본 적이 있다**'라고 해석한다. once, ~ times, ever, never, before 등과 주로 함께 쓴다.

07 I have tried Indian food a few times.

08 Harry has never watched scary movies all by himself.

09 The children have been to the amusement park just once.

고난도
10 Have you ever considered starting a career in journalism?

계속의 의미를 가진 현재완료시제 해석하기

11 The gallery **has attracted** / a lot of visitors / since 1935. <모의응용>

그 갤러리는 끌어들였다 / 많은 방문객들을 / 1935년 이래로

> 계속의 의미를 가진 현재완료시제는 과거부터 현재까지 계속되는 일을 나타내며, '**~해왔다, ~했다**'라고 해석한다. 「for(~ 동안)+지속 기간」, 「since(~ 이래로)+시작 시점」 등과 주로 함께 쓴다.

12 That land has remained empty for over 20 years.

13 Amy has trained for the marathon every day since May.

14 The argument has lasted for several days now.

[고난도]
15 Mr. Barnes has taught students physics at the university since 2001.

결과의 의미를 가진 현재완료시제 해석하기

16 All the party guests **have gone** home. <모의응용>

모든 파티 손님들은 집으로 갔다. (그 결과 지금은 여기에 없다)

> 결과의 의미를 가진 현재완료시제는 과거에 일어난 일의 결과가 현재까지 영향을 미치고 있음을 나타내며, '**~했다** (그 결과 지금은 ~이다)' 라고 해석한다.

17 Kelly has broken her laptop. She is planning to buy another one.

[고난도]
18 David has moved to France, so we can't meet him in person anymore.

TIP 현재완료시제와 과거시제의 구분

현재완료시제	과거시제
과거 → 현재	과거 현재
과거에 일어난 일이 현재까지 영향을 미칠 때 쓴다.	현재와 상관없는 과거의 일을 나타낼 때 쓴다.
He **has lost** his keys. (현재까지 열쇠가 없음)	He **lost** his keys. (현재 열쇠가 있는지 알 수 없음)

*현재완료시제는 특정한 과거시점을 나타내는 표현(yesterday, last, ago, when 등)과 함께 쓸 수 없다.

We (~~have written~~, **wrote**) poems in literature class *last week*. 우리는 지난주에 문학 수업에서 시를 썼다.

해설집 p.12

과거완료시제 해석하기

01 I **had** never **been** on TV / before my debut. <모의용용>

나는 TV에 나온 적이 없었다 / 나의 데뷔 전에

> 과거완료시제는 「had+p.p.」의 형태로 과거의 특정 시점 이전에 일어났던 일이 그 시점까지 영향을 미칠 때 쓴다. 현재완료시제처럼 의미에
> 따라 네 가지로 분류되며, 아래와 같이 해석한다.
>
> | 의미 | 해석 |
> |------|------|
> | 완료 | ~했었다 |
> | 경험 | ~해본 적이 있었다 |
> | 계속 | ~해왔었다, ~했었다 |
> | 결과 | ~했었다 (그 결과 과거의 특정 시점에는 …였다) |

02 Most birds had already flown south for the winter.

03 His parents had been in the hospital for a long time. <모의>

04 Had you ever visited other countries before you came to Korea?

05 The sun had already set when we went out for a walk.

06 The singer had lost his voice right before the concert.

07 Oliver had just woken up when his mother called him.

08 I had never noticed the difference between the twins before yesterday.

09 The actor had attempted to get a major role for the past five years.

고난도
10 The house had looked the same since the 1970s until it was renovated.

해설집 p.14

Chapter 02 시제 • 해커스 완전습득 구문독해

Chapter Test

[01-15] 동사의 시제에 유의하여 다음 문장을 해석하시오.

01 We watch television together every Saturday night.

02 The movie starts in about ten minutes.

03 The tourists will visit several local museums.

04 Some animals hibernate to save energy during winter.

*hibernate: 동면하다, 겨울잠을 자다

05 I wasn't doing so well in math class until I got a tutor.

06 Ms. Watson has just opened a new shoe store.

07 Athens held the first modern Olympics in 1896.

08 Laura has sat in the front row of the classroom from the first day.

09 The couple is going to paint their house this weekend.

10 Ted has already missed two phone calls from his older brother.

11 The medicine is helping the patient to recover quickly.

12 The foundation had already donated millions of dollars.

13 The Amazon Rainforest produces 20 percent of the Earth's oxygen.

고난도
14 Emma had just turned 23 years old when she graduated from college.

고난도
15 The invention and use of soap has prevented the spread of many diseases.

해설집 p.15

CHAPTER 03

조동사

조동사는 동사 앞에 쓰여 여러 가지 의미를 더하는 말이다. 위치를 파악하는 것은 쉽지만 의미가
다양하므로, 문장을 정확하게 해석하기 위해서는 각 조동사의 의미를 잘 알아둬야 한다.

UNIT 11 can 해석하기

01 Thanks to my teacher, / I **can** speak English fluently now. <모의용용>

나의 선생님 덕분에 / 나는 이제 영어를 유창하게 말할 수 있다

(= Thanks to my teacher, I **am able to** speak English fluently now.)

능력·가능을 나타내는 can은 be able to로 바꿔 쓸 수 있으며, 시제에 따라 아래와 같이 해석한다.

	긍정	의미	부정	의미
현재	can (= am/are/is able to)	~할 수 있다	can't[cannot] (= am/are/is not able to)	~할 수 없다
과거	could (= was/were able to)	~할 수 있었다	couldn't[could not] (= was/were not able to)	~할 수 없었다
미래	will be able to	~할 수 있을 것이다	won't[will not] be able to	~할 수 없을 것이다

*조동사는 두 개 이상 연속해서 쓸 수 없으므로, will can 대신 will be able to를 쓴다.

02 I can't see faraway objects without glasses.

03 Mr. Brown is able to fix computers very quickly.

04 Jack couldn't hear anything over the loud noise.

05 She was able to play tennis better after much practice.

06 My grandmother can remember even the events of the 1980s.

고난도
07 From next month, guests will be able to book rooms on the hotel's website.

08 You **can** add graphs / to your report. <모의용용>

너는 도표들을 추가해도 된다 / 너의 보고서에

09 **Can** you lower your voice / a little? <모의>

너의 목소리를 낮춰주겠니 / 약간

허가를 나타내는 can은 '**~해도 된다**'라고 해석하며, 금지를 나타낼 때는 can의 부정형인 can't를 쓰고 '**~해서는 안 된다**'라고 해석한다.
요청을 나타내는 can은 주로 의문문으로 쓰고 '**~해주겠니?**'라고 해석하며, 더 정중한 요청을 나타낼 때는 could를 쓰고 '**~해주시겠어요?**'
라고 해석한다.

10 Anyone can enter this island without a travel permit.

11 Can you tell me the secret to your success? <수능>

12 Visitors can't take photos of the artwork in the museum.

13 You can wear my jacket as I have an extra one.

고난도
14 Could you explain how you overcame your bad habit? <모의>

추측을 나타내는 could/can't 해석하기

15 It **could** snow / later this evening.

눈이 올 수도 있다 / 이따 저녁에

16 That article **can't** be true. <수능>

그 기사는 사실일 리가 없다.

> 추측을 나타내는 could는 '~일 수도 있다'라고 해석한다. 강한 부정적 추측을 나타내는 can't는 '~일 리가 없다'라고 해석한다.

17 It's 10:30 P.M., so Jamie could be asleep.

18 That girl can't be Emily because she has gone abroad.

19 The weather could be too cold for swimming tomorrow.

20 This science fiction novel about aliens can't be a real story.

21 Ms. Bell is not answering the phone. She could be teaching her yoga class.

해설집 p.17

허가를 나타내는 may 해석하기

01 You **may** use the discount coupon / for this item. <모의>

너는 할인 쿠폰을 사용해도 된다 / 이 물건에

02 **May** I borrow your digital camera? <모의응용>

내가 너의 디지털 카메라를 빌려도 되니?

> 허가를 나타내는 may는 '~해도 된다'라고 해석하며, 의문문으로 쓰였을 때는 '~해도 되니/될까요?'라고 해석한다.

03 Guests may leave their belongings in the lockers.

04 May I ask your opinion on this matter?

05 Employees may dress casually on Fridays.

06 May I see your lecture notes for a while?

고난도
07 Residents of the building may use the gym free of charge.

추측을 나타내는 may 해석하기

08 Your parents **may** be waiting for you / by the front gate. <모의>

너의 부모님은 너를 기다리고 계실 수도 있다 / 정문 옆에서

> 추측을 나타내는 may는 '~일 수도 있다'라고 해석하며, 이때 might로 바꿔 쓸 수 있다.

09 I might be late for the concert if I don't take a taxi.

10 The ending of the play may surprise the audience.

11 A package that I ordered might arrive in the mail today.

고난도
12 You may be allergic to cats. You keep coughing when you are around them.

해설집 p.19

의무를 나타내는 must 해석하기

01 All skaters **must** wear gloves / in the ice rink. <모의>

모든 스케이트 타는 사람들은 장갑을 착용해야 한다 / 아이스 링크에서

(= All skaters **have to** wear gloves in the ice rink.)

의무를 나타내는 must는 have to로 바꿔 쓸 수 있으며, 아래와 같이 해석한다.

긍정	의미	부정	의미
must (= have to)	(반드시) ~해야 한다	must not	~해서는 안 된다
		don't have to (= don't need to/need not)	~할 필요가 없다

*과거의 의무를 나타낼 때는 had to, 미래의 의무를 나타낼 때는 will have to를 쓴다.

02 We have to protect the Earth from pollution.

03 You must not cross the street when the traffic light is red.

04 The applicants will have to prepare for the next week's interview.

05 Everyone on the plane must fasten their seat belts during takeoff.

고난도
06 Students don't have to bring their laptops because the school has computer rooms.

추측을 나타내는 must 해석하기

07 There **must** be a car accident. // Look at those tow trucks. <모의>

차 사고가 있음이 틀림없다. // 저 견인차들을 봐라.

강한 추측을 나타내는 must는 '~임이 **틀림없다**'라고 해석한다.

08 Tom must be very upset. His voice is trembling.

09 Many critics are praising the movie. It must be great.

10 Jenny must have a serious problem. She is crying loudly in her room.

고난도
11 The people walking outside are holding umbrellas, so it must be raining.

해설집 p.20

01 We **should** accept / a little inconvenience / for our environment. <모의용용>

우리는 받아들여야 한다 / 작은 불편을 / 우리의 환경을 위해

(= We **ought to** accept a little inconvenience for our environment.)

충고나 약한 의무를 나타내는 should는 ought to로 바꿔 쓸 수 있으며, 아래와 같이 해석한다. 조금 더 강한 충고를 나타낼 때는 had better를 쓸 수 있다.

긍정	의미	부정	의미
should (= ought to)	~하는 것이 좋다, ~해야 한다	should not (= ought not to)	~하지 않는 것이 좋다, ~하면 안 된다
had better	~하는 것이 낫다	had better not	~하지 않는 것이 낫다

02 We ought not to repeat the same mistake.

03 You should be nice to your friends and family.

04 I think we had better not take a risk.

05 You ought to hand in your essay before the due date. <모의>

06 People should not judge others by appearances. <모의용용>

07 You had better lock all the windows when you leave the house.

08 Children should eat three meals and one or two healthy snacks each day.

09 Drivers ought not to check text messages while they are driving.

10 Aquarium visitors should not touch the glass of the fish tanks.

11 We had better go to bed early tonight since we have a test tomorrow.

해설집 p.21

UNIT 15 will/would 해석하기

요청을 나타내는 will/would 해석하기

01 Will you help / me carry these boxes? <모의응용>

도와주겠니 / 내가 이 상자들을 옮기는 것을

> 요청을 나타내는 will은 주로 의문문으로 쓰고 '**~해주겠니?**'라고 해석하며, 더 정중한 요청을 나타낼 때는 would를 쓰고 '**~해주시겠어요?**' 라고 해석한다.

02 Will you watch my bag for a few minutes?

03 Would you pass me the salt and pepper?

04 Will you chop the vegetables for the soup?

05 Would you teach me how to use this software program?

과거의 습관을 나타내는 would 해석하기

06 I would run alone / in the past, // but it was no fun. <모의응용>

나는 혼자 달리곤 했다 / 과거에 // 하지만 그것은 재미가 없었다

(= I **used to** run alone in the past, but it was no fun.)

> 과거의 반복적인 습관을 나타내는 would는 '**~하곤 했다**'라고 해석하며, 이때 used to로 바꿔 쓸 수 있다.

07 Heather would go fishing with her dad when she was younger.

08 Andrew would work out by himself without professional help. <모의응용>

<고난도>
09 I used to worry about everything, but now I try to look on the bright side.

> **TIP** **would와 used to의 구분**
>
> 과거의 반복적인 습관을 나타낼 때는 would와 used to를 둘 다 쓸 수 있지만, 과거의 상태를 나타낼 때는 used to만 쓸 수 있다. 이때 used to는 '(이전에) ~이었다'라고 해석한다.
>
> Kelly and I **would[used to]** eat dinner together every weekend. <과거의 습관> Kelly와 나는 매 주말 저녁을 함께 먹곤 했다.
> Kelly and I (~~would~~, **used to**) be good friends. <과거의 상태> Kelly와 나는 이전에 좋은 친구였다.

해설집 p.22

과거에 대한 추측을 나타내는 「조동사+have+p.p.」해석하기

01 You **must have worked** hard / to decorate this place. <모의>
너는 열심히 작업했음이 틀림없다 / 이 공간을 꾸미기 위해서

과거에 대한 추측을 나타내는 「조동사+have+p.p.」는 확신의 정도에 따라 다른 조동사가 쓰이며, 아래와 같이 해석한다.

might[may/could] have p.p.	~했을 수도 있다
must have p.p.(↔ cannot have p.p.)	~했음이 틀림없다(↔ ~했을 리가 없다)

might have p.p.　　　　may have p.p.　　　　could have p.p.　　　　must have p.p.(↔ cannot have p.p.)

←――――――――――――――――――――――――――――――――――→
약한 추측　　　　　　　　　　　　　　　　　　　　　　　　　　　　강한 추측

02 I may have left my wallet on the bus.

03 Rachel could have forgotten about our appointment.

04 The lights in their house are off. They must have gone out.

05 Tim might have felt lonely at the party since he came alone.

06 Paula is laughing out loud. She must have heard a funny joke.

07 The witness cannot have lied to the police officer.

08 Ancient Egyptians may have used jars to make cheese.

09 The strong wind could have knocked over the trees in our garden.

10 The seven-year-old girl cannot have drawn this perfect portrait.

고난도
11 Some scientists argue that life might have existed on Mars.

과거에 대한 후회를 나타내는 「조동사+have+p.p.」 해석하기

12 You **shouldn't have taken** your eyes / off the road. <수능>

너는 너의 눈을 떼지 말았어야 했다 / 도로에서

과거에 대한 후회를 나타내는 「조동사+have+p.p.」는 아래와 같이 해석한다.

should have p.p.	~했어야 했다 (하지만 하지 않았다)
shouldn't have p.p.	~하지 말았어야 했다 (하지만 했다)

13 I should have listened to my parents and saved more money.

14 You shouldn't have spread rumors about your friends.

15 We should have started planning for the school festival earlier.

16 You shouldn't have traveled by car during rush hour.

17 My brother should have checked the expiration date before drinking the milk.

18 I shouldn't have missed the last music class. Everyone had fun singing and dancing.

고난도
19 The fans should have taken the chance to see their favorite actor in person.

Chapter Test

[01-15] 조동사의 의미에 유의하여 다음 문장을 해석하시오.

01 Only a few people can solve this difficult riddle.

02 Soccer players must not touch the ball with their hands.

03 Could you give me more time to think?

04 I had to renew my passport last week for the upcoming trip.

05 Going to the library could help you focus on studying.

06 The person standing there can't be Alan. Alan is taller than him.

07 You should try at least one new thing every day.

08 Visitors will not be able to access the building during the remodeling.

09 Customers buying fewer than ten items may use the self-checkout machines.

10 In the fall, all the villagers would harvest the crops together.

11 The city should have turned the empty space into a parking lot sooner.

12 That woman on the stage must be confident. She is delivering a speech smoothly.

고난도
13 You need not feel guilty about not knowing. Everyone is a learner forever.

고난도
14 It might take a long time for the author to write another book.

고난도
15 Look at his tanned face. He must have gone somewhere hot on vacation.

해설집 p.25

CHAPTER 04

태

주어가 행위의 주체가 되는 것을 능동태라고 하며 주어가 행위의 대상이 되는 것을 수동태라고 한다.
수동태는 동사의 형태뿐만 아니라 문장의 구조 또한 바뀌므로, 이러한 형태를 알아두면 구문 분석이
훨씬 쉬워진다.

01 The hall **was taken** / by another team / at that time. <모의>

그 강당은 차지되었다 / 다른 팀에 의해 / 그 시간에

(← Another team took the hall at that time.)

> 수동태 문장은 일반적으로 「S+be동사+p.p.」의 형태로 쓰며, '~되다[받다/당하다]'라고 해석한다. 「by+행위자」는 '~에 의해'라고 해석하며, 행위자가 일반 사람들이거나 중요하지 않은 경우 주로 생략된다.

02 The bicycle was parked in the middle of the road.

03 The new fantasy movie was released last week.

04 The Olympic Games are watched by millions of people.

05 The speakers were introduced by the host of the debate program.

06 The first international airport was established in 1919.

07 Many of the Beatles' songs were written by John Lennon and Paul McCartney.

08 Disasters are prevented when safety measures are prepared well.

고난도
09 The community center was renovated to accommodate more citizens.

어법
10 Food and drink allow / are allowed in this meeting room.

해설집 p.27

수동태의 다양한 시제 해석하기

01 The results **will be announced** / at 2 P.M. <모의>

결과는 발표될 것이다 / 오후 2시에

수동태는 be동사로 시제를 나타낼 수 있으며, 시제에 따라 아래와 같이 해석한다.

시제	형태	해석
현재시제	am/are/is+p.p.	~된다
과거시제	was/were+p.p.	~되었다
미래시제	will be+p.p.	~될 것이다
현재진행시제	am/are/is being+p.p.	~되고 있다
과거진행시제	was/were being+p.p.	~되고 있었다
현재완료시제	have/has been+p.p.	~되어왔다, ~됐다
과거완료시제	had been+p.p.	~되어왔었다, ~됐었다

02 Social issues are often discussed in documentaries.

03 The artist's paintings have been bought over the years. <수능응용>

04 Too much garbage is being thrown into the sea.

05 The missing wallet was kept in the police station.

06 The boxes were being loaded onto the truck.

07 The old building had been abandoned for months before it collapsed.

08 The book will be translated into multiple languages.

09 Young people have been influenced by information from online platforms.

고난도
10 The government's policy on housing had been criticized until it was revised.

01 Facilities (in rural areas) **should be improved**. <수능응용>

(시골 지역에 있는) 시설들은 개선되어야 한다.

조동사가 있는 수동태는 「조동사+be+p.p.」의 형태로 쓰며, '**~되다**'라는 해석에 조동사의 의미를 더해 해석한다.

can+be+p.p.	~될 수 있다	must+be+p.p.	~되어야 한다
may[might]+be+p.p.	~될 수도 있다	should+be+p.p.	~되는 것이 좋다, ~되어야 한다

02 Most of the library books can be reserved in advance.

03 Your essay must be checked carefully before submission.

04 Traffic may be avoided if we leave after rush hour.

05 Stricter laws should be made to protect kids from bullying.

06 People can be motivated when they get proper rewards.

07 The work must be completed by the end of this month.

08 Athletic equipment should be examined regularly for safety.

09 Our choices may be affected by our emotions when we are upset.

고난도
10 Some metals can be melted down in order to create various new items.

해설집 p.29

01 Each group **was given** an easy puzzle / by the researchers. <모의>
　　　　 S　　　　　 V　　　　　 O
각각의 그룹은 쉬운 퍼즐을 받았다(← 퍼즐이 주어졌다) / 연구자들에 의해
(← The researchers gave each group an easy puzzle.)
　　　　 S　　　　 V　　 IO　　　 DO

> 「S+V+IO+DO」 문장의 간접 목적어가 주어 자리로 간 수동태는 「S+be동사+p.p.+O」의 형태로 쓰며, 직접 목적어는 원래 있던 자리에 그대로 남아 목적어 역할을 한다.

02 Aletha was brought the menu as soon as she sat down.

03 The interns were shown an hour-long training video.

04 Eddy was sent an e-mail with the details of his order.

05 The boy will be told the truth by his parents someday.

06 The actor was given a small role in the play.

07 Many Korean students are taught a second language in school.

08 The applicant was asked questions about her career.

09 The company has been lent two million dollars so far.

고난도
10 First-year students are offered help with their assignments throughout the year.

해설집 p.30

01 Equal opportunities **were given** / *to* students / by the teacher. <모의응용>
   S   V   전치사   O´
동등한 기회가 주어졌다 / 학생들에게 / 선생님에 의해
(← The teacher gave students equal opportunities.)
     S   V   IO   DO

「S+V+IO+DO」 문장의 직접 목적어가 주어 자리로 간 수동태는 「S+be동사+p.p.+전치사 to/for/of+O´」의 형태로 쓰며, 간접 목적어는 원래 있던 자리에 그대로 남아 전치사의 목적어 역할을 한다. 이때 전치사는 동사에 따라 다르게 쓴다.

전치사 **to**를 쓰는 동사	give, send, bring, show, teach, tell, lend 등
전치사 **for**를 쓰는 동사	make, buy, cook, find, build 등
전치사 **of**를 쓰는 동사	ask, inquire 등

02 The tree house was built for Paul by his father.

03 A notice about the construction was sent to all employees.

04 A special dinner was cooked for Joan on her birthday.

05 His identification card was shown to the building's security guard.

06 This lovely dress was made for the bride by a famous designer.

07 The pictures were lent to the gallery by a private collector.

고난도
08 Questions about future plans were asked of the prospective mayor.

TIP **수동태 문장의 주어로 직접 목적어를 주로 쓰는 동사**
make, buy, cook, find, build 등의 동사가 쓰인 「S+V+IO+DO」 구조의 문장을 수동태로 바꿀 때는 주로 직접 목적어(DO)를 주어로 쓴다.
My parents **bought** me a tablet computer. 나의 부모님은 나에게 태블릿 컴퓨터를 사줬다.
                    IO   DO
→ *A tablet computer* **was bought** for me by my parents. (O)
→ *I* **was bought** a tablet computer by my parents. (X)

해설집 p.31

01 The phenomenon **is called** coral bleaching / by scientists. <모의응용>
　　　　S　　　　　V　　　　　C

그 현상은 산호 탈색이라고 불린다 / 과학자들에 의해
(← Scientists call the phenomenon coral bleaching.)
　　　　S　　　V　　　　O　　　　　　OC

> 「S+V+O+OC」 문장의 수동태는 「S+be동사+p.p.+C」의 형태로 쓰며, 목적격 보어는 원래 있던 자리에 그대로 남아 보어 역할을 한다.

02 The theory was later proved false.

03 Seeing pigs in a dream is considered a good sign. <모의>

04 The walls of the flower shop were painted pink.

05 The force that makes things fall is called gravity. <모의응용>

06 The newborn baby was named Carla by her grandparents.

07 The facilities were made clean by the staff before the inspection.

08 The story of the book was found attractive by readers around the world.

09 Ms. Brown was appointed chairperson by the board of directors.

*board of directors: 이사회

고난도
10 The museum expansion was finally made possible thanks to a generous donor.

01 *It* **is said** / *that* a cozy hat is a must / on a cold winter's day. <모의>

말해진다 / 포근한 모자가 필수품이라고 / 추운 겨울날에

(← People[They] say that a cozy hat is a must on a cold winter's day.)

> say, think, believe, find, know 등의 목적어가 that절인 능동태 문장을 수동태로 바꿀 때, 주어 자리에 that절 대신 가주어 it을 써서 「It+be동사+p.p.+that절」의 형태로 쓴다. 이때 '(that절)이라고 ~되다'라고 해석한다.

02 It is said that prevention is better than cure. <속담>

03 It is thought that the discovery of fire was accidental.

04 It is known that bacteria consume rotten products. <모의응용>

05 It is believed that the castle was built about 200 years ago.

06 It was found that the color of a room can change a person's mood.

07 It is said that garlic helps us reduce blood pressure.

08 It was thought that the CEO would step down from his position.

09 It is believed that the temple once contained a statue of a goddess.

고난도
10 In experiments, it was found that rats often eat more under stressful situations.

UNIT 24 by 이외의 전치사와 쓰이는 수동태 관용 표현 해석하기

01 Most of Antarctica **is covered with** / ice and snow. <모의>

남극 대륙의 대부분은 덮여 있다 / 얼음과 눈으로

> by 이외의 전치사와 쓰이는 수동태 관용 표현은 아래와 같이 해석한다.
>
> | | |
> |---|---|
> | be made of ~으로 만들어지다 (재료 성질이 변하지 않음) | be filled with ~으로 가득 차 있다 |
> | be made from ~으로 만들어지다 (재료 성질이 변함) | be covered with ~으로 덮여 있다 |
> | be known as ~으로 알려져 있다 | be crowded with ~으로 붐비다 |
> | be interested in ~에 흥미가 있다 | be satisfied with ~에 만족하다 |
> | be surprised at ~에 놀라다 | be worried about ~에 대해 걱정하다 |

02 This wallet was made of old jeans. <모의>

03 Birds' feet are covered with scales for protection.

*scale: 비늘

04 The bakery was filled with the smell of fresh bread.

05 The astronomer was surprised at the appearance of a new star.

06 During family gatherings, our home is crowded with relatives.

07 These snacks for children were made from grains. <모의응용>

08 The film director was satisfied with the actors' performances.

09 The Eiffel Tower in Paris is known as a popular tourist attraction.

10 Jane Goodall was interested in the connection between chimpanzees and humans.

고난도
11 The student was worried about not having enough money for university tuition.

해설집 p.34

Chapter Test

[01-15] 수동태 문장의 구조에 유의하여 다음 문장을 해석하시오.

01 The main entrance to the hospital is being repaired. <모의응용>

02 It is said that there is no such thing as a free lunch. <속담>

03 Ms. Hills is considered a good neighbor because of her kindness.

04 Each guest was given a bottle of wine by the party host.

05 The portable tool can be used in numerous different ways.

06 Many factory workers have been replaced by machines.

07 Overtime was asked of the sales staff during the Christmas season.

08 All the money from this event will be donated to charity.

09 It is known that Mars has a thin atmosphere.

10 The recipe must be followed precisely to make the cake delicious.

11 We were seated immediately as the restaurant was not busy.

12 Chris was elected the student president in March.

13 Most viewers were satisfied with the outcome of the trial.

고난도
14 The perfect apartment was found for the couple by the real estate agent.

*real estate agent: 부동산 중개인

고난도
15 Live performances have been provided by a number of talented musicians.

해설집 p.35

CHAPTER 05

to부정사(to-v)

to부정사는 「to+동사원형」의 형태로 쓰여 명사, 형용사, 부사 역할을 한다. 형태가 같기 때문에 문장 안에서 어느 역할로 쓰였는지 헷갈릴 수 있지만, 쓰임 별로 자주 등장하는 위치나 함께 쓰이는 표현을 학습해두면 쉽게 파악할 수 있다.

주어로 쓰이는 to부정사 해석하기

01 <u>**To develop** your leadership ability</u> / <u>is</u> <u>important.</u> <모의응용>
  　　　　　　S　　　　　　　　　　　　　 V　　 SC

너의 리더십 능력을 개발하는 것은 / 중요하다

(= It is important **to develop** your leadership ability.)
S(가주어) V　SC　　　　　　S(진주어)

> 주어로 쓰이는 to부정사는 '~하는 것은, ~하기는'이라고 해석한다. 주어 자리에 to부정사 대신 가주어 it이 오면 진주어인 to부정사는 문장 뒤로 가는데, 이때 해석은 달라지지 않는다. ←UNIT 68

02 To make mistakes at first is normal.

03 It is easy to download music on your mobile phone.

04 To have insurance can give you peace of mind.

05 It is polite to thank people when they help you with something.

고난도
06 To become a successful singer-songwriter has been my lifelong dream.

목적어로 쓰이는 to부정사 해석하기

07 <u>We</u> <u>sometimes</u> <u>want</u> / <u>**to keep** some items</u> / for old memories. <모의>
　　S　　　M　　　 V　　　　　　　O

우리는 때때로 원한다 / 몇몇 물건들을 보관하기를 / 옛 추억을 위해

> 목적어로 쓰이는 to부정사는 '~하는/할 것을, ~하기를'이라고 해석하며, 아래 동사와 자주 쓰인다.
>
> | | | | | |
> |---|---|---|---|---|
> | **want** 원하다 | **hope** 희망하다 | **wish** 바라다 | **plan** 계획하다 | **decide** 결정하다 |
> | **promise** 약속하다 | **need** 필요로 하다 | **agree** 동의하다 | **refuse** 거부하다 | **expect** 예상하다 |

08 Mark needs to get a haircut for his school picture.

09 Austin expects to graduate from college before he turns 23.

10 They have decided to go to Hawaii for their summer holidays.

11 The movie director is planning to release his second film next fall.

12 Jane's mother promised to take her to the amusement park on Children's Day.

주격 보어로 쓰이는 to부정사 해석하기

13 <u>To change</u> / is **to move** in a different direction. <모의응용>
　　S　　　V　　　　　　　　SC
변화한다는 것은 / 다른 방향으로 움직이는 것이다

> 주격 보어로 쓰이는 to부정사는 '~**하는 것**, ~**하기**'라고 해석한다.

14 For Sue, to read was to explore a new world.

15 My advice is to stay positive and open-minded.

16 In the near future, a useful skill will be to process data efficiently.

17 In Ms. Thompson's class, the most important thing is to be creative.

고난도
18 The company's goal is to gain a strong position in the Asian market.

TIP **to부정사의 부정형**

to부정사의 부정형은 「not+to부정사」의 형태이다.

It is wise **not to open** e-mails from unknown senders. <주어>
모르는 발신자로부터 온 이메일을 열지 않는 것이 현명하다.

Mr. Baker decided **not to attend** the weekly seminar. <목적어>
Baker씨는 주간 세미나에 참석하지 않기로 결정했다.

My plan was **not to spend** much money on shopping. <주격 보어>
나의 계획은 쇼핑에 많은 돈을 쓰지 않는 것이었다.

01 Learn **how to use** a fire extinguisher / in case there is a fire. <모의응용>
     V   O   M

어떻게 소화기를 사용할지를 배워라 / 화재가 있을 경우에 대비하여

「의문사+to부정사」는 명사처럼 주어, 목적어, 보어로 쓰이며, 의문사에 따라 아래와 같이 해석한다.

what+to부정사	무엇을 ~할지
who(m)+to부정사	누구를/누구에게 ~할지
which+to부정사	어느 것을 ~할지
where+to부정사	어디에(서)/어디로 ~할지
when+to부정사	언제 ~할지
how+to부정사	어떻게 ~할지

*「why+to부정사」는 잘 쓰이지 않는다.

02 Where to hold the event will be discussed tomorrow.

03 We weren't quite sure of whom to contact for assistance.

04 The question is when to give up and when to keep going.

05 There were so many colors, so I didn't know which to pick.

06 Social media influencers often tell their followers where to shop.

07 Harry hasn't decided who to invite to his birthday party.

08 I showed my grandmother what to do when her computer crashes.

고난도
09 Most seed packets include the information about how to plant the seeds.

> TIP **「의문사+to부정사」를 절로 나타내는 방법**
>
> 「의문사+to부정사」는 「의문사+주어+should+동사원형」 형태의 절로 바꿔 쓸 수 있다.
>
> I couldn't figure out **what to write** in my essay. 나는 나의 에세이에 무엇을 쓸지 생각해낼 수 없었다.
>
> → I couldn't figure out **what I should write** in my essay. 나는 나의 에세이에 무엇을 써야 하는지 생각해낼 수 없었다.

해설집 p.39

01 The orientation will give you / *the chance* (**to meet** other students). <모의응용>

그 오리엔테이션은 너에게 줄 것이다 / (다른 학생들을 만날) 기회를

02 Some planets do not even have / *surfaces* (**to land on**). <모의>

어떤 행성들은 심지어 가지고 있지도 않다 / (착륙할) 표면을

> 명사 뒤에서 형용사처럼 명사를 꾸며주는 to부정사는 '~할/하는'이라고 해석한다. to부정사 뒤에 전치사가 올 때, to부정사가 꾸며주는 명사는 전치사의 목적어이다.

03 A good way to look around a city is to cycle through it.

04 Jin wants to find more friends to practice his English with.

05 The hike will provide a lot of beautiful views to photograph.

06 After camping, I appreciated having a warm bed to sleep in again.

07 Take something to read, since you might have to wait for a long time.

08 The new bakery offers a variety of options to choose from.

고난도
09 Cassie is looking for someone to talk to about her worries.

TIP **형용사 역할을 하는 to부정사와 명사의 관계**

• 명사가 의미상 to부정사의 주어인 경우

I'd like some *pills* **to stop** my headache. 나는 나의 두통을 멈출 약을 원한다.
      (The *pills* will **stop** my headache.)

• 명사가 의미상 to부정사의 목적어인 경우

I need a *coat* **to wear** over my shirt. 나는 나의 셔츠 위에 입을 외투가 필요하다.
      (I'll **wear** the *coat*.)

• 명사가 to부정사 뒤에 오는 전치사의 목적어인 경우

I've found an apartment **to live in**. 나는 살 아파트를 찾았다.
      (I'll **live in** the *apartment*.)

해설집 p.40

목적을 나타내는 to부정사 해석하기

01 Kathy traveled to London / **to buy** a copy of the book. <모의>

Kathy는 런던에 갔다 / 그 책의 한 부를 사기 위해

(= Kathy traveled to London **in order to[so as to] buy** a copy of the book.)

> 목적을 나타내는 to부정사는 '**~하기 위해**'라고 해석하며, to 대신 in order to나 so as to가 올 수 있다. 목적을 나타내는 to부정사 앞에 not이 오면 '**~하지 않기 위해**'라고 해석한다.

02 Male peacocks spread their colorful feathers to attract a mate.

*peacock: 공작새

03 I wear slippers indoors so as not to make noise when I walk.

04 Dylan posts pictures online in order to share moments from his daily life.

05 They turned on the air conditioner to lower the temperature of the room.

감정의 원인을 나타내는 to부정사 해석하기

06 Jason was glad / **to run into** his friend Jennifer / in town. <모의>

Jason은 기뻤다 / 그의 친구인 Jennifer를 우연히 만나게 되어 / 시내에서

> 감정의 원인을 나타내는 to부정사는 '**~하게 되어, ~해서**'라고 해석하며, 아래 형용사와 자주 쓰인다.
>
> | happy 기쁜, 행복한 | glad[pleased] 기쁜 | sad 슬픈 | sorry 유감스러운 | proud 자랑스러운 |
> | disappointed 실망한 | shocked 충격받은 | surprised 놀란 | ashamed 창피한 | relieved 안도하는 |

07 I was happy to be back at school after a long vacation.

08 Mr. Dixon is very proud to take part in the research project.

09 Hannah was surprised to see her cat climb out the window.

고난도
10 Many viewers were disappointed to hear that the show had been canceled.

판단의 근거를 나타내는 to부정사 해석하기

11 I was lucky / **to catch** the train / at the last minute. <모의>

나는 운이 좋았다 / 그 기차를 타다니 / 마지막 순간에

> 판단의 근거를 나타내는 to부정사는 '~**하다니, ~하는 것을 보니**'라고 해석하며, 아래 형용사와 자주 쓰인다.
>
> | kind[nice] 친절한 | clever 똑똑한 | wise 현명한 | foolish 어리석은 | lucky 운이 좋은 |
> |---|---|---|---|---|

12 You were wise to stay out of that argument.

13 Lucas was kind to lend me his notes from history class.

14 The girl was clever to find the answer so quickly.

15 I was foolish to believe that Sheila would actually keep her word.

앞에 있는 형용사를 꾸며주는 to부정사 해석하기

16 Old newspapers / are not easy **to access** / on the Internet. <모의>

옛날 신문들은 / 이용하기에 쉽지 않다 / 인터넷에서

> 앞에 있는 형용사를 꾸며주는 to부정사는 '~**하기에**'라고 해석하며, 아래 형용사와 자주 쓰인다.
>
> | easy 쉬운 | hard[difficult] 어려운 | impossible 불가능한 | safe 안전한 | dangerous 위험한 |
> |---|---|---|---|---|

17 The dance was rather difficult to learn, but it was fun.

18 Good restaurants are easy to find in my neighborhood.

19 Foreign languages are nearly impossible to master quickly.

20 The water from the mineral spring is clean and safe to drink.

해설집 p.41

---

01 <u>Some teachers</u> <u>will ask</u> / <u>you</u> **to call** <u>them by their first names.</u> <모의>
　　　　S　　　　　V　　　　O　　　　　　　　　OC

어떤 선생님들은 요청할 것이다 / 네가 그들을 그들의 이름으로 부르도록

> 목적격 보어로 쓰이는 to부정사는 '~**하라고/하도록/하기를**'이라고 해석하며, 아래 동사와 자주 쓰인다.
>
> | | | | | |
> |---|---|---|---|---|
> | **want** 원하다 | **ask** 요청하다, 부탁하다 | **order** 명령하다 | **expect** 기대하다 | **advise** 조언하다 |
> | **tell** 말하다 | **encourage** 독려하다 | **allow** 허락하다 | **cause** 야기하다 | **remind** 상기시키다 |

02 Julian's coach ordered him to run five laps around the field.

03 My parents will never allow me to go on a trip by myself.

04 The guard always tells the visitors not to touch anything in the museum.

05 The doctor advised the patient to exercise more and lose weight.

06 Greenhouse gases are causing the Earth's atmosphere to warm up.

07 Mr. Cowling encouraged some of his students to apply to the university.

[어법]
08 I want my friend | know / to know | how much I like her.

> **TIP** 원형부정사를 목적격 보어로 가지는 동사
>
> • 사역동사 make, have, let은 목적격 보어로 to부정사가 아닌 원형부정사를 가진다.
>   Mary *made* me **repeat** the whole story. Mary는 내가 전체 이야기를 반복하도록 만들었다.
> • 준사역동사 help는 목적격 보어로 원형부정사와 to부정사를 모두 가진다.
>   I *helped* him **(to) carry** his suitcase up the stairs. 나는 그가 계단 위로 여행 가방을 나르는 것을 도와줬다.
> cf. get도 사역의 의미를 나타내지만 목적격 보어로 to부정사를 가진다.
>   He *got* his son **to go** to bed early. 그는 그의 아들이 일찍 잠자리에 들도록 했다.

해설집 p.43

to부정사의 의미상 주어 해석하기

01 It is essential / *for children* **to improve** social skills. <모의응용>

필수적이다 / 어린이들이 사회적 기술을 향상시키는 것은

02 It was so nice / *of you* **to hold** the bag / for me. <모의응용>

정말 친절했다 / 네가 그 가방을 들어준 것은 / 나를 위해

> to부정사가 나타내는 행위의 주체가 문장의 주어와 다를 때 의미상 주어를 to부정사 앞에 쓰고, '**(의미상 주어)가 ~하다**'라고 해석한다.
> to부정사의 의미상 주어는 일반적으로 「for+행위자」의 형태로 쓰고, 사람의 성격/성질을 나타내는 형용사 뒤에 올 때는 「of+행위자」의
> 형태로 쓴다.

03 It is not easy for birds to fly south for the winter.

04 I kept the window open for air to circulate.

*circulate: 순환하다

05 Our aim is for all the students to fulfill their true potential.

06 It was thoughtful of you to make tea for the guests.

07 For humans to imagine a life without emotion is almost impossible. <모의응용>

고난도
08 This contest is a great opportunity for everyone to show off their talents.

어법
09 It was very brave [for / of] him to rescue the little girl from the sea.

TIP **의미상 주어를 쓰지 않는 경우**

- 의미상 주어가 문장의 주어와 같을 때
  We have no time **to waste**. 우리는 (우리가) 낭비할 시간이 없다.
- 의미상 주어가 문장의 목적어와 같을 때
  Ann wants *Tim* **to be** honest with her. Ann은 Tim이 그녀에게 (Tim이) 솔직하기를 원한다.
- 의미상 주어가 앞에서 소유격으로 언급되었을 때
  My dream is **to become** a scientist. 나의 꿈은 (내가) 과학자가 되는 것이다.
- 의미상 주어가 일반 사람들이거나 추측이 가능할 때
  To see is **to believe**. (사람들이) 보는 것이 (사람들이) 믿는 것이다.

「too+형용사/부사+to부정사」 해석하기

01 Peter was **too** *sick* / **to attend** the banquet. <모의응용>

Peter는 너무 아팠다 / 그 연회에 참석하기에
(≒ Peter was **so** *sick* **that he couldn't attend** the banquet.)

> 「too+형용사/부사+to부정사」는 '~하기에 너무 …**한/하게**, 너무 …**해서 ~할 수 없는**'이라고 해석하며, 「so+형용사/부사+that+주어
> +can't/couldn't+동사원형」으로 바꿔 쓸 수 있다.

02 My sister is too short to ride the roller coaster.

03 Brian walked too slowly to arrive at school on time.

04 The sofa is too big to go through the narrow door.

05 The music was playing so loudly that I couldn't hear the bell.

고난도
06 Unfortunately, the boy's handwriting was too sloppy for others to read.

「형용사/부사+enough+to부정사」 해석하기

07 Jonathan did *well* **enough** / **to move on** to the final round. <모의응용>

Jonathan은 충분히 잘 했다 / 결승전에 나갈 만큼
(≒ Jonathan did **so** *well* **that he could move on** to the final round.)

> 「형용사/부사+enough+to부정사」는 '~할 만큼 (충분히) …**한/하게**, (충분히) …**해서 ~할 수 있는**'이라고 해석하며, 「so+형용사/부사
> +that+주어+can/could+동사원형」으로 바꿔 쓸 수 있다.

08 This digital camera is small enough to fit in my pocket.

09 The police officer ran fast enough to catch up with the thief.

10 In summer, the sidewalk is hot enough to cook an egg on.

11 Winston was so smart that he could pass the exam without studying.

12 Marcia hasn't lived in the area long enough to see her neighbors.

13 This room is large enough for all of us to have a meeting in it.

「It takes(+사람)+시간/돈+to부정사」 해석하기

14 **It takes** *me* about two hours / **to commute** to school. <모의응용>
내가 (~하는 데) 약 두 시간이 걸린다 / 학교에 통학하는 데
(= **It takes** about two hours *for me* **to commute** to school.)

> 「It takes(+사람)+시간/돈+to부정사」는 '(…가) ~하는 데 시간이 걸리다/돈이 들다'라고 해석하며, 「It takes+시간/돈(+의미상 주어)+to부정사」로 바꿔 쓸 수 있다.

15 It takes a lot of money to start your own business.

16 It will take him a few days to finish the entire task alone.

17 It took the scientist approximately three years to develop her theory.

18 It will take millions of dollars to renovate the subway stations.

19 It took less than ten minutes for the detective to crack the code.

20 Normally, it takes visitors a whole day to look around the museum.

> **TIP** 문장 전체를 꾸며주는 to부정사 관용 표현
>
> | to begin with 우선, 먼저 | so to speak 말하자면 |
> |---|---|
> | to be sure 확실히 | to make matters worse 설상가상으로 |
> | to be frank (with you) 솔직히 말하면 | to sum up 요약하자면 |
> | to tell (you) the truth 사실대로 말하면 | not to mention ~은 말할 것도 없이 |

Chapter Test

[01-15] to부정사의 쓰임에 유의하여 다음 문장을 해석하시오.

01 It is necessary to clean your room frequently.

02 To earn someone's trust is to make a real friend.

03 After the live concert, Nina felt too excited to fall asleep.

04 The park has a large playground for children to play in.

05 Christine went to the stationery shop to buy a new diary.

*stationery: 문구(류)

06 The cake recipe is simple enough for you to try at home.

07 Nathan thought he was lucky to have such a harmonious family.

08 It is rare for pandas to eat anything other than bamboo.

*bamboo: 대나무

09 Some levels of the video game are hard to beat on your own.

10 The lawyer knew what to say when the judge asked a question.

11 Thomas was pleased to receive a special prize at the festival.

12 It took several weeks for the sailing ship to cross the Atlantic Ocean.

고난도
13 Shannon sometimes agrees to do things that do not interest her.

고난도
14 The cost of the flight, not to mention the hotel, would be over $1,000.

고난도
15 The bus driver repeatedly reminded the passengers not to leave their seats.

해설집 p.47

CHAPTER 06

동명사(v-ing)

동명사는 「동사원형+-ing」의 형태로 쓰여 명사 역할을 한다. 동명사는 문장의 핵심 성분인 주어, 목적어, 보어로 쓰이므로, 동명사를 찾으면 문장의 구조를 파악하는 것이 쉬워진다.

주어로 쓰이는 동명사 해석하기

01 **Taking** photos / is not allowed / inside the exhibition hall. <수능응용>
　　　　S　　　　　　　　V　　　　　　　　　　　M

사진을 찍는 것은 / 허용되지 않는다 / 전시장 안에서

> 주어로 쓰이는 동명사는 '~하는 것은, ~하기는'이라고 해석한다.

02 Jogging along the river is part of my daily routine.

03 Brushing your teeth after every meal is a good habit.

04 Becoming an astronaut takes many years of hard work.

고난도
05 Traveling abroad can help you broaden your horizons.

*horizon: 시야

주격 보어로 쓰이는 동명사 해석하기

06 The key (to happiness) / is **looking** into your heart. <모의응용>
　　　　　S　　　　　　　　V　　　SC

(행복의) 비결은 / 너의 마음을 들여다보는 것이다

> 주격 보어로 쓰이는 동명사는 '~하는 것, ~하기'라고 해석한다.

07 Andy's favorite pastime is watching cat videos online.

08 My dream holiday would be relaxing in a beach resort.

09 The best preparation for tomorrow is doing your best today. – H. Jackson Brown, Jr.

고난도
10 The most important thing is supporting each other in difficult times.

TIP **동명사와 진행형의 구분**

동명사와 진행형 둘 다 be동사 뒤에 올 수 있지만, 주격 보어로 쓰이는 동명사는 주어를 보충 설명하므로 주어와 같은 대상이다. 진행형은 주어가 하고 있는 동작을 나타낸다.

Jeremy's hobby is **playing the guitar**. <동명사> Jeremy의 취미는 기타를 연주하는 것이다. (Jeremy의 취미 = 기타 연주)

Jeremy is **playing the guitar** on stage. <진행형> Jeremy가 무대 위에서 기타를 연주하고 있다. (Jeremy ≠ 기타 연주)

해설집 p.49

동사의 목적어로 쓰이는 동명사 해석하기

01 An introvert would enjoy / **spending** time alone. <모의응용>
 ─── S ─── ──── V ──── ────── O ──────
내성적인 사람은 즐길 것이다 / 혼자 시간을 보내는 것을

> 동사의 목적어로 쓰이는 동명사는 '~하는[한] 것을, ~하기를'이라고 해석하며, 아래 동사와 자주 쓰인다.
>
> | | | | | | |
> |---|---|---|---|---|---|
> | enjoy 즐기다 | finish 끝내다 | avoid 피하다 | keep 계속하다 | mind 신경 쓰다 | stop 멈추다 |
> | quit 그만두다 | deny 부인하다 | admit 인정하다 | consider 고려하다 | put off 미루다 | give up 포기하다 |
>
> *like, hate, prefer, start, begin, continue 등의 동사는 동명사와 to부정사를 모두 목적어로 가진다.

02 I considered putting some plants in my room.

03 Elizabeth hasn't finished typing up her report yet.

04 Many people avoid taking the subway during rush hour.

05 You should stop living in the past and start moving forward.

고난도
06 At first Jack denied breaking the window, but he later admitted it.

특정 동사의 목적어로 쓰이는 동명사와 to부정사 해석하기

07 I still remember / **buying** my first party dress.
 S M ── V ── ─────── O ───────
나는 여전히 기억한다 / 나의 첫 번째 파티 드레스를 산 것을

08 I will remember / **to buy** a new dress / for the party. <모의응용>
 S ── V ── ─────── O ───────
나는 기억할 것이다 / 새 드레스를 살 것을 / 그 파티를 위해

> 아래 동사는 동명사와 to부정사를 모두 목적어로 가지지만, 어느 것을 쓰는지에 따라 다르게 해석한다.
>
> | 동명사 목적어 | | to부정사 목적어 | |
> |---|---|---|---|
> | remember+v-ing | ~한 것을 기억하다 | remember+to-v | ~할 것을 기억하다 |
> | forget+v-ing | ~한 것을 잊다 | forget+to-v | ~할 것을 잊다 |
> | regret+v-ing | ~한 것을 후회하다 | regret+to-v | ~하게 되어 유감이다 |
> | try+v-ing | (시험 삼아) ~해보다 | try+to-v | ~하려고 노력하다 |
>
> *stop은 동명사만을 목적어로 가지며, 뒤에 to부정사가 올 때는 '~하기 위해 멈추다'라고 해석한다.

09 Joe regrets eating so much greasy food last night.

10 Olivia will never forget staying in the peaceful cottage in the woods.

11 Remember to return the book to the library by Friday.

12 Grace tried rebooting the computer, but it didn't work.

13 Polly stopped to thank the captain as she left the boat.

전치사의 목적어로 쓰이는 동명사 해석하기

14 A heat-detecting camera can be used for / **spotting** someone. <모의응용>
　　　　　　　S　　　　　　　　　　V　　　전치사　　　O'(전치사의 목적어)
열 감지 카메라는 ~에 사용될 수 있다 / 누군가를 발견하는 것

전치사의 목적어로 쓰이는 동명사는 '~**하는 것, ~하기**'라고 해석한다.

15 Michael was nervous about taking the college entrance exam.

16 Mr. Stevens seems very fond of giving advice to his colleagues.

17 The K-pop group is famous for performing complicated dance moves.

고난도
18 The campaign has succeeded in raising awareness about environmental issues.

*awareness: 인식

 「전치사 to+동명사」 표현

아래 표현의 to는 전치사이므로 동명사를 목적어로 가진다. to부정사의 to와 헷갈리지 않도록 주의한다.

- look forward to+v-ing: ~하는 것을[하기를] 고대하다
  I *look forward to* **meeting** you in person. 나는 너를 실제로 만나기를 고대한다.
- object to+v-ing: ~하는 것에 반대하다
  They *objected to* **changing** the rules. 그들은 규칙 바꾸는 것에 반대했다.
- be[get] used to+v-ing: ~하는 데 익숙하다[익숙해지다]
  She *is used to* **waking** up early. 그녀는 일찍 일어나는 데 익숙하다.
  cf. Milk is used **to make** cheese. 우유는 치즈를 만들기 위해 사용된다.
  　　 <수동태>　　 <부사 역할의 to부정사>

01 Amy suddenly **felt like following** the trail / on foot. <수능응용>

Amy는 갑자기 그 길을 따라가고 싶었다 / 걸어서

동명사가 쓰인 다양한 관용 표현은 아래와 같이 해석한다.

go+v-ing	~하러 가다	feel like+v-ing	~하고 싶다
on+v-ing	~하자마자	cannot help+v-ing	~하지 않을 수 없다
be busy+v-ing	~하느라 바쁘다	be worth+v-ing	~할 가치가 있다
be good at+v-ing	~하는 것을 잘하다	be bad at+v-ing	~하는 것을 못하다
It is no use+v-ing	~해도 소용없다	It is nice+v-ing	~하는 것은 좋다, ~해서 좋다

02 It is no use crying over spilled milk. <속담>

03 I didn't feel like exercising, so I took a walk instead.

04 Carlos and his sister will go snowboarding in December.

05 It is nice seeing young adults volunteer at the animal shelter.

06 My parents were busy preparing for Thanksgiving dinner.

07 The store manager is good at dealing with customers.

08 It is no use worrying about things that may not happen.

09 As an editor, he cannot help noticing grammar mistakes.

10 Danielle is really bad at expressing her inner feelings.

11 On arriving at the airport, we went straight to the check-in counter.

고난도
12 It is worth remembering not to judge a book by its cover.

Chapter Test

[01-15] 동명사의 쓰임에 유의하여 다음 문장을 해석하시오.

01 Nicole's hobby is collecting coins from different countries.

02 Emma is very friendly, and it's always nice talking to her.

03 After we graduated, Henry stopped calling me.

04 A lot of museums in the city are worth visiting.

05 Don't forget to turn off your phone before the movie starts.

06 Out of all the chores, I hate washing the dishes the most.

07 Operating a business is not an easy task for anyone.

08 For ten years, David has done his job without complaining.

09 I remember reading this book, but I can't recall the ending.

10 We regret to say that your application has been rejected.

11 Our physics professor is good at explaining difficult concepts to us.

12 The company will try to determine the problem with its products.

13 Peter is looking forward to being the best man at his brother's wedding.

*best man: 신랑 들러리

고난도
14 Sam's parents finally gave up persuading him to eat less junk food.

고난도
15 Critics could not help comparing the artist's new work with her older paintings.

해설집 p.53

CHAPTER 07

분사(v-ing/p.p.)

분사는 동사가 v-ing형이나 p.p.형으로 쓰여 형용사 역할을 하는 것이다. 형용사는 문장의 핵심이 되는 명사를 꾸며주거나 보충 설명해주므로, 해당 명사와 연결된 분사만 찾아내도 문장의 구조와 내용을 쉽게 파악할 수 있다.

명사를 앞에서 꾸며주는 현재분사 해석하기

01 A **rolling** *stone* / gathers no moss. <속담>

구르는 돌은 / 이끼를 모으지 않는다
→ 구르는 돌에는 이끼가 끼지 않는다.

> 명사를 앞에서 꾸며주는 현재분사는 능동·진행을 나타내며 '~하는/하고 있는'이라고 해석한다.

02 Timothy is one of the rising stars in cinema.

03 A speeding car drove past me on the highway.

04 It was quiet except for the sound of a barking dog.

05 The sign warns pedestrians not to step in the drying concrete.

06 In spring, people like taking pictures under the falling cherry blossoms.

명사를 앞에서 꾸며주는 과거분사 해석하기

07 The swallow appeared / to have a **broken** *wing*. <모의>

그 제비는 보였다 / 부러진 날개를 가진 것처럼

> 명사를 앞에서 꾸며주는 과거분사는 수동·완료를 나타내며 '~된/해진'이라고 해석한다.

08 Chris put the folded shirts in his dresser.

09 The cleaner wiped up the spilled coffee with a towel.

10 The smell of freshly cut grass makes me feel calm.

11 The burned wood from last night's fire turned into ashes.

12 Eating undercooked meat may lead to food poisoning.

*food poisoning: 식중독

해설집 p.55

01 Suddenly, / *a boy* (**riding** a bicycle) / slipped on the boardwalk. <모의응용>

갑자기 / (자전거를 타고 있는) 한 남자아이가 / 판자길에서 미끄러졌다

02 Emma bought / *a dress* (**decorated** with ribbons and lace).

Emma는 샀다 / (리본과 레이스로 장식된) 드레스를

> 분사가 단독으로 쓰이면 보통 명사 앞에 오지만, 구를 이루어 쓰이면 명사 뒤에 온다. 이때 분사구가 끝나는 부분까지 포함하여 해석한다.

03 The man living next door works in a department store.

04 For the next class, we will read a novel written by Charles Dickens.

05 There were many passengers waiting to get on the train.

06 The song sung in the movie became popular among teenagers.

07 Anyone entering the gym must wear appropriate shoes.

08 The crew will move the chairs covered in plastic wrapping.

09 A woman walking along the river gave me directions to the museum.

10 Fortunately, the food ordered for the party has arrived just in time.

11 Students planning to study abroad should talk to their supervisor first.

*supervisor: 지도 교수

고난도
12 It will cost a lot of money to repair the damage caused by the hurricane.

해설집 p.56

01 I heard / something **moving** slowly / in the bushes. <모의응용>
　　S　　V　　　　　O　　　　　　　　OC
나는 들었다 / 무언가가 천천히 움직이는 것을 / 풀숲에서

02 We had / groceries **delivered** / this morning. <모의응용>
　　S　V　　　O　　　　　　　　OC
우리는 (~되게) 했다 / 식료품이 배달되게 / 오늘 아침에

목적격 보어로 쓰이는 현재분사는 목적어가 행위의 주체임을 나타내고, 과거분사는 목적어가 행위의 대상임을 나타낸다. 해석은 동사에 따라 아래와 같이 한다.

동사	현재분사	과거분사
see/hear/feel 등(지각동사)	(목적어가) ~하고 있는 것을 보다/듣다/느끼다 등	(목적어가) ~된 것을 보다/듣다/느끼다 등
have/get/keep	(목적어가) ~하게 하다	(목적어가) ~되게 하다
find/catch	(목적어가) ~하고 있는 것을 발견하다	(목적어가) ~된 것을 발견하다
leave	(목적어가) ~하고 있는 채로 두다	(목적어가) ~된 채로 두다

03 They saw their daughter skating around the rink.

04 We are getting our house repainted next week.

05 Mr. Jones caught Samuel cheating on the exam.

06 Don't leave your skin exposed to bright sunlight for too long.

07 Within minutes, the technician had the photocopier working again.

08 I always keep my pantry stocked with sweet snacks.

09 Ronald heard rain falling gently on the roof.

고난도
10 The police found the stolen truck abandoned in a rural area.

TIP **지각동사의 목적격 보어**

지각동사 see, hear, feel 등은 목적격 보어로 분사와 원형부정사를 모두 가진다. 능동의 의미를 나타낼 때는 현재분사나 원형부정사를 쓰는데, 현재분사인 경우 동작이 진행 중임이 강조된다. 수동의 의미를 나타낼 때는 과거분사를 쓴다.

I saw Mike **crossing** the road. 나는 Mike가 길을 건너고 있는 것을 봤다.
I felt Anna's arm **go** around me. 나는 Anna의 팔이 나를 감싸는 것을 느꼈다.
I heard my name **called** several times. 나는 나의 이름이 여러 번 불린 것을 들었다.

해설집 p.58

UNIT 38 감정을 나타내는 분사 해석하기

01 Enjoy **exciting** activities / such as kite flying and sandcastle building. <수능>

신나는 활동을 즐겨라 / 연 날리기나 모래성 쌓기와 같은

02 **Excited** kids formed a long line / in the school cafeteria. <모의응용>

신이 난 아이들이 긴 줄을 섰다 / 학교 구내식당에서

분사가 꾸며주거나 설명하는 대상이 감정을 일으키는 원인일 경우 현재분사를 쓰고, 감정을 느끼는 주체일 경우 과거분사를 쓴다. 자주 쓰이는 분사는 아래와 같이 해석한다.

boring 지루한 - bored 지루해하는	pleasing 기분 좋게 하는 - pleased 기쁜
amazing 놀라운 - amazed 놀란	interesting 흥미로운 - interested 흥미가 있는
shocking 충격적인 - shocked 충격받은	tiring 피곤하게 하는 - tired 피곤한
exciting 신나는 - excited 신이 난	surprising 놀라운 - surprised 놀란
confusing 혼란스러운 - confused 혼란스러워하는	disappointing 실망스러운 - disappointed 실망한

03 Everyone listened closely to Mary's amazing story.

04 The tired puppy fell asleep after returning from the park.

05 It would be boring to do the same job throughout life.

06 Recently, Jason has got very interested in extreme sports.

07 A surprising amount of waste is produced every year.

08 Disappointed customers complained to the manager.

[고난도]
09 The rules about data protection can be confusing to understand.

[어법]
10 Local residents were shocking / shocked by yesterday's incident.

01 Keith played the piano, / **smiling** at me. <수능응용>

Keith는 피아노를 연주했다 / 나를 보고 미소 지으면서

(= Keith played the piano, **as** he smiled at me.)

02 **Closing** the window, / Sarah pulled down the blinds.

창문을 닫고 나서 / Sarah는 블라인드를 내렸다

(= Sarah closed the window, **and** she pulled down the blinds.)

분사구문은 아래와 같이 다양한 접속사들의 의미를 표현하므로, 분사구문과 주절의 문맥을 잘 파악하여 가장 자연스러운 것으로 해석한다.

시간	when ~할 때 after ~한 후에 as soon as ~하자마자
동시 동작	as ~하면서, ~한 채로 while ~하는 동안
연속 동작	and ~하고 나서
이유	because/since/as ~하기 때문에, ~해서
조건	if 만약 ~한다면

03 Feeling cold, Patricia turned up the heater.

04 My father climbed up the stairs, carrying a heavy box.

05 Taking a bite of the sandwich, I noticed a strange taste.

06 Not wanting to fall behind the group, we ran faster.

07 Picking up his jacket, Nathan stormed out of the room.

08 Turning to page 72, you will see a painting by Frida Kahlo.

09 Bats sleep upside down, hanging by their feet and legs.

10 Driving for three hours, Mr. Higgins stopped for a short break.

11 Knowing that Laura loved sweets, Mason got her a box of chocolates.

12 The little girl knocked on her neighbor's door, wearing a Halloween mask.

13 Riding slowly, cyclists can reduce the chance of an accident.

14 Chatting with Alex, Tilda learned a lot about her other classmates.

15 Arriving at the shop, Sophia went to the counter to ask for a refund.

16 Walking on stage, the actor realized he had forgotten his lines.

17 Opening the parcel, I found two jars of homemade jam and a letter.

18 Handing in her resignation, Ms. Kent started packing her belongings.

19 Spending more than $50 on your order, you will receive a free gift.

고난도
20 Being extremely small, microplastics can enter the human body through the air.

분사구문의 시제

「Having+p.p.」로 시작하는 분사구문은 분사구문의 시제가 주절의 시제보다 앞선다는 것을 나타낸다.

Having taken the wrong bus, I was late for school.

= Because I **had taken** the wrong bus, I **was** late for school. 나는 버스를 잘못 탔기 때문에, 학교에 지각했다.
　　　　　　<과거완료>　　　　　　　　　<과거>

과거분사로 시작하는 분사구문 해석하기

01 **Filled** with regret, / Josh tried to put things right. <모의응용>

후회로 가득 찬 채로 / Josh는 일을 바로잡으려고 노력했다

> 과거분사로 시작하는 분사구문은 「Being[Having been]+p.p.」의 형태에서 Being이나 Having been이 생략된 것으로, 주어와 분사의 관계가 수동임을 나타낸다.

02 Picked too soon, those watermelons are not ripe yet.

03 Bored with the conversation, Jessica changed the topic.

04 Ted blew out the candles on his birthday cake, surrounded by his friends.

05 Washed too frequently, your jeans will wear out faster.

06 Concerned by the report, the mayor called a meeting with her advisors.

*advisor: 참모, 조언자

고난도
07 Practiced regularly, these meditation techniques can lower your stress level.

*meditation: 명상

의미상 주어로 시작하는 분사구문 해석하기

08 *Night* **coming** on, / the orange light (of sunset) disappeared. <모의>

밤이 오면서 / (석양의) 오렌지 빛이 사라졌다

> 분사구문의 주어가 주절의 주어와 다를 때 분사 앞에 의미상 주어를 쓰며, 이때 그 의미를 살려서 해석한다.

09 The wind blowing hard, bigger waves formed on the sea.

10 Their hands held high, the children are dancing in a circle.

11 The food in the fridge running out, we decided to buy some groceries.

12 The weather being nice enough, Mars can be seen from the Earth.

13 The Christmas season approaching, carols are playing everywhere.

[고난도]
14 The elevator being out of order, we had to take the stairs all the way up to the tenth floor.

> **TIP** **비인칭 독립분사구문**
>
> 분사구문의 의미상 주어가 막연한 일반인인 경우 주어를 생략하고 관용적으로 쓰기도 한다.
>
> Generally speaking 일반적으로 말하면   Strictly speaking 엄밀히 말하면   Frankly speaking 솔직히 말하면
> Roughly speaking 대략 말하면   Putting it simply 간단히 말하자면   Judging from ~으로 판단하건대
> Speaking of ~에 대해 말하자면   Considering (that) ~을 고려하면   Granted (that) ~을 인정하더라도

접속사로 시작하는 분사구문 해석하기

15 *When* **using** a computer / for a long time, / blink your eyes often. <모의응용>

컴퓨터를 사용할 때 / 오랫동안 / 눈을 자주 깜빡여라

> 분사구문의 의미를 분명하게 하기 위해 분사 앞에 접속사를 쓰기도 하며, 이때 그 의미를 살려서 해석한다.

16 While listening to the podcast, Walter felt like he was not alone.

17 If maintained properly, leather boots can last for a few years.

18 When cooked with garlic and olive oil, broccoli is more delicious.

19 After switching off the TV, Kenneth threw the remote control onto the couch.

[고난도]
20 While planting some flowers in the garden, Darren was stung by a wasp.

Chapter Test

[01-15] 분사와 분사구문의 쓰임에 유의하여 다음 문장을 해석하시오.

01 Baked chicken will be served with mashed potatoes.

02 The changing color of the leaves attracts tourists to my town.

03 Vernon went to the laundromat to get his coat dry-cleaned.

04 Kept in a cooler with ice packs, the ice cream won't melt for a few hours.

05 The city has experienced a shocking increase in crime this year.

06 They could feel the ground shaking during the earthquake.

07 Having finished his assignment, Edward tidied up his desk.

08 When speaking to strangers online, you should be cautious.

09 Mindy accidentally left the water running in the bathroom sink.

10 The archaeologists discovered tombs containing jewelry and artifacts.

11 Being awake first, Oliver got up and began to make breakfast.

12 Judging from her relieved look, I think Nancy heard good news.

13 Spectators were surprised by the loud bang outside the stadium.

*spectator: (스포츠 행사의) 관중

고난도
14 Nobody having any more questions, Ms. Taylor continued her presentation.

고난도
15 The scholar explained the mathematical proof, writing each step on the whiteboard.

해설집 p.64

CHAPTER 08

명사절

명사절은 that, whether/if, 의문사 등이 이끄는 절이며, 문장 안에서 주어, 목적어, 보어로 쓰인다. 절 안에 주어와 동사가 포함되어 있으므로 명사절이 쓰인 긴 문장의 구조를 파악하는 것이 어려울 수 있다. 따라서 명사절을 이끄는 접속사를 학습하여 절을 찾아내는 연습이 필요하다.

that이 이끄는 명사절 해석하기

---

that이 이끄는 명사절 주어 해석하기

01 **That** all stars earn a lot of money / is not true. <모의응용>

모든 스타들이 많은 돈을 번다는 것은 / 사실이 아니다

(= It is not true **that** all stars earn a lot of money.)

> 접속사 that이 이끄는 명사절이 주어인 경우 '~하다는 것은'이라고 해석한다. 주어 자리에 that절 대신 가주어 it이 오면 진주어인 that절은 문장 뒤로 가는데, 이때 해석은 달라지지 않는다. ←UNIT 68

02 That George was having a difficult time was obvious.

03 That everyone is able to speak freely is important.

04 It is exciting that we will go on vacation soon.

05 That Michelle had refused the offer really surprised me.

06 It is vital that the public has confidence in the government.

고난도
07 That Kyle won first prize in the competition made his parents proud.

---

that이 이끄는 명사절 목적어 해석하기

08 We know / **that** skin protects us / from heat, cold, and dirt. <모의응용>

우리는 안다 / 피부가 우리를 보호한다는 것을 / 더위, 추위, 그리고 먼지로부터

> 접속사 that이 이끄는 명사절이 목적어인 경우 '~하다는 것을, ~하다고'라고 해석한다. 이때 that은 생략될 수 있다.

09 Chris said that he might not be back until tomorrow.

10 No one believes that Mandy will keep her promise.

11 I reminded my sister that our grandparents were coming to visit us.

12 The charity hopes that more people will donate next year.

13 The company understands that its staff is the most valuable asset.

14 The doctor informed the patient that an operation would be necessary.

*operation: 수술

TIP

that절 대신 쓰이는 가목적어 it

「주어+동사+목적어+목적격 보어」 구조에서 목적어 자리에 that절이 올 때, 가목적어 it을 쓰고 진목적어인 that절은 목적격 보어 뒤로 보낸다. 이때 가목적어 it은 해석하지 않고, that절이 원래 목적어 자리에 있던 것처럼 해석한다.

I find **it** amazing **that she never loses her temper.** 나는 그녀가 결코 화를 내지 않는다는 것이 놀랍다고 생각한다.
　　　〈가목적어〉　　　　　　　　　〈진목적어〉

---

that이 이끄는 명사절 보어 해석하기

15 The problem is / **that** we don't improve / by simply living. <모의>
　　　　S　　V　　　　　　　SC
문제는 ~이다 / 우리가 나아지지 않는다는 것 / 단순히 살기만 함으로써

> 접속사 that이 이끄는 명사절이 보어인 경우 '**~하다는 것**'이라고 해석한다.

16 The point is that the world is constantly changing.

17 Tom's wish would be that he could meet Judy again.

18 The reality is that most artists never become famous.

19 The bad news is that our flight has been delayed by three hours.

20 The main concern was that the heavy rain could cause flooding.

whether/if가 이끄는 명사절 해석하기

---

whether가 이끄는 명사절 주어 해석하기

01 **Whether** you are right or wrong / does not matter. <모의응용>
　　　　　S'　V'　　　　　SC'　　　　V
　　　　　　　　　　S

네가 옳은지 그른지는 / 중요하지 않다
(= It does not matter **whether** you are right or wrong.)
　S(가주어)　　V　　　　　S(진주어)

> 접속사 whether가 이끄는 명사절이 주어인 경우 '**~하는지는**'이라고 해석한다. 주어 자리에 whether절 대신 가주어 it이 오면 진주어인 whether절은 문장 뒤로 가는데, 이때 해석은 달라지지 않는다. if가 이끄는 명사절은 주어가 될 수 없다.

02 Whether the fire was an accident is being investigated.

03 Whether you buy insurance for your trip is up to you.

04 It is doubtful whether the construction will be completed on schedule.

05 Whether or not Ms. Lewis accepts the job depends on the salary.

고난도
06 It has long been debated whether cloning animals should be allowed.

*clone: 복제하다

---

whether/if가 이끄는 명사절 목적어 해석하기

07 Jack asked / **whether[if]** he could stay up / to finish the book. <수능>
　　S　　V　　　　　　　S'　　　V'　　　　　　M'
　　　　　　　　　　　　　　　　O

Jack은 물었다 / 그가 깨어 있을 수 있는지를 / 그 책을 끝내기 위해

08 Beth was confused about / **whether** she should keep a pet. <모의응용>
　　S　　V　　　SC　　전치사　　　　S'　　　V'　　O'
　　　　　　　　　　　　　　　O'(전치사의 목적어)

Beth는 ~에 대해 혼란스러웠다 / 그녀가 반려동물을 키우는 것이 좋은지

> 접속사 whether/if가 이끄는 명사절이 동사의 목적어인 경우 '**~하는지를**'이라고 해석한다. whether절은 전치사의 목적어로도 쓰일 수 있지만, if절은 동사의 목적어로만 쓰인다.

09 Lily doesn't know if she cooked the dish correctly.

10 My friends and I couldn't tell whether Ashley was joking or not.

11 Can you check if the restaurant takes reservations?

12 Employees must decide if they want a desktop or a laptop.

고난도
13 The police have not commented on whether anyone has been arrested.

whether가 이끄는 명사절 보어 해석하기

14 The question is / **whether** emoticons help / users to communicate better. <모의응용>
　　　　S　　　V　　　　　　　　S'　V'　　O'　　　　　　　OC'
　　　　　　　　　　　　　　　　　　SC

문제는 ~이다 / 이모티콘이 도와주는지 / 사용자가 더 잘 소통하도록

접속사 whether가 이끄는 명사절이 보어인 경우 '~하는지'라고 해석한다. if가 이끄는 명사절은 보어로 잘 쓰이지 않는다.

15 The issue is whether technology has more pros than cons.

16 The choice is whether you do the task alone or ask for help.

17 Another consideration would be whether there is enough space at the venue.

고난도
18 The topic is whether a person's character is shaped by their environment.

UNIT 43 의문사가 이끄는 명사절 해석하기

의문대명사가 이끄는 명사절 해석하기

01 **Who** we are now / is a result (of the choices [we made]). <모의응용>

우리가 지금 누구인지는 / ([우리가 했던] 선택의) 결과이다

02 Every player understands / **what** the yellow card means. <모의응용>

모든 선수는 이해한다 / 노란색 카드가 무엇을 의미하는지를

의문대명사 who(m)/what/which가 이끄는 명사절은 구조에 따라 아래와 같이 해석한다.

구조	해석
의문사 주어(S´)+동사	누가/무엇이/어느 것이 ~하는지
의문사 목적어(O´)+주어+동사	…가 누구를/무엇을/어느 것을 ~하는지
의문사 보어(SC´)+주어+동사	…가 누구인지/무엇인지/어느 것인지

03 I could not see what the difference was.

04 Whom Rupert invites to his party is none of our business.

05 The man looked at the options and asked which was best.

06 The audience was guessing who the singer behind the curtain was.

고난도
07 Ms. Brown's only interest is what will bring happiness to her children.

의문형용사가 이끄는 명사절 해석하기

08 I couldn't decide / **which** activities should be dropped. <수능응용>

나는 결정할 수 없었다 / 어느 활동이 빠져야 하는지를

09 We will find out / **what** sites our customers visit / most often. <모의응용>

우리는 찾아낼 것이다 / 우리의 고객들이 무슨 사이트를 방문하는지를 / 가장 자주

의문형용사 what/which/whose가 이끄는 명사절은 구조에 따라 아래와 같이 해석한다.

구조	해석
의문사+명사+동사	무슨/어느/누구의 (명사)가 ~인지/하는지
의문사+명사+주어+동사	…가 무슨/어느/누구의 (명사)인지/(명사)를 ~하는지

10 The salesclerk recorded whose order was picked up.

11 Which team we will face first hasn't been announced yet.

12 Think about what kind of person you are and what strengths you have.

의문부사가 이끄는 명사절 해석하기

13 **When** we eat / also impacts / our body weight. <모의응용>
　　　　S　　M　　V　　　　　O
우리가 언제 식사하는지 / 또한 영향을 준다 / 우리의 몸무게에

14 A key factor (in a student's success) is / **how fast** they learn.
　　　　　　S　　　　　　　　V　　　　SC
(학생의 성공에 있어서) 중요한 요인은 ~이다 / 그들이 얼마나 빠르게 배우는지

> 의문부사 where/when/why/how가 이끄는 명사절은 '…가 어디에(서)/언제/왜/어떻게 ~하는지'라고 해석한다. how는 「how+형용사/부사+주어+동사」의 형태로도 자주 쓰이는데, 이때 '…가 얼마나 ~하는지'라고 해석한다.

15 They couldn't even remember why the argument had started.

16 When the conference will take place hasn't been settled yet.

17 Examples in the dictionary show you how words are used.

18 Where the ancient Egyptians buried Cleopatra remains a mystery.

Chapter Test

[01-15] 각 문장 성분을 표기한 뒤 명사절의 쓰임에 유의하여 다음 문장을 해석하시오.

01 I forgot that Alex had already given me his address.

02 That the city has excellent public transportation is helpful.

03 We could not hear what Peter was saying at the time.

04 Whether the species is a native of the island is uncertain.

05 The worry is that they will not be able to repay the debt.

06 The jury will determine if the suspect is guilty or not.

*jury: 배심원단

07 Frank thought it strange that Joan hadn't called him for two days.

08 Scientists examine the bones of dinosaurs and imagine how they lived.

09 Many people wonder when they will meet their other half.

10 Monica's concern is which subject she should choose as a major.

11 Nobody could figure out why Teresa left in such a hurry.

12 How satisfied you are with your life is partly influenced by your personality.

13 The big question on everyone's mind is who will be the next president.

고난도
14 Health experts disagree over whether it is good to drink milk every day.

고난도
15 The teachers were discussing what supplies would be needed for the art class.

해설집 p.72

CHAPTER 09

관계사절

관계사절은 관계사(관계대명사, 관계부사)가 이끄는 절이며, 주로 명사를 꾸며주는 형용사 역할을 한다. 관계사로 쓰일 수 있는 것들은 한정적이므로 이를 학습해두면 문장 구조 파악을 쉽게 할 수 있다.

01 Blinking is / *an action* [**that protects the eyes**]. <모의>

눈을 깜빡이는 것은 ~이다 / [눈을 보호하는] 행동

(← Blinking is *an action*. + *It* protects the eyes.)

관계사절 안에서 관계대명사가 주어 역할을 할 때 who, which, that을 쓰고 '~**하는/한** (선행사)'라고 해석한다.

선행사	관계대명사
사람	who
사물, 동물	which
사람, 사물, 동물	that

---

02 The café is making changes which will improve business.

03 Ms. Styles bought a holiday package that includes a trip to an island.

04 Astronomers are scientists who study how the universe works.

05 Doctors say we should eat food that contains fiber.

*fiber: 섬유질

06 A giant wave which originates from an earthquake is called a tsunami.

07 We are going to watch a film that received many excellent reviews.

08 Napoleon Bonaparte was an emperor who led the French army.

09 There was a dog which had the habit of biting anyone nearby. <모의응용>

고난도
10 The company plans to control mosquitoes that carry dangerous viruses.

TIP **주격 관계대명사절 안에 있는 동사의 수 일치**

주격 관계대명사절 안에 있는 동사는 선행사와 수를 일치시킨다.

Someone [who **wants** you to be happy] is a true friend.

[네가 행복하기를 원하는] 사람이 진정한 친구다.

We visited *vacation spots* [that **are** popular for water sports].

우리는 [수상 스포츠로 인기 있는] 휴양지들을 방문했다.

해설집 p.74

관계대명사가 동사의 목적어인 목적격 관계대명사절 해석하기

01 *The woman* [**who(m) the waiter served**] / ordered salmon steak.

[그 웨이터가 응대했던] 여자는 / 연어 스테이크를 주문했다
(← *The woman* ordered salmon steak. + The waiter served *her*.)

관계사절 안에서 관계대명사가 목적어 역할을 할 때 who(m), which, that을 쓰고, '~**하는/한 (선행사)**'라고 해석한다.

선행사	관계대명사
사람	who(m)
사물, 동물	which
사람, 사물, 동물	that

02 The party which I attended was a formal event.

03 The tree that I planted last summer is getting bigger.

04 Wolves in groups can do things that no single wolf can do. <모의응용>

05 There was an error on the photocopies which the presenter handed out.

06 George is proud of the medal that he won at the competition.

07 The book which I read for the report was very entertaining.

08 They showed us a photo of the person whom they were looking for.

09 Yesterday, I bumped into a childhood friend whom I hadn't seen for ages.

10 The wooden horse that the Trojans brought into the city was full of soldiers.

*Trojan: 트로이 사람

11 The cereal which I like is out of stock at the grocery store.

12 The applicants who the manager contacts will visit the office for an interview.

고난도
13 An Australian lady whom everyone found inspiring gave a lecture. <모의응용>

14 *The client* [**whom I offered advice to**] / was satisfied with the outcome.

[내가 조언을 제공했던] 의뢰인은 / 결과에 만족했다

(← *The client* was satisfied with the outcome. + I offered advice to *him*.)

관계대명사가 전치사의 목적어인 경우 전치사는 관계대명사절의 끝이나 관계대명사 바로 앞에 온다. 전치사가 관계대명사 앞에 올 때는 who나 that을 쓸 수 없다.

15 Is there anything that I can help you with? <모의>

16 The man with whom I am traveling is fluent in French.

17 The company for which Dina works provides great employee benefits.

18 Sara shared her sandwich with the boy whom she sat beside.

19 The author's mother is the person to whom the book is dedicated.

20 Mr. Garcia did a good job of managing the team that he was in charge of.

21 Air is not the only medium which sound is carried through. <모의>

고난도
22 The firm needs to renegotiate with the supplier from which it buys materials.

UNIT 46 소유격 관계대명사절 해석하기

01 He was / *a historian* [**whose work was focused on business history**]. <모의응용>

그는 ~였다 / [연구가 경영사에 집중되어 있었던] 사학자

(← He was *a historian*. + *His* work was focused on business history.)

관계사절 안에서 관계대명사가 소유격 역할을 할 때 whose를 쓰고, whose 뒤에는 소유하는 대상이 되는 명사가 온다. 이때 '(명사)가 ~하는/한 (선행사)'라고 해석한다.

02 We saw a boy whose hair was dyed purple.

03 Ms. Freeman is a very busy CEO whose time is valuable.

04 We are looking for a dentist whose prices are affordable.

05 Lucy wishes to marry someone whose lifestyle is similar to hers. <모의응용>

06 Blackbeard was a pirate whose real name was Edward Teach.

07 Some technologies can revive patients whose hearts have stopped. <모의응용>

08 I have a friend whose dream is to become a programmer.

09 A cartographer is an individual whose job involves creating maps.

*cartographer: 지도 제작자

10 They visited a castle whose walls were covered with paintings.

11 The hospital employs nurses whose services are provided to the elderly.

[고난도]
12 Children whose parents are bilingual are likely to speak a second language.

[고난도]
13 The restaurant offers a new menu whose selections include a variety of vegetarian dishes.

해설집 p.77

관계대명사 what절 해석하기

주어로 쓰이는 관계대명사 what절 해석하기

01 **What causes a person to be inactive** / is a lack of goals. <모의>
S   V   SC
사람을 소극적이게 하는 것은 / 목표의 부족이다

> 선행사를 포함하는 관계대명사 what은 명사절을 이끈다고 생각하면 된다. 주어로 쓰이는 what절은 '~하는/한 것은'이라고 해석한다.

02 What they are proposing might not be legal.

03 What you mentioned earlier is still on my mind.

04 What I am trying to do is to arrange programs for the kids. <모의응용>

05 What we read influences our perspective on the world.

고난도
06 What is clear is that a misunderstanding has occurred during the conversation. <모의응용>

목적어로 쓰이는 관계대명사 what절 해석하기

07 Many radio listeners believed / **what they heard on the radio.** <모의응용>
S   V   O
많은 라디오 청취자들이 믿었다 / 그들이 라디오에서 들었던 것을

> 목적어로 쓰이는 what절은 '~하는/한 것을'이라고 해석한다.

08 We easily forget what is not important to us.

09 Freedom allows people to do what they love.

10 The clerk gave me exactly what I asked for.

11 Maria still remembers what her grandfather said when she was five.

12 You cannot separate your thoughts from what you actually experienced. <모의>

13 The interns got a chance to use what they've learned from their mentors.

보어로 쓰이는 관계대명사 what절 해석하기

14 Playing tennis was / **what I did most outside of work.** <모의응용>
      S   V   SC
테니스를 치는 것은 ~이었다 / 내가 일 외에 가장 많이 한 것

> 보어로 쓰이는 what절은 '**~하는/한 것**'이라고 해석한다.

15 These dresses are what the ancient Greeks wore. <모의>

16 Homework is what most students dislike about school.

17 Taking one at a time is what you need to concentrate on.

18 Getting to see you is what made the trip worthwhile.

19 To be proficient in a language, practice is what matters the most.

20 Life is what happens to you while you're busy making other plans. – John Lennon

---

> **TIP** **선행사가 앞에 오는 which/that과 선행사가 올 수 없는 what**
>
> 관계대명사 which와 that은 앞에 선행사가 오지만, 관계대명사 what은 the thing which[that]을 의미하며 이미 그 자체가 선행사를 포함하고 있기 때문에 앞에 선행사가 올 수 없다.
>
> She worked hard to build a *life* **which[that]** she was proud of.
> 그녀는 자랑스러워하는 삶을 이루기 위해 열심히 노력했다.
>
> You should appreciate **what** you have instead of wanting more.
> 너는 더 많은 것을 원하는 것 대신 네가 가진 것을 감사해야 한다.

관계부사절 해석하기

01 This may be / *the reason* [**why some people do not eat dried fruits**]. <모의응용>

이것은 ~일 수도 있다 / [몇몇 사람들이 말린 과일을 먹지 않는] 이유

(← This may be *the reason*. + Some people do not eat dried fruits *for the reason*.)

관계부사 where, when, why, how는 아래와 같이 해석하며, 「전치사+관계대명사」로 바꿔 쓸 수 있다. 선행사가 place, time, reason, way와 같은 일반적인 명사인 경우 관계부사 대신 that이 올 수도 있다.

관계부사	선행사	해석	전치사+관계대명사
where	place/house/city 등	~하는/한 (장소)	at/on/in/to+which
when	time/day/year 등	~하는/한 (시간)	at/on/in/during+which
why	reason	~하는/한 이유	for+which
how	way	~하는/한 방법[방식]	in+which

*how는 way와 함께 쓸 수 없으며, 단독으로 쓰거나 way that 또는 way in which로 바꿔 쓸 수 있다.

---

02 Home is a place where we can express our feelings. <모의응용>

03 The way that people live has changed a lot in just 100 years.

04 The scientist recorded the time when he made the observation.

05 Heavy rain is the reason for which the river flooded.

06 I went to a hotel where there was room service.

07 1988 is the year when South Korea hosted its first Olympics.

08 They're researching the reason why Earth's magnetic field shifts.

*magnetic field: 자기장

09 The Blue House in Mexico City is the building where Frida Kahlo lived.

고난도
10 What we were doing was not interpreted in the way in which it was meant. <모의응용>

어법
11 Sociologists study the way how / that societies develop and function.

해설집 p.81

UNIT 49 관계사가 생략된 관계사절 해석하기

목적격 관계대명사가 생략된 관계사절 해석하기

01 We are asking you to donate / *instruments* [**you no longer use**]. <모의응용>

우리는 당신이 기부하도록 요청하고 있습니다 / [당신이 더 이상 사용하지 않는] 악기들을

> 목적격 관계대명사는 생략될 수 있다. 명사 뒤에 「주어+동사」가 바로 이어지고, 해당 절에 목적어가 빠져 있다면 목적격 관계대명사가 생략된 구문임을 알 수 있다.

02 The couple hired a plumber their neighbor recommended.

03 The problems the company faces are very serious.

04 Vacuuming is the household task Jessica hates the most.

05 The people I stayed with during the trip are my close friends.

06 We will send you a $50 coupon you can use on our website. <모의응용>

^{고난도}
07 The sculpture the museum is going to unveil today is worth a lot of money.

관계부사가 생략된 관계사절 해석하기

08 Tomorrow is / *the day* [**the package is supposed to arrive**].

내일은 ~이다 / [소포가 도착하기로 되어 있는] 날

> 관계부사의 선행사가 place, time, day, reason과 같은 일반적인 명사인 경우 관계부사가 생략될 수 있다.

09 The bank teller explained the reason the transfer had been delayed.

10 The police have blocked off the place the accident occurred.

11 You should pay your bill on the day you receive medical treatment. <모의응용>

^{고난도}
12 The landlord didn't understand the reason his tenants were upset with the changes.

해설집 p.82

콤마와 함께 쓰인 관계대명사절 해석하기

01 I invited *Debbie*, / **who was warmly greeted** / **by the club members**. <모의응용>

나는 Debbie를 초대했다 / 그리고 그녀는 따뜻하게 환영받았다 / 동호회 회원들에 의해

02 *The Titanic*, / **which was a luxury steamship**, / sank on April 15, 1912.

타이타닉호는 / 호화 증기선이었는데 / 1912년 4월 15일에 가라앉았다

> 관계대명사 who, which, whose 앞에 콤마(,)가 쓰인 관계대명사절은 선행사에 대한 부가적인 정보를 덧붙인다. 이때 문맥에 따라 '그리고/그런데 (선행사)는 ~이다' 또는 '(선행사)는 ~이며/인데'라고 앞에서부터 차례대로 해석한다. 이런 역할의 which는 앞에 나오는 구나 절도 선행사로 가질 수 있다.
> *콤마와 함께 쓰인 관계대명사절에서는 that을 쓸 수 없다.

03 The class learned about the poet Homeros, who wrote *The Odyssey*.

04 The city installed more trash bins, which were made of stainless steel.

05 The company moved to a larger property, which was considered a smart decision.

06 I met a young Scottish man, who later became a best-selling author. <모의응용>

07 The tour, which was rushed and unprofessional, dismayed participants.

08 I got a call from my accountant, who found a problem with my taxes.

09 An animal's body is composed of tiny cells, which are mostly water. <모의>

10 Howard Carter, who was a British archaeologist, discovered the tomb of Tutankhamun.

11 The cost of materials has increased, which has driven up product prices.

12 The witness, whose identity was not revealed, said the driver went through a red light.

고난도
13 The reviews were mainly positive, which convinced her to book the concert ticket.

14 He lived during *the Renaissance*, / **when everyone was interested in art.** <모의응용>

그는 르네상스 동안에 살았다 / 그리고 그때 모두가 예술에 관심이 있었다

> 관계부사 where와 when도 콤마와 함께 쓰여 선행사에 대한 부가적인 정보를 덧붙일 수 있다. 이때 문맥에 따라 '**그리고/그런데 그곳에/그때 ~하다**'라고 해석한다.
>
> *관계부사 why와 how는 이런 역할로 쓰지 않는다.

15 Jake visited the library, where he borrowed a couple of books.

16 Lisa misses her university days, when she used to have plenty of friends.

17 My uncle tripped on a staircase, where he sprained his ankle.

18 Some animals only come out at night, when daytime predators are asleep.

19 She purchased a home in Vancouver, where real estate is extremely expensive.

20 The crowd cheered on November 9, 1989, when the Berlin Wall was torn down.

21 Many plant species inhabit the Amazon, where it rains almost every day.

22 The novel is set in the 1950s, when women rarely had professional careers.

23 The group looked around Jamestown, where the English established a colony in 1607.

고난도
24 Life was difficult during the Paleolithic period, when Earth was experiencing an ice age.

*Paleolithic: 구석기의

> **TIP** 선행사를 꾸며주는 관계사와 부가적인 정보를 덧붙이는 관계사의 구분
>
> • 선행사를 꾸며주는 관계사는 선행사의 의미를 한정하여 이를 특정한 것으로 만들며, 선행사가 일반 명사인 경우가 많다.
> *The woman* [**who owns the shop**] is from Spain. [그 가게를 소유하고 있는] 여자는 스페인 출신이다.
>
> • 선행사에 대한 부가적인 정보를 덧붙이는 관계사는 특정한 사람이나 사물에 대해 설명하며, 선행사가 고유 명사인 경우가 많다.
> *Gloria*, **who owns the shop**, is from Spain. Gloria는 그 가게를 소유하고 있으며, 스페인 출신이다.

해설집 p.83

Chapter Test

[01-15] 관계사절의 쓰임에 유의하여 다음 문장을 해석하시오.

01 I told Brian a joke that I heard from another friend.

02 The hikers were looking for a shady area where they could rest.

03 The memorable characters are what makes this drama so interesting.

04 The main reason for which employees quit is low pay.

05 The survey the customers completed asked about the quality of the service.

06 Most of the artists whose work is on display at the gallery are internationally famous.

07 The Great Recession was a time when world economies declined.

*Great Recession: 대불황

08 The documentary discusses the way that income levels are linked with health.

09 The police are trying to catch the man who appears in the camera footage.

10 The team lost its last game, which means it won't compete in the championships.

11 The students whom Mr. Collins tutors tend to achieve high test scores.

12 Niger is a country where the average age of the total population is very young.

13 What you should eat to have a balanced diet is indicated in the diagram.

고난도
14 A rider and a horse that have won numerous races are preparing for a major event.

고난도
15 A contract ensures that both parties do the work for which they are responsible.

해설집 p.86

CHAPTER 10

부사절

부사절은 문장에서 부사 역할을 한다. 부사절을 이끄는 다양한 접속사의 의미를 알아두면 부사절에서 말하고자 하는 부가적인 내용을 빠르게 해석할 수 있다.

01 **When James saw the landscape,** / he was speechless. <모의>

James가 그 풍경을 봤을 때 / 그는 말문이 막혔다

시간을 나타내는 부사절을 이끄는 접속사는 아래와 같이 해석한다.

when	~할 때	after	~한 후에
while	~하는 동안	since	~한 이래로, ~한 이후로
as	~할 때, ~하면서	until	~할 때까지
before	~하기 전에	as soon as	~하자마자

02 Ms. Murphy traveled around the world until she turned 60.

03 The door made a loud creaking noise as I opened it.

04 Sally smiled when her parents took a picture of her.

05 It has been decades since the volcano erupted.

06 Do not wear earphones while you are walking on a busy street. <모의>

07 Giraffes can stand up almost as soon as they are born.

08 When the subway arrived, the crowd pushed its way inside.

09 Neil received a confirmation e-mail after he booked a place to stay.

10 The company will renew the contract as soon as it expires.

11 As the plane approached England, it suddenly began to shake. <모의응용>

12 It is important to pay attention to the food while you are cooking it.

고난도
13 People were living in North America before European explorers discovered the continent.

해설집 p.88

UNIT 52 원인을 나타내는 부사절 해석하기

01 It was noisy / **because the parking lot was under construction.** <모의>

시끄러웠다 / 그 주차장이 공사 중이었기 때문에

원인을 나타내는 부사절을 이끄는 접속사는 아래와 같이 해석한다.

because	~하기 때문에	that	~해서, ~하다니
since/as	~하기 때문에, ~이므로	in that	~라는 점에서, ~이므로

02 I am sorry that I hurt your feelings.

03 As an electric vehicle is better for the environment, I bought one.

04 Laura is familiar with the area since she grew up there.

05 Ian was admired because he was an excellent singer and poet.

06 We were all relieved that no one was injured in the accident.

07 My heart was beating fast because too much cash was in my purse. <모의응용>

08 Advertising online is more effective in that it reaches a wider audience.

09 Read the text carefully, since it is long and contains a lot of information.

10 As polyester is durable, it is commonly used to make clothing.

11 Cowbirds are unusual in that they lay their eggs in other birds' nests.

*cowbird: 찌르레기

12 Since Hawaii is surrounded by the Pacific Ocean, surfing is a popular pastime there.

고난도
13 Sam was asked to turn down the volume because the sound was disturbing others.

해설집 p.89

01 **If we overeat regularly**, / we may develop digestive problems. <모의응용>

만약 우리가 주기적으로 과식한다면 / 우리는 소화 문제를 일으킬 수도 있다

조건을 나타내는 부사절을 이끄는 접속사는 아래와 같이 해석한다.

if	만약 ~한다면	unless	만약 ~하지 않는다면(= if ~ not)
in case (that)	~한 경우에	as long as	~하기만 하면, ~하는 한

02 If I ride a bus for too long, I feel carsick. <모의>

03 You may contact us anytime in case you need assistance.

04 Milk will go bad quickly unless it is kept in the refrigerator.

05 If at first you don't succeed, try, try again. - William Edward Hickson

06 Ms. Howard said we can start the seminar without her in case she is late.

07 Employees may work from home, as long as they notify their supervisor.

08 Unless we reduce carbon emissions, global warming will become worse.

09 Make a reservation if you want to ensure you get a seat.

10 Unless Michelle is well paid, she cannot afford to live in a city. <수능응용>

11 As long as I can access the Internet, nothing else matters. <모의응용>

고난도
12 If we cooperate, we will be able to complete the project by the deadline.

해설집 p.90

UNIT 54 양보를 나타내는 부사절 해석하기

01 **Although chickens have wings,** / they don't often fly. <모의응용>

비록 닭은 날개를 가지고 있지만 / 그들은 대개 날지 않는다

양보를 나타내는 부사절을 이끄는 접속사는 아래와 같이 해석한다.

(al)though	비록 ~이지만
even though	비록 ~이지만 (사실인 내용이 뒤에 온다.)
even if	비록 ~일지라도 (가정하는 내용이 뒤에 온다.)

02 Though we've only just met, it feels like we're best friends.

03 The hikers got lost even though they were very skilled.

04 You could get a sunburn even if you put on plenty of sunscreen.

05 Although this pearl necklace is pretty old, it still looks beautiful.

06 Though they are identical twins, it is easy to tell them apart.

07 Be sure to put on a helmet, even if others point and laugh. <모의응용>

08 The kids ate all the snacks even though they weren't hungry.

09 Though it took longer than expected, Evan finished the assignment.

10 Although hunting endangered species is illegal, some hunters continue to do it.

11 Many people smoke even though they recognize that there are health risks.

고난도
12 Although handheld phones are everywhere, different countries have different names for them. <모의응용>

해설집 p.92

01 The sports club is open all night / **so that busy workers can exercise.** <모의응용>

그 스포츠 클럽은 밤새도록 열려있다 / 바쁜 근로자들이 운동할 수 있도록

목적을 나타내는 부사절을 이끄는 접속사는 아래와 같이 해석한다.	
so (that) in order that	~하도록, ~하기 위해
lest+S´(+should)+V´	~하지 않도록, ~하지 않기 위해

02 The student studied hard in order that she would pass the test.

03 The carpenter brought a ladder so that he could climb up on the roof.

04 Gary put the ice cream in the freezer lest it should melt.

05 Abby moved to London in order that she could learn English.

06 I keep my files in alphabetical order so that I can easily find what I need.

07 Stable living patterns are necessary lest we should fall into chaos. <모의응용>

08 The catalog is revised every year in order that it will be up-to-date. <모의>

09 Dickens wrote *A Christmas Carol* so that he could express his views on poverty.

10 You should leave for the airport several hours early in order that you catch your flight.

11 The man whispered to the librarian lest he bother other people in the library.

고난도
12 Herostratus destroyed the Temple of Artemis so that he would be remembered in history.

해설집 p.93

UNIT 56 결과를 나타내는 부사절 해석하기

01 Jupiter is **so** big / **that the other planets could fit inside it.** <모의응용>
목성은 너무 커서 / 나머지 다른 행성들이 그것 안에 꼭 맞을 수 있다

> 결과를 나타내는 부사절을 이끄는 접속사는 아래와 같이 해석한다.
>
> | | |
> |---|---|
> | so+형용사/부사+that … | |
> | such(+a/an)(+형용사)+명사+that … | 너무 ~해서 …하다 |
> | so+형용사(+a/an)+명사+that … | |

02 The armchair was so comfortable that Chris fell asleep.

03 It was so light a bag that it seemed empty.

04 It is such a good movie that the theater is crowded. <모의>

05 The boy lied so often that even his mother didn't trust him.

06 The room was such a terrible mess that no one came into it.

07 Betty spoke so softly that we could barely hear her.

08 Johnson is so brave a man that people call him a hero.

09 The glass ornament was so fragile that I was afraid to touch it.

10 It was such a serious concern that Scarlett lost her appetite.

해설집 p.94

Chapter Test

[01-15] 부사절의 의미에 유의하여 다음 문장을 해석하시오.

01 Cats are easy to care for in that they are quite independent.

02 The students rushed out of the classroom as soon as the bell rang.

03 Though operating the machine looks complicated, it's actually simple.

04 I have such a severe headache that I need to lie down.

05 Let's stay indoors in case the weather is bad today.

06 They were surprised that the ancient building was still standing.

07 Mr. Hopps took notes on his schedule lest he forget important meetings.

08 Cyclists wear brightly colored clothing so that drivers can see them.

09 Elena will have to wait, as the item she wants is not available now.

10 Unless the community center secures funding, it will be closed down.

11 I am going to the grocery store so that we don't have to order delivery food.

12 You might hurt yourself if you don't stretch before doing yoga.

13 It's impolite to use your phone while you're having dinner with others.

14 The investigation will be concluded next week as long as there are no issues.

고난도
15 People are encouraged to apply for volunteer work even if they are inexperienced.

해설집 p.95

CHAPTER 11

가정법

가정법은 사실과 반대되거나 실현 가능성이 거의 없는 일을 가정하여 말하는 것이다. 가정법의 시제는 실제로 그것이 가리키는 시점과 일치하지 않아 혼동하기 쉽지만, 공식처럼 쓰이는 구문이 있으므로 이를 학습해두면 쉽고 빠르게 문장을 해석할 수 있다.

if가 쓰인 가정법 해석하기

if가 쓰인 가정법 과거 해석하기

01 **If** I **were** rich, / I **would donate** a lot of money / to charity. <모의응용>

만약 내가 부자라면 / 나는 많은 돈을 기부할 텐데 / 자선단체에

> 가정법 과거는 현재의 사실과 반대되거나 실현 가능성이 거의 없는 일을 가정할 때 쓴다. if가 쓰인 가정법 과거는 「If+S´+동사의 과거형 (be동사는 were) ~, S+would/could/might+동사원형 …」의 형태이며, '**만약** (현재에) ~**한다면** (현재에) …**할 텐데**'라고 해석한다.

02 If Jacob visited Korea, I would take him to Gyeongbokgung Palace.

03 If Lisa helped us with our class project, we could finish on time.

04 You might make more friends if you were not so shy.

05 If we lived in a desert, there would be nothing to do. <모의응용>

06 If Alice had some colored pencils, she could draw you a picture.

07 If Jerry were patient, he might make smarter decisions.

08 Ms. Smith would focus on her hobbies if she retired.

09 If Charles studied French every day, he could learn it faster.

10 If I ate fewer sweets, I might not have so many cavities.

*cavity: 충치

11 If Harold went on TV, audiences would love watching him.

12 If you became president, you could meet with other world leaders in person.

13 If my laptop weren't broken, I might be able to lend it to you.

14 If Emily **had fallen** differently, / she **might have broken** her arm. <모의응용>

만약 Emily가 다르게 떨어졌더라면 / 그녀는 팔이 부러질 수도 있었을 텐데

> 가정법 과거완료는 과거의 사실과 반대되는 일을 가정할 때 쓴다. if가 쓰인 가정법 과거완료는 「If+S′+had p.p. ~, S+would/could/might+have p.p. …」의 형태이며, '**만약** (과거에) **~했더라면** (과거에) **…했을 텐데**'라고 해석한다.

15 If I had felt better this morning, I could have gone to school.

16 You could have passed the driving test if you had practiced enough.

17 If Oliver had read the book more carefully, he might have understood the plot.

18 If the conference had been held in Seoul, more people could have attended.

19 If Mark had taken his medication, he might have recovered more quickly.

20 If Anna had left earlier, she would not have missed her flight.

21 The skater could not have won gold medals if she had not trained hard.

22 If the food I cooked had tasted delicious, I would not have been embarrassed.

23 If the family had moved to a bigger apartment, the children would have had their own rooms.

고난도
24 If Darwin had not traveled the world, he could not have developed his theories about evolution.

해설집 p.97

01 **Were** I you, / I **wouldn't make** a single revision / to your essay. <수능응용>

만약 내가 너라면 / 나는 단 하나의 수정도 하지 않을 텐데 / 너의 에세이에

02 **Had** this journey **taken place** / a week earlier, / we **might have enjoyed** it. <수능응용>

만약 이 여행이 일어났더라면 / 일주일 전에 / 우리는 그것을 즐길 수도 있었을 텐데

가정법에서 if절의 (조)동사가 were, had인 경우 if를 생략할 수 있으며, 이때 주어와 (조)동사의 위치가 바뀐다. 해석은 if가 쓰인 가정법과 동일하게 한다.

구분	if가 생략된 가정법의 형태 (← 가정법의 기본 형태)
가정법 과거	Were+S′ ~ (← If+S′+were ~)
가정법 과거완료	Had+S′+p.p. ~ (← If+S′+had p.p. ~)

03 Were I lost, I would ask for directions right away.

04 Had Kelly run, she might have caught the last bus.

05 Cam could sing Julie the melody were he a talented singer.

06 Had you checked your phone, you would have seen the notification.

07 Were you in my situation, what would you do? <모의응용>

08 Had the idea occurred to Ron sooner, he would have mentioned it.

09 Were it easy to beat the video game, everyone would play it.

10 Bailey could have explained her reasoning had she had a little more time.

11 Were Clara confident, she would be more assertive in the debate.

^{고난도}
12 Tom probably could have fulfilled his dream had his hand not been injured. <모의응용>

해설집 p.99

UNIT 59 S+wish 가정법 해석하기

01 Farmers **wish** / the drought **would end**. <모의응용>

농부들은 바란다 / 가뭄이 끝나길

02 I **wish** / I **had received** wise advice / from those (with more life experience). <모의응용>

좋을 텐데 / 내가 지혜로운 조언을 받았더라면 / (더 많은 삶의 경험을 가진) 사람들로부터

「S+wish」 가정법 과거는 실현 가능성이 거의 없거나 불가능한 일을 소망할 때 쓰고, 「S+wish」 가정법 과거완료는 이루지 못했던 일 또는 이미 일어난 일에 대한 아쉬움을 나타낼 때 쓴다.

	주절	종속절	해석
가정법 과거	S+wish	S´+(조)동사의 과거형(be동사는 were) ~	S가 ~하면 좋을 텐데/~길 바란다
가정법 과거완료		S´+had p.p. ~	S가 ~했더라면 좋을 텐데/~했길 바란다

03 I wish you would turn off the loud music.

04 Mr. Turner wishes he had not sold his sports car.

05 Carrie wishes her school had a big stage for school plays.

06 The player on the losing team wishes he had scored more points.

07 During the spring, we wish the beautiful weather could continue forever.

08 I wish I had chosen a different drink from the menu.

09 Eva wishes the city would build a community garden in her area. <모의응용>

10 The shop owner wishes customers had bought a few more items today.

11 Many students wish they didn't have to wear a uniform at school.

<고난도>
12 Fans of the drama wish the main character had gone through some kind of difficulty.

해설집 p.100

01 Companies **advertise** their products / **as if** their competitors **did not exist**. <모의응용>

회사들은 그들의 제품을 광고한다 / 마치 그들의 경쟁사들이 존재하지 않는 것처럼

02 The man **behaves** / **as if** nothing **had happened**. <모의응용>

그 남자는 행동한다 / 마치 아무것도 일어나지 않았던 것처럼

as if 가정법 과거는 주절의 시제와 같은 시점의 사실과 반대되는 일을 가정할 때 쓰고, as if 가정법 과거완료는 주절의 시제보다 앞선 시점의 사실과 반대되는 일을 가정할 때 쓴다.

	주절	종속절	해석
가정법 과거	S+V ⋯	as if+S´+동사의 과거형(be동사는 were) ~	마치 S가 ~한 것처럼 V한다
가정법 과거완료		as if+S´+had p.p. ~	마치 S가 ~했던 것처럼 V한다

03 Emma feels as if she were still on the roller coaster.

04 The actor interviews as if he had won numerous awards.

05 Daniel rides his bicycle as if no one else used the bike lane.

06 The newly released movie looks as if it had been made 10 years ago.

07 Paul greets Amy as if they hadn't met each other for a long time.

08 Julia introduces herself as if she had worked in the fashion industry.

09 Despite living in the country, Francis talks as if he lived in a big city.

고난도
10 Some people act as if they had knowledge that they do not have. <모의응용>

해설집 p.101

UNIT 61 without[but for] 가정법 해석하기

01 **Without[But for]** friends, / the world **would be** a pretty lonely place. <모의>

만약 친구들이 없다면 / 세상은 아주 외로운 곳일 텐데

(= If it were not for[Were it not for] friends, the world would be a pretty lonely place.)

02 **Without[But for]** passion, / they **would not have achieved** anything. <모의응용>

만약 열정이 없었더라면 / 그들은 아무것도 성취하지 못했을 텐데

(= If it had not been for[Had it not been for] passion, they would not have achieved anything.)

「Without[But for]+명사」는 가정법의 if절을 대신하며, 아래와 같이 해석한다.

without[but for] 가정법 과거	해석
Without[But for]+명사, S+would/could/might+동사원형 … = If it were not for[Were it not for]+명사	만약 (현재에) ~가 없다면, (현재에) …할 텐데

without[but for] 가정법 과거완료	해석
Without[But for]+명사, S+would/could/might+have p.p. … = If it had not been for[Had it not been for]+명사	만약 (과거에) ~가 없었더라면, (과거에) …했을 텐데

03 Without my wool coat, I would feel very cold today.

04 But for the lighthouse, the coast would have been invisible in the dark.

05 The Olympic Games might not have been successful without the volunteers.

06 But for your advice, I would not know what to do after graduation.

07 Without a computer, the mathematical calculations could not be performed.

08 But for Jennifer's message, Mason would have forgotten about the meeting.

09 Without each member's help, the challenge would have been impossible. <모의응용>

10 But for the rain forecast, vacationers would go swimming in the river.

*vacationer: 피서객

11 I would have left the refrigerator door open without the alarm sound.

고난도
12 But for donations, the center might not have enough funds to keep operating. <모의응용>

해설집 p.102

Chapter Test

[01-15] 가정법 구문의 형태와 쓰임에 유의하여 다음 문장을 해석하시오.

01 Mary wishes her cell phone's battery lasted longer.

02 If I found a wallet on the street, I would look for its owner.

03 It seems as if his desk had never been cleaned.

04 If you had asked questions, you could have learned the answer.

05 Jonathan wishes there were a large park in his neighborhood.

06 Without a flashlight, we would be lost in the woods at night.

07 If Mia were given another chance, she would do exactly the opposite thing.

08 Kaylee wishes she had picked a familiar topic for her final report.

09 Eric acts as if he didn't care about other people's opinions at all.

10 Nora wishes she had gone on a trip instead of staying home.

11 But for some good luck, Michael's plan to get a perfect score might have failed.

12 Grace talks as if doing the laundry were the hardest task in the world.

13 Had the bill passed, the country's situation would have changed drastically.

*bill: 법안

고난도
14 If I had seen a counselor after the accident, it might not have been traumatic.

고난도
15 Were Mr. Anderson younger, he would have a different perspective on the welfare system.

해설집 p.103

CHAPTER 12

비교구문

비교구문은 두 가지 이상의 대상을 서로 견주어 비교하는 문장이다. 비교구문은 기존 형용사와 부사의 의미에 더욱 풍부한 내용을 더해준다. 다양한 비교구문 학습을 통해 비교하는 대상이 무엇인지 파악하면 문장을 빠르게 해석할 수 있다.

원급/비교급/최상급 비교 해석하기

01 Your dog is almost **as large** / **as** a person.

너의 개는 거의 크다 / 사람만큼

> 「as+형용사/부사의 원급+as」는 두 비교 대상의 정도가 비슷하거나 같음을 나타내며, '···**만큼 ~한/하게**'라고 해석한다. 부정문인 「not as[so]+형용사/부사의 원급+as」는 '···**만큼 ~하지 않은/않게**'라고 해석한다.

02 I am not as outgoing as my sister Olivia.

03 You can smell as fresh as a daisy with our new perfume.

04 It was an excellent film, but it was not as good as the book. <모의>

05 Aaron liked the sculpture *The Thinker* as much as *Venus de Milo*.

06 At the market, tomatoes are usually not so expensive as cherries.

07 Two heads are **better** / **than** one. <속담>

두 개의 머리는 더 낫다 / 하나보다
→ 백지장도 맞들면 낫다.

> 「형용사/부사의 비교급+than」은 두 비교 대상의 차이를 나타내며, '···**보다 더 ~한/하게**'라고 해석한다. 「less+형용사/부사의 원급+than」은 '···**보다 덜 ~한/하게**'라고 해석한다.

08 Crows are smarter than other types of birds.

09 The express train stops less often than the local train.

10 Heather can read faster than most of her classmates.

11 This washing machine is less noisy than other models.

12 The upper part of the rock erodes more slowly than the base. <모의응용>

*erode: 침식되다

> **TIP** 비교급을 강조하는 부사
>
> much/even/far/a lot(훨씬)을 비교급 앞에 써서 강조할 수 있다.
>
> The oven has made cooking **much** *simpler* than the past. <모의응용>
> 오븐은 과거보다 요리를 훨씬 더 간단하게 만들었다.

최상급 비교 해석하기

13 A bus tour is / **the easiest** way (to enjoy popular tourist spots). <모의응용>

버스 여행은 ~이다 / (인기 있는 관광지들을 즐기는) 가장 쉬운 방법

> 「the+형용사/부사의 최상급」은 셋 이상의 비교 대상 중 하나의 정도가 가장 높음을 나타내며, '**가장 ~한/하게**'라고 해석한다.

14 Tina wakes up the earliest in her family.

15 Michael has the worst luck of anyone I know.

16 The candidate who gets the most votes will become the mayor.

17 The wildlife that is the most seriously threatened includes seabirds.

18 The young boy drew attention for showing the greatest skill in the competition.

해설집 p.105

Chapter 12 비교구문 · 해커스 완전숙련 구문독해

01 The students described their emotions / **as fully as possible**. <모의용용>

학생들은 그들의 감정을 묘사했다 / 가능한 한 충분히

원급을 이용한 표현은 아래와 같이 해석한다.

배수사+as+원급+as	…보다 –배 ~한/하게
as+원급+as+possible	가능한 한 ~한/하게
as+원급+as+주어+can/could	…가 할 수 있는 한 ~한/하게

02 Arthur ran as fast as he could. <모의용용>

03 We hope you will start working as soon as possible. <모의>

04 My text message was four times as long as the one Frida sent.

05 Everyone wants their orders to arrive as quickly as possible.

06 The swimming pool is three times as wide as it is deep.

07 We tiptoed as quietly as we could to avoid waking up the baby.

08 In the last two minutes, you should fill out as many answers as possible.

09 The corporation's main goal is making as much profit as possible.

고난도
10 The popularity of horror movies is twice as high as that of animation. <모의>

UNIT 64 비교급 표현 해석하기

01 Some stars (in the universe) / are **thousands of times hotter** / **than** the Sun. <모의응용>

(우주에 있는) 몇몇 항성들은 / 수천 배 더 뜨겁다 / 태양보다

비교급을 이용한 표현은 아래와 같이 해석한다.

배수사+비교급+than	…보다 -배 더 ~한/하게
the+비교급, the+비교급	…하면 할수록 더 ~하다
비교급+and+비교급	점점 더 ~한/하게

02 The more active you are, the more energy you spend. <모의응용>

03 The sound of thunder became louder and louder.

04 Guavas contain three times more vitamin C than oranges.

05 Fewer and fewer people are carrying cash these days.

06 The later you begin your homework, the more difficult it will be.

07 Tigers are roughly four times heavier than humans.

08 The longer Helen stayed on the sunbed, the more sunburned she got.

09 Footsteps approached nearer and nearer in the dark hall. <모의>

10 Being hit by lightning is five times more likely than winning the lottery.

11 The detective story grew more and more mysterious as I read it.

고난도
12 The more sociable Andrew was, the easier it was for him to make new friends.

해설집 p.108

01 A hairstyle can be / **one of the simplest means** (of nonverbal communication). <모의>

머리모양은 ~가 될 수 있다 / (비언어적인 의사소통의) 가장 간단한 방식들 중 하나

최상급을 이용한 표현은 아래와 같이 해석한다.

one of the+최상급+복수명사	가장 ~한 (명사) 중 하나
the+최상급+명사+that+have ever+p.p.	지금까지 …한 (명사) 중에서 가장 ~한 (명사)
the+서수+최상급	… 번째로 가장 ~한

02 John is one of the shortest students in his class.

03 Saturn is the second biggest planet in our solar system.

04 The car is the costliest product that has ever been made by the company.

05 Venice turned into one of the richest cities in the world. <모의응용>

06 *The Mahabharata* is known as the longest poem that has ever been written.

07 San Marino, which is surrounded by Italy, is the third smallest country in Europe.

08 Ms. Hart is one of the most talented wedding dress designers I know.

09 The vampire squid is probably the strangest sea creature that has ever existed.

10 Mexico consumed the third largest amount of bottled water in 1999. <모의>

11 Telling lies is one of the fastest ways of losing people's trust.

^{고난도}
12 The most wonderful thing that has ever happened to me was meeting you.

UNIT 66 최상급의 의미를 나타내는 원급/비교급 표현 해석하기

01 **No other** place (on Earth) is **colder** / **than** Antarctica.

(지구상의) 어떤 곳도 더 춥지 않다 / 남극 대륙보다

(= Antarctica is **the coldest** place on earth.)

최상급의 의미를 나타내는 원급/비교급 표현은 아래와 같이 해석한다.

No (other)+단수명사 ~ as+원급+as	어떤 (명사)도 ···만큼 ~하지 않은
No (other)+단수명사 ~ 비교급+than	어떤 (명사)도 ···보다 더 ~하지 않은
비교급+than any other+단수명사	다른 어떤 (명사)보다 더 ~한
비교급+than all the other+복수명사	다른 모든 (명사)보다 더 ~한

02 In my opinion, no other painting is as beautiful as the *Mona Lisa*.

03 UY Scuti is bigger than all the other stars in space.

*UY Scuti: 방패자리 UY

04 No other part of the city is as crowded as the downtown area.

05 Trevor trains harder than any other player on his soccer team.

06 The Pacific Ocean is deeper than all the other bodies of water.

07 No other element is as abundant in the universe as hydrogen.

*hydrogen: 수소

08 The final exam is more important than any other test for most students.

09 This mountain is steeper than any other mountain in the region.

10 Perhaps no period in life is as stressful as the first year of college. <모의응용>

Chapter Test

[01-15] 비교구문의 형태와 쓰임에 유의하여 다음 문장을 해석하시오.

01 The animated movie is far funnier than the comic book.

02 The Amazon River is the second longest river on Earth.

03 We go to the beach as often as possible in the summer.

04 Text messages are not so powerful as in-person communication. <모의응용>

05 Generally, adults' bones are less flexible than those of babies.

06 The harder Antonio exercised, the stronger he became.

07 For the essay, Jane submitted twice as many pages as I did.

08 Mark spends as much time as he can with his best friends.

09 Going in a straight line is not always the fastest route.

10 Ms. Harris is one of the most experienced teachers in our school.

11 No other advertising medium works as effectively as social media. <모의응용>

12 The newspaper company has 50 times more readers than its competitors.

13 The new software is not as innovative as the version it replaced.

14 I woke up early, so I could watch the greatest sunrise in my life. <모의응용>

고난도
15 In the Northern Hemisphere, the days get shorter and shorter during the autumn.

*Northern Hemisphere: 북반구

해설집 p.111

CHAPTER 13

it과 특수구문

it은 대명사 외에도 비인칭 주어, 가주어, 가목적어 등으로 다양하게 쓰이므로, it의 정확한 해석을 위해서는 각 쓰임을 잘 알아두는 것이 중요하다. 특수구문은 문장에서 말하고자 하는 내용을 더욱 효과적으로 전달하기 위해 기본적인 문장 구조를 변형한 것이다. 구문 별로 주요한 패턴이 있으므로 이를 학습해두면 쉽게 문장 구조를 파악할 수 있다.

대명사 it 해석하기

01 Susan repeated her request. // I couldn't refuse **it**. <모의>

Susan은 그녀의 요청을 반복했다. // 나는 그것을 거절할 수 없었다.

> 대명사 it은 앞에서 언급된 특정한 단어, 구, 절, 문장을 가리키며, '그것'이라고 해석한다.

02 Wendy played Henry the song she wrote, and he really liked it.

03 James wanted to go for a walk in the park. I thought it was a good idea.

고난도
04 Our flight was delayed for several hours. It completely ruined our trip.

날씨, 시간, 상황 등을 나타내는 비인칭 주어 it 해석하기

05 **It** is too hot and dry / these days. <모의>

너무 덥고 건조하다 / 요즘에

> 비인칭 주어 it은 주어가 막연하거나 추상적일 때 쓴다. 주로 날씨, 시간, 상황 등을 나타내며, 이때 it은 의미를 가지지 않으므로 따로 해석하지 않는다.

06 It is getting colder and colder. <모의>

07 It is a little after 12. Let's break for lunch. <모의>

08 It has been rainy all afternoon, so I feel gloomy.

고난도
09 It was too noisy in the café, but it didn't bother us.

> **TIP** It seems[appears] that 구문 해석하기
>
> 「It seems[appears] that ~」 구문은 '~인 것 같다'라고 해석한다. 이때 it은 해석하지 않는다.
> **It seems[appears] that** someone forgot to turn off the air conditioner.
> 누군가가 에어컨을 끄는 것을 잊은 것 같다.

해설집 p.113

UNIT 68 다양한 쓰임의 it 해석하기 II

가주어 it 해석하기

01 **It** is unwise / **to do multiple things** / **at once**. <모의>
S(가주어) V SC   S(진주어)
현명하지 못하다 / 여러 가지 일을 하는 것은 / 동시에

> 가주어 it은 주어로 쓰인 to부정사구, that/whether/의문사가 이끄는 명사절 대신 쓸 수 있으며, 이때 진주어인 to부정사구나 명사절을 문장 뒤로 보낸다. 가주어 it은 의미를 가지지 않으므로 따로 해석하지 않고, 진주어가 원래 주어 자리에 있던 것처럼 문장을 해석한다.

02 With a tablet, it is easy to draw pictures. <모의응용>

03 It is interesting how the country town has changed.

04 Mary says it is fun to visit old churches and temples.

05 It was clear that the professor was an expert on medieval history.

고난도
06 It isn't known whether the comet came from outside the solar system.

가목적어 it 해석하기

07 I consider **it** your duty / **to feed your dog**. <모의>
S   V O(가목적어) OC   O(진목적어)
나는 너의 의무라고 생각한다 / 너의 개에게 먹이를 주는 것이

> 가목적어 it은 목적어로 쓰인 to부정사구나 that절 대신 쓰이며, 이때 진목적어인 to부정사나 that절을 문장 뒤로 보낸다. 가목적어 it은 의미를 가지지 않으므로 따로 해석하지 않고, 진목적어가 원래 목적어 자리에 있던 것처럼 문장을 해석한다.

08 Sheila finds it difficult to talk to people she doesn't know well.

09 Being wet makes it more likely that you will catch a cold. <모의응용>

10 We consider it mandatory to submit all paperwork on time.

고난도
11 I think it regrettable that many businesses on this street are closing down.

해설집 p.114

01 It is *in food and medicine* / **that** herbs are widely used. <모의용용>

바로 음식과 약에서이다 / 허브가 널리 사용되는 것은

(← Herbs are widely used *in food and medicine*.)

> 동사와 보어를 제외한 문장 성분(주어, 목적어, 부사구/절)은 「It is/was ~ that …」 구문으로 강조할 수 있으며, '…한/했던 것은 바로 ~이다/였다'라고 해석한다.

02 It was her self-confidence that encouraged Isabella to achieve everything. <모의용용>

03 It was the television show that people were talking about online.

04 It was before the recession that the couple sold their house.

*recession: 불황

05 It is how you get back up after falling that matters the most.

06 It was a letter written by my grandfather that I found in the attic.

07 It was when Sam saw the Grand Canyon that he appreciated its size.

08 It was the United States that had the largest final energy consumption in 2016. <모의용용>

> **TIP**
>
> **It ~ that 강조 구문과 가주어-진주어 구문의 구분**
>
> It ~ that 강조 구문의 that 이하에는 주어 또는 목적어가 없는 불완전한 절이 오거나 의미상 It ~ that 사이에 있는 부사구/절의 꾸밈을 받는 절이 온다. 가주어-진주어 구문의 that 이하에는 완전한 절이 온다.
>
> • It ~ that 강조 구문
>
> **It was** *your laptop* **that** I accidentally broke (□) last week. 내가 지난주에 뜻하지 않게 고장 냈던 것은 바로 너의 노트북이었다.
> <목적어가 없는 불완전한 절>
>
> **It was** *last week* **that** I accidentally broke your laptop. 내가 뜻하지 않게 너의 노트북을 고장 냈던 것은 바로 지난주였다.
> <의미상 부사구(last week)의 꾸밈을 받는 절>
>
> • 가주어-진주어 구문
>
> **It was** fortunate **that** Lauren wasn't hurt in the accident. 그 사고에서 Lauren이 다치지 않았던 것은 다행이었다.
> <완전한 절>

해설집 p.115

전체 부정 해석하기

01 **No** pets are allowed / in the restaurant. <모의용용>

어떤 반려동물도 허용되지 않는다 / 그 식당에서는

> 「no+명사」는 '**어떤/아무 …도 ~않다**'라고 해석하고, 「none/neither of+명사」는 '**… 중 아무(것)도/어느 쪽도 ~않다**'라고 해석한다.

02 None of my neighbors had seen the thief. <모의용용>

03 Neither of my parents was at home when the delivery arrived.

04 No residents will be able to access the lobby during the repair work.

05 The police questioned both men, but neither of them could speak English. <모의용용>

부분 부정 해석하기

06 Expensive concert stages do **not always** satisfy / fans. <모의용용>

비싼 콘서트 무대가 항상 만족시키는 것은 아니다 / 팬들을

> 「not+always/all/every」은 '**항상/모두/모든 ~은 아니다**'라고 해석한다.

07 Not every teacher requires students to give a presentation.

08 Though most do, not all plants grow flowers or produce seeds.

09 Not every successful start-up company began with enough funds.

고난도
10 Doing the right thing is not always easy, but it is always worth doing.

부정어(구)가 절 앞에 온 도치 구문 해석하기

01 *Not only* **do kids learn** art, // but they also learn acting / at the theater. <모의응용>
부정어구   조동사 S¹   V¹   O¹   S²   M²   V²   O²   M²
아이들은 예술을 배울 뿐만 아니라 // 그들은 연기도 배운다 / 극장에서

no, not, never 등이 포함된 부정어(구)가 절 앞에 오면 아래와 같은 어순이 되며, 해석은 원래처럼 「주어+동사+부정어(구)」 순으로 한다.	
be동사/조동사가 있는 문장	부정어(구)+be동사/조동사+주어
일반동사가 있는 문장	부정어(구)+조동사 do/does/did+주어+동사원형

*그 외 부정을 뜻하는 표현: little/hardly/scarcely(거의 ~않는), seldom/rarely(좀처럼 ~않는)

02 Little does the rabbit come out of its burrow during the day.

*burrow: (토끼, 두더지 등의) 굴

03 Never in my life have I seen a snake as large as that one.

04 Seldom am I eager to get in an argument, but injustice cannot be tolerated.

05 Nowhere did the article mention the names of the winners.

고난도
06 Never before had impressionist artwork been considered so valuable. <모의응용>

장소/방향의 부사(구)가 절 앞에 온 도치 구문 해석하기

07 *Under the tree* **were sleeping** / *a swan and its babies*.
장소의 부사구   V   S
그 나무 아래에서 자고 있었다 / 백조와 그것의 새끼들이

장소/방향의 부사(구)가 절 앞에 오면 「부사(구)+동사+주어」의 어순이 되며, 해석은 「부사(구)+주어+동사」 또는 「주어+부사(구)+동사」 순으로 한다.

*주어가 대명사일 경우 주어와 동사가 도치되지 않는다.

08 Here comes a parade of wagons covered with flowers.

09 In the background of the painting stand huge mountains.

10 On the island live more than 500 kinds of tropical plants.

11 There runs the man who stole your wallet!

12 By the river gathered numerous people enjoying picnics with their friends.

so나 neither[nor]가 절 앞에 온 도치 구문 해석하기

13 <u>Our incomes</u> <u>increase</u>, // and *so* **do** **our expenditures.** <모의응용>
S¹ V¹ 조동사 S²
우리의 소득은 증가한다 // 그리고 우리의 소비도 그렇다

> so나 neither[nor]가 절 앞에 오면 「so/neither[nor]+be동사/조동사+주어」의 어순이 되며, 각각 '~도 …**하다**', '~도 …**하지 않다**'라고 해석한다.

14 Movie critics love the new action movie, and so do audiences.

15 Ken didn't call me, nor did he send me a text message.

16 I didn't hear the bell, and neither did anyone else in the classroom.

17 Dr. Lawrence subscribes to this science journal, and so do other professors.

고난도
18 Listeners did not take notes, nor did they understand everything the speaker said.
<모의응용>

해설집 p.117

01 *The United Nations*, **or the UN**, / is an organization (established in 1945).

국제 연합, 즉 UN은 / (1945년에 설립된) 조직이다

명사 A 뒤에 또 다른 명사(구)나 명사절을 써서 구체적인 설명을 덧붙인 동격 구문은 아래와 같이 해석한다.

A, 명사(구)	~인 A
A of 명사(구)	~인/하는 A
A, or 명사(구)	A, 즉 ~
A+that절	~라는 A

02 Catherine, my next-door neighbor, asked to borrow a can opener.

03 Her goal of becoming the head manager was nearly accomplished.

04 Scientists must accept the possibility that they might be wrong. <모의응용>

05 Roald Dahl, the famous children's book author, wrote about 50 books.

06 A PIN, or personal identification number, is needed to access your account.

07 I don't have any intention of developing bad habits in my life.

08 Among economists, there is a common belief that the economy will improve soon.

09 The fact that he is the Minister of Health qualifies him as an expert in the health field. <모의응용>

고난도
10 FOBO, or Fear of a Better Option, is the anxiety that something better will come along. <모의>

TIP 동격의 that절과 자주 쓰이는 명사

news that ~라는 소식   fact that ~라는 사실   hope that ~라는 희망
belief that ~라는 신념/믿음   idea that ~라는 생각   thought that ~라는 생각
opinion that ~라는 의견   claim that ~라는 주장   possibility that ~라는 가능성

해설집 p.119

UNIT 73 병렬 구문 해석하기

01 Both **admission** and **parking** / are free of charge / for the festival. <모의응용>

입장과 주차 둘 다 / 무료이다 / 그 축제에서

등위접속사나 상관접속사로 연결되는 말은 병렬 구문을 이루며, 보통 문법적으로 형태와 기능이 같다. 문장 안에서 연결되는 대상을 찾아 병렬 구문임을 파악한 후 해석한다.

등위접속사	and 그리고, ~이고, ~와 or 또는, 아니면, ~이나	but 그러나, ~이지만
상관접속사	both A and B A와 B 둘 다 either A or B A나 B	not only A but (also) B A뿐만 아니라 B도 neither A nor B A도 B도 아닌

02 The winter brings not only snow but also ice.

03 Both my mom and my grandmother like to play chess.

04 The engineer found a simple but effective solution to the problem.

05 Friends and family are invited to attend the company event.

06 The shelter tried either to find homes for the dogs or to care for them.

07 The teacher explained that shouting and fighting were against the rules.

08 Neither the taxi driver nor the passenger noticed that the traffic light turned green.

^{어법}
09 Exercise not only strengthens the heart but also reduce / reduces the risk of disease.

> **TIP** 절과 절의 병렬
>
> 등위접속사나 상관접속사로 연결되는 절과 절도 문법적으로 기능이 같아야 한다.
>
> I can't figure out **what the girl's name is** and **where I first met her**.
> <명사절> <명사절>
>
> 나는 그 여자아이의 이름이 무엇인지 그리고 내가 어디에서 그녀를 처음 만났는지를 생각해낼 수 없다.

해설집 p.120

01 Though the temperature was hot/((, **almost 28 degrees,**))/ he wore a jacket.

비록 기온이 뜨거웠지만 / ((거의 28도 정도로)) / 그는 재킷을 입었다

02 The Burj Khalifa/((—**the world's tallest building**—))/was completed / in 2010.

부르즈 할리파는 / ((세계에서 가장 높은 빌딩인)) / 완성되었다 / 2010년에

03 I have chosen / a topic [which ((**I believe**)) everyone is interested in].

나는 골랐다 / [(((내가 믿기에)) 모든 사람이 흥미 있어 하는] 주제를

> 삽입 구문은 콤마(,)/대시(—) 사이 또는 관계사 뒤에 쓰여 부가적인 내용을 덧붙이거나 표현을 완곡하게 만든다. 종종 삽입되는 표현들은 아래와 같다.
>
> | if any | 만약 있다고 해도 | if ever | 만약 한다 할지라도 |
> |---|---|---|---|
> | I believe | 내가 믿기에 | I think[suppose] | 내가 생각하기에 |

04 Skylarks rarely, if ever, sing in the winter. <모의>

*skylark: 종달새

05 The chances of rain are high, nearly 70 percent, so take your umbrella.

06 Despite liking movies, especially romantic comedies, Melanie seldom has time to watch them.

07 Her father—a well-respected lawyer—has decided to run for Congress.

*run for Congress: 국회의원에 입후보하다

08 I bought the computer that I thought would be the best for my purposes.

09 Vincent van Gogh's *The Starry Night*—along with his other paintings—is on display in New York.

^{고난도}
10 Changing one word in your essay will make little, if any, difference in your final grade.

해설집 p.121

반복되는 어구가 생략된 구문 해석하기

01 I had planned to go to Hawaii, // but I decided not to.(go) <모의>

나는 하와이에 가기로 계획했었다 // 그러나 나는 그러지(= 가지) 않기로 결정했다

> 문장에서 반복되는 어구는 주로 생략되며, 그 상태로 자연스럽게 해석한다. 하지만 문맥이 어색한 경우, 생략된 부분을 다시 넣거나 대명사 또는 대동사를 추가해 해석하기도 한다.

02 The vintage car parked over there must be Mr. Taylor's.

03 Amanda and I used to hang out all the time, but we don't anymore.

04 Ross emptied the trash bin because his mother asked him to.

05 Keira was going to order a mushroom soup, but the waiter advised her not to.

부사절의 「주어+be동사」가 생략된 구문 해석하기

06 You should use logical arguments / when (you are) trying to persuade others.

너는 논리적인 논거를 사용해야 한다 / (네가) 다른 사람을 설득하려고 노력할 때

> 부사절의 주어와 주절의 주어가 같을 때, 일부 부사절의 「주어+be동사」는 생략될 수 있다. 해석은 주로 생략한다.

07 People often discover lost objects when cleaning the house.

08 The room, though small, was cozy and boasted a stunning view.

09 Once at home, I will change out of these uncomfortable clothes.

고난도
10 Fred tripped because he didn't look where he was going while walking.

해설집 p.122

Chapter Test

[01-15] it의 쓰임과 특수구문의 구조에 유의하여 다음 문장을 해석하시오.

01 It is going to be hot and humid this month.

02 Not every city park has playgrounds for kids.

03 It appears that your subscription ended last month.

04 MSF, or Doctors Without Borders, is a worldwide charity.

05 None of my friends have visited the new department store yet.

06 It was difficult to replace the lightbulb in the ceiling light.

07 To my right lies a clay pot that was made 5,000 years ago.

08 William tried to finish his assignment on time, but he could not.

09 It was after getting home that I realized I had left my bag at school.

10 My uncle came to my graduation, and so did my cousin from California.

11 Never had Ted wished to spend the whole afternoon at the library.

12 Charlotte couldn't find what she was looking for when shopping online.

13 고난도 The fact that John is still awake shows that he drank too much coffee today.

14 고난도 *The Vegetarian*—Han Kang's serial novel—was awarded the Man Booker Prize.

15 고난도 Not only the speed but also the grace of Michelle's ice skating impressed us.

해설집 p.123

수능 영어 꽉 잡는 **직독직해** 훈련서

해커스

완전숙련

구문독해 입문

초판 2쇄 발행 2023년 9월 11일
초판 1쇄 발행 2023년 1월 10일

지은이	해커스 어학연구소
펴낸곳	㈜해커스 어학연구소
펴낸이	해커스 어학연구소 출판팀

주소	서울특별시 서초구 강남대로61길 23 ㈜해커스 어학연구소
고객센터	02-537-5000
교재 관련 문의	publishing@hackers.com
	해커스북 사이트(HackersBook.com) 고객센터 Q&A 게시판
동영상강의	star.Hackers.com

ISBN	978-89-6542-516-8 (53740)
Serial Number	01-02-01

중고등영어 1위,
해커스북 HackersBook.com

· 복습이 간편해지는 **문장 MP3**
· 서술형 시험을 완벽하게 대비할 수 있는 **영작/해석 워크시트**
· 효과적인 단어 암기를 돕는 **어휘 리스트 및 어휘 테스트**

수능·내신 한 번에 잡는
해커스 **불**변의 **패**턴 시리즈

해커스 수능 어법 불변의 패턴

기본서
필수편 [고1]

· 역대 수능·모의고사 기출에서 뽑아낸
  55개의 불변의 패턴
· 출제포인트와 함정까지 빈틈없이 대비하는
  기출 예문 및 기출 문제

훈련서
실력편 [고2]

· 역대 수능·모의고사 기출 분석으로
  실전에 바로 적용하는 **37개의 불패 전략**
· **핵심 문법 설명부터 실전 어법까지**
  제대로 실력을 쌓는 **단계별 학습 구성**

해커스 수능 독해 불변의 패턴

기본서
유형편 [예비고~고1]

· 역대 수능·모평·학평에서 뽑아낸
  32개의 불변의 패턴
· 끊어 읽기와 구문 풀이로
  독해 기본기 강화

실전서
실전편 [고2~고3]

· 최신 수능·모평·학평 출제경향과 패턴을
  그대로 반영한 **실전모의고사 15회**
· 고난도 실전모의고사 3회분으로
  어려운 수능에 철저히 대비

HackersBook.com 해커스**북** 중·고등

해커스 중고등 교재 MAP | 나에게 맞는 교재 선택!

	예비중	중1	중2	중3
문법	Hackers Grammar Smart Starter	Hackers Grammar Smart Level 1	Hackers Grammar Smart Level 2	Hackers Grammar Smart Level 3
		기출로 적중 해커스 중학영문법 1학년	기출로 적중 해커스 중학영문법 2학년	기출로 적중 해커스 중학영문법 3학년
서술형		해커스 쓰기 자신감 Level 1	해커스 쓰기 자신감 Level 2	해커스 쓰기 자신감 Level 3
구문				
독해	Hackers Reading Smart Level 1	Hackers Reading Smart Level 2	Hackers Reading Smart Level 3	Hackers Reading Smart Level 4
		Hackers Reading Path Level 1	Hackers Reading Path Level 2	Hackers Reading Path Level 3
			해커스 첫수능 영어 기소독해	해커스 첫수능 영어 유형독해
듣기		해커스 중학영어듣기 모의고사 24회 Level 1	해커스 중학영어듣기 모의고사 24회 Level 2	해커스 중학영어듣기 모의고사 24회 Level 3
어휘		해커스 3연타 중학영단어		
		해커스 보카 중학 기초	해커스 보카 중학 필수	해커스 보카 중학 고난도
			해커스 보카 중학 숙어	

	READING	**LISTENING**	**VOCA**
토플	HACKERS APEX READING for the TOEFL iBT Basic/Intermediate/Advanced/Expert	HACKERS APEX LISTENING for the TOEFL iBT Basic/Intermediate/Advanced/Expert	HACKERS APEX VOCA for the TOEFL iBT HACKERS VOCABULARY

예비고	고1	고2	고3

 기출로 적중
해커스 고등영문법

 해커스
어법 제대로

 해커스 수능 어법
불변의 패턴
필수편

 해커스 수능 어법
불변의 패턴
실력편

 해커스
완전숙련 구문독해
입문

 해커스
완전숙련 구문독해
기본

 해커스
완전숙련 구문독해
심화

 해커스
독해 제대로
기본독해

 해커스
독해 제대로
구문독해

 Hackers
Reading Path
Level 4

 해커스 수능 독해
불변의 패턴
유형편

 해커스 수능 독해
불변의 패턴
실전편

 해커스 수능영어독해
미니 모의고사 12+2회
기본

 해커스 수능영어독해
미니 모의고사 12+2회
필수

 해커스 수능영어독해
미니 모의고사 12+2회
완성 (* 출간 예정)

 해커스 수능영어듣기
모의고사 20+4회
기본

 해커스 수능영어듣기
모의고사 20+4회
실전

 해커스 수능영어듣기
모의고사 30+5회
기본

 해커스 수능영어듣기
모의고사 30+5회
실전

 해커스 보카
고등 기본

 해커스 보카
수능 필수 2000+

 해커스 보카
수능 완성 1800+

 해커스 보카
수능 심화

 해커스 보카
수능 숙어

 해커스 보카
어원편

 해커스북(HackersBook.com)에서
교재에 대한 자세한 설명과 다양한 학습 자료를 확인하세요!

수능 영어 꽉 잡는 **직독직해** 훈련서

해커스

완전숙련
구문독해

입문 · 기본 · 심화

입문
[예비고]

기본
[고1]

심화
[고2]

해커스 완전숙련 구문독해가 특별한 이유!

독해에 꼭 필요한 핵심 구문을 모두 담았으니까!

1. 해석에 꼭 필요한 모든 구문을 **실제 기출 문장으로 학습**

2. 독해를 쉽고 빠르게 할 수 있는 **친절하고 간결한 구문 설명**

촘촘한 훈련으로 배운 구문을 완전히 내 것으로 만드니까!

3. 어떤 문장이든 자신 있게 직독직해할 수 있는 **1,100여 개의 문장 끊어 읽기 연습**

4. 영작/해석 워크시트, 어휘 리스트/테스트 등 **다양한 부가 학습 자료로 독해 완전숙련**

53740

9 788965 425168
ISBN 978-89-6542-516-8

수능 영어 꽉 잡는 직독직해 훈련서

해커스

완전숙련
구문독해

입문

깊은 이해로 이끄는

친절한
해설집

해커스 완전숙련 구문독해 입문

깊은 이해로 이끄는

친절한 해설집

해커스 어학연구소

CHAPTER 01 문장의 구조

UNIT 01 주어+동사 구조 해석하기

본책 p.16

01 A truck **appeared** / ahead. <모의응용>
S V M
트럭 한 대가 나타났다 / 앞에 → 트럭 한 대가 앞에 나타났다.

어휘 ahead [부] 앞에

02 Our school bus **arrived**.
S V
우리의 학교 버스가 도착했다.

03 My package **came** / yesterday.
S V M
나의 소포가 왔다 / 어제 → 나의 소포가 어제 왔다.

어휘 package [명] 소포

04 The sun **rises** / in the east / in the morning.
S V M M
해는 떠오른다 / 동쪽에서 / 아침에 → 해는 아침에 동쪽에서 떠오른다.

05 The cat slowly **got up** / from the sofa.
S M V M
그 고양이는 천천히 일어났다 / 소파에서 → 그 고양이는 소파에서 천천히 일어났다.

06 I **stayed** / at my friend's house / over the weekend.
S V M M
나는 머물렀다 / 나의 친구의 집에서 / 주말 동안 → 나는 주말 동안 나의 친구의 집에서 머물렀다.

07 The thief **ran away** / from the jewelry shop.
S V M
그 도둑은 도망갔다 / 그 보석 가게에서 → 그 도둑은 그 보석 가게에서 도망갔다.

어휘 thief [명] 도둑

08 My grandfather **grew up** / in a small town.
S V M
나의 할아버지는 자라셨다 / 작은 마을에서 → 나의 할아버지는 작은 마을에서 자라셨다.

09 Changes (for the better) **happen** / to hard-working people.
S V M
(더 나은 쪽으로의) 변화들은 일어난다 / 열심히 일하는 사람들에게 → 더 나은 쪽으로의 변화들은 열심히 일하는 사람들에게 일어난다.

어휘 better [명] 더 나은 쪽[것] hard-working [형] 열심히 일하는, 근면한

10 Thomas **goes** / to the park (near his apartment) / every day.
S V M M
Thomas는 간다 / (그의 아파트 근처의) 공원에 / 매일 → Thomas는 그의 아파트 근처의 공원에 매일 간다.

UNIT 02 주어+동사+주격 보어 구조 해석하기

01 The man **is** a famous pianist. <모의응용>
　　　S　V　　　　SC

그 남자는 유명한 피아노 연주자이다.

어휘 famous 혱 유명한

02 Marie Curie **was** a great scientist.
　　　　S　　　V　　　SC

마리 퀴리는 훌륭한 과학자였다.

03 My new classmates **appear** friendly.
　　　　　S　　　　　V　　　SC

나의 새로운 반 친구들은 다정한 것처럼 보인다.

어휘 friendly 혱 다정한

04 The students **remained** quiet / during class.
　　　　S　　　　V　　　SC　　　　M

학생들은 조용한 상태로 있었다 / 수업 중에 → 학생들은 수업 중에 조용한 상태로 있었다.

05 The ice cream **looked** delicious, // but it **tasted** awful.
　　　S¹　　　V¹　　SC¹　　　S²　V²　　SC²

그 아이스크림은 맛있게 보였다 // 그러나 그것은 불쾌한 맛이 났다 → 그 아이스크림은 맛있게 보였지만, 그것은 불쾌한 맛이 났다.

어휘 awful 혱 불쾌한

06 She **became** a world-class golfer / at 16. <모의>
　　S　　V　　　　SC　　　　　　M

그녀는 세계적인 골프 선수가 되었다 / 16살에 → 그녀는 16살에 세계적인 골프 선수가 되었다.

어휘 world-class 혱 세계적인

07 The subject (of the debate) **sounds** interesting.
　　　　S　　　　　　　　　V　　　SC

(그 토론의) 주제는 흥미롭게 들린다.

어휘 subject 혱 주제 debate 혱 토론

08 Mark **got** angry / at himself / for his mistake.
　　S　V　SC　　　M　　　　M

Mark는 화난 상태가 되었다 / 그 자신에게 / 그의 실수에 대해 → Mark는 그의 실수에 대해 그 자신에게 화난 상태가 되었다.

❍ 주어와 전치사의 목적어가 같은 대상이므로 재귀대명사를 쓰며, '자기 자신'이라고 해석한다.

09 The chair (with the backrest) **seems** comfortable. <모의응용>
　　　　S　　　　　　　　　V　　　SC

(등받이가 있는) 그 의자는 편안한 것처럼 보인다.

어휘 backrest 혱 등받이 comfortable 혱 편안한

고난도
10 Mr. Williams **became** successful / after ten years of effort.
　　　　S　　　V　　　SC　　　　　M

Williams씨는 성공적이게 되었다 / 10년의 노력 이후 → Williams씨는 10년의 노력 이후 성공적이게 되었다.

어휘 successful 혱 성공적인 effort 혱 노력

01 My neighbor **has** a pretty garden. <수능>
  S   V   O

나의 이웃은 예쁜 정원을 가지고 있다.

어휘 neighbor 명 이웃

02 Our team **needs** more team members.
  S   V   O

우리 팀은 더 많은 팀원을 필요로 한다.

03 Lisa **ordered** a cup of strawberry juice / from the menu.
  S   V   O   M

Lisa는 딸기 주스 한 컵을 주문했다 / 메뉴에서 → Lisa는 메뉴에서 딸기 주스 한 컵을 주문했다.

어휘 order 통 주문하다

04 Vincent van Gogh **painted** *The Starry Night* / in 1889.
  S   V   O   M

빈센트 반 고흐는 '별이 빛나는 밤'을 그렸다 / 1889년에 → 빈센트 반 고흐는 1889년에 '별이 빛나는 밤'을 그렸다.

05 I **borrowed** a tent / from my cousin / for the camping trip.
  S   V   O   M   M

나는 텐트를 빌렸다 / 나의 사촌으로부터 / 캠핑 여행을 위해 → 나는 캠핑 여행을 위해 나의 사촌으로부터 텐트를 빌렸다.

어휘 borrow 통 빌리다

06 The songwriter **wrote** beautiful pieces of music.
  S   V   O

그 작곡가는 아름다운 음악 작품들을 썼다.

어휘 a piece of music 하나의 음악 작품

07 The restaurant **delivers** its food / throughout the nearby area.
  S   V   O   M

그 음식점은 그곳의 음식을 배달한다 / 인근 지역 전체에 → 그 음식점은 인근 지역 전체에 그곳의 음식을 배달한다.

어휘 deliver 통 배달하다 throughout 전 전체에, 도처에 nearby 형 인근의

08 The film distributor **changed** / the release date (of the movie).
  S   V   O

영화 배급사는 바꿨다 / (그 영화의) 개봉일을 → 영화 배급사는 그 영화의 개봉일을 바꿨다.

어휘 release 명 개봉, 출시

09 Kevin **broke** a window / by mistake / during basketball practice.
  S   V   O   M   M

Kevin은 창문을 깼다 / 실수로 / 농구 연습 중에 → Kevin은 농구 연습 중에 실수로 창문을 깼다.

어휘 by mistake 실수로, 잘못하여 practice 명 연습

고난도
10 The teacher **received** many letters / from students / at the end of the semester.
  S   V   O   M   M

그 선생님은 많은 편지들을 받았다 / 학생들로부터 / 학기 말에 → 그 선생님은 학기 말에 학생들로부터 많은 편지들을 받았다.

어휘 receive 통 받다 semester 명 학기

01 Linda **thought of** a poem / in front of the painting. <모의>
　　　　S　　　V　　　　O　　　　　　　　M

Linda는 시를 생각해냈다 / 그 그림 앞에서 → Linda는 그 그림 앞에서 시를 생각해냈다.

어휘 poem 몡 시

02 We **are looking forward to** our summer vacation.
　　S　　　　　V　　　　　　　　　　O

우리는 우리의 여름 휴가를 고대하고 있다.

03 Eva **threw away** some unfashionable clothes / from her closet.
　　S　　　V　　　　　　　O　　　　　　　　　M

Eva는 몇몇 유행에 어울리지 않는 옷들을 버렸다 / 그녀의 옷장에서 → Eva는 그녀의 옷장에서 몇몇 유행에 어울리지 않는 옷들을 버렸다.

어휘 unfashionable 혱 유행에 어울리지 않는 closet 몡 옷장

04 The gardener **takes care of** the plants / every week.
　　　S　　　　　V　　　　　O　　　　　M

그 정원사는 식물들을 돌본다 / 매주 → 그 정원사는 매주 식물들을 돌본다.

05 Ted **has looked for** his missing laptop / for a long time.
　　S　　　V　　　　　O　　　　　　M

Ted는 그의 사라진 노트북을 찾아왔다 / 오랫동안 → Ted는 오랫동안 그의 사라진 노트북을 찾아왔다.

어휘 missing 혱 사라진, 분실된

06 Paul **explained** his idea / to his father. <모의>
　　S　　　V　　　O　　　　M

Paul은 그의 생각에 대해 설명했다 / 그의 아버지에게 → Paul은 그의 아버지에게 그의 생각에 대해 설명했다.

➔ Paul explained *about* his idea to his father. (X)

07 The student **answered** the question / with confidence.
　　　S　　　　V　　　　O　　　　　M

그 학생은 그 질문에 대답했다 / 자신감을 가지고 → 그 학생은 자신감을 가지고 그 질문에 대답했다.

➔ The student answered *to* the question with confidence. (X)

어휘 confidence 몡 자신감

08 Joe and his friends **discussed** / the plan (for the party).
　　　S　　　　　V　　　　　　　O

Joe와 그의 친구들은 논의했다 / (그 파티를 위한) 계획에 대해 → Joe와 그의 친구들은 그 파티를 위한 계획에 대해 논의했다.

➔ Joe and his friends discussed *about* the plan for the party. (X)

09 We **entered** the movie theater / 20 minutes early.
　　S　　V　　　O　　　　　　M

우리는 영화관에 들어갔다 / 20분 일찍 → 우리는 20분 일찍 영화관에 들어갔다.

➔ We entered *to* the movie theater 20 minutes early. (X)

10 I finally **reached** / the exciting part (of the book).
　S　M　　V　　　　O

나는 마침내 도달했다 / (그 책의) 흥미로운 부분에 → 나는 마침내 그 책의 흥미로운 부분에 도달했다.

➔ I finally reached *to* the exciting part of the book. (X)

Chapter 01 문장의 구조 • 해커스 완전스탠 구문독해

01 My friend **lent** / me a heating pad. <모의>
　　　S　　　V　　　IO　　　DO

나의 친구는 빌려줬다 / 나에게 전기담요를 → 나의 친구는 나에게 전기담요를 빌려줬다.

어휘 heating pad 圆 전기담요

02 Max **sent** / Amy a bouquet of flowers.
　　S　　V　　IO　　　DO

Max는 보냈다 / Amy에게 꽃 한 다발을 → Max는 Amy에게 꽃 한 다발을 보냈다.

어휘 bouquet 圆 다발

03 Ms. Benson **taught** / the class a science lesson.
　　　S　　　V　　　IO　　　DO

Benson 선생님은 가르쳐주셨다 / 그 반에게 과학 수업을 → Benson 선생님은 그 반에게 과학 수업을 가르쳐주셨다.

04 Brian **showed** / his friends his childhood photos.
　　S　　V　　　IO　　　DO

Brian은 보여줬다 / 그의 친구들에게 그의 어린 시절 사진들을 → Brian은 그의 친구들에게 그의 어린 시절 사진들을 보여줬다.

05 The chef **cooked** / us a tasty meal, // and we enjoyed it.
　　S^1　　V^1　　IO^1　　DO^1　　S^2　V^2　O^2

그 요리사는 요리해줬다 / 우리에게 맛있는 식사를 // 그리고 우리는 그것을 즐겼다 → 그 요리사는 우리에게 맛있는 식사를 요리해줬고, 우리는 그것을 즐겼다.

◐ a tasty meal 대신 대명사 it이 쓰였다.

06 Many reporters **asked** / the mayor questions.
　　　S　　　V　　　IO　　DO

많은 기자들이 물었다 / 그 시장에게 질문을 → 많은 기자들이 그 시장에게 질문을 했다.

어휘 mayor 圆 시장

07 My mom **bought** / me a book (about Korean history).
　　S　　V　　IO　　　DO

나의 엄마는 사주셨다 / 나에게 (한국 역사에 대한) 책을 → 나의 엄마는 나에게 한국 역사에 대한 책을 사주셨다.

08 The coach **brought** / the players snacks / during the break.
　　　S　　　V　　　IO　　DO　　　M

그 코치는 가져왔다 / 선수들에게 간식을 / 휴식 시간 중에 → 그 코치는 휴식 시간 중에 선수들에게 간식을 가져왔다.

어휘 break 圆 휴식 시간

09 The waiter **found** / the guest a seat (near the window).
　　　S　　　V　　　IO　　　DO

그 종업원은 찾아줬다 / 그 손님에게 (창문에 가까운) 자리를 → 그 종업원은 그 손님에게 창문에 가까운 자리를 찾아줬다.

10 My uncle **built** / the birds a birdhouse / with wood.
　　S　　V　　IO　　　DO　　　M

나의 삼촌은 지어주셨다 / 새들에게 새집을 / 나무를 가지고 → 나의 삼촌은 나무를 가지고 새들에게 새집을 지어주셨다.

01 The hand cream **made** / their hands soft. <모의응용>
　　　　　　S　　　　V　　　　　　O　　　OC

그 핸드크림은 만들었다 / 그들의 손을 부드럽게 → 그 핸드크림은 그들의 손을 부드럽게 만들었다.

02 James **believes** / himself a good writer.
　　　S　　　V　　　　　　O　　　　OC

James는 생각한다 / 그 자신이 좋은 작가라고 → James는 그 자신이 좋은 작가라고 생각한다.

　❂ 주어와 목적어가 같은 대상이므로 재귀대명사 himself를 쓰며, '자기 자신'이라고 해석한다.

03 The couple **named** / their baby Angela / after her grandmother.
　　　　S　　　V　　　　　O　　　OC　　　　　M

그 부부는 이름 지었다 / 그들의 아기를 Angela라고 / 그녀의 할머니를 따라서 → 그 부부는 그들의 아기를 그녀의 할머니를 따라서 Angela라고 이름 지었다.

04 The readers **found** / the newspaper article educational.
　　　　S　　　V　　　　　　　O　　　　　OC

독자들은 생각했다 / 그 신문 기사가 교육적이라고 → 독자들은 그 신문 기사가 교육적이라고 생각했다.

어휘 article 圆 기사　educational 圈 교육적인

05 Mason's constant good grades **made** / him confident.
　　　　　　　　S　　　　　　　　V　　　　O　OC

Mason의 꾸준한 좋은 성적은 만들었다 / 그를 자신감 있게 → Mason의 꾸준한 좋은 성적은 그를 자신감 있게 만들었다.

어휘 constant 圈 꾸준한　confident 圈 자신감 있는

06 Susan's classmates **think** / her brave / for standing against injustice.
　　　　　S　　　　　V　　　O　OC　　　　　M

Susan의 반 친구들은 생각한다 / 그녀가 용감하다고 / 불의에 맞서는 것에 대해 → Susan의 반 친구들은 그녀가 불의에 맞서는 것에 대해 용감하다고 생각한다.

어휘 stand against ~에 맞서다　injustice 圆 불의

07 The lid **keeps** / the food (in the container) fresh / for a longer time.
　　S　　V　　　　O　　　　　　　　　　OC　　　　M

뚜껑은 둔다 / (용기 안의) 음식을 신선한 상태로 / 더 오랜 시간 동안 → 뚜껑은 용기 안의 음식을 더 오랜 시간 동안 신선한 상태로 둔다.

어휘 lid 圆 뚜껑　container 圆 용기

08 My name is Elizabeth, // but my friends always **call** / me "Lizzy".
　　S¹　V¹　SC¹　　　　　S²　　　M²　V²　O²　OC²

나의 이름은 Elizabeth이다 // 그러나 나의 친구들은 항상 부른다 / 나를 "Lizzy"라고
→ 나의 이름은 Elizabeth이지만, 나의 친구들은 항상 나를 "Lizzy"라고 부른다.

09 The teacher **left** / the classroom door open / after school / for special classes.
　　　　S　　　V　　　　　O　　　　　OC　　　　M　　　　　M

선생님은 뒀다 / 교실 문을 열린 상태로 / 방과 후에 / 특별 수업을 위해 → 선생님은 특별 수업을 위해 방과 후에 교실 문을 열린 상태로 뒀다.

고난도
10 People hardly **considered** / badminton a sport / before. <모의>
　　　S　　M　　　V　　　　　　O　　　OC　　M

사람들은 거의 생각하지 않았다 / 배드민턴을 스포츠라고 / 이전에는 → 이전에는 사람들이 배드민턴을 스포츠라고 거의 생각하지 않았다.

　❂ hardly는 '거의 ~않다'라는 의미의 부정어이다.

Chapter Test

본책 p.22

01 Mr. Hill's guests **will arrive** here / soon.
　　　　 S　　　　　 V　　　 M　　 M

　　 Hill씨의 손님들이 여기에 도착할 것이다 / 곧 → Hill씨의 손님들이 곧 여기에 도착할 것이다.

02 Honesty **is** the best policy. <속담>
　　　　 S　　 V　　　 SC

　　 정직은 최선의 방책이다. → 솔직한 것이 최고다.

　　 어휘 honesty 圆 정직　policy 圆 방책, 정책

03 The chameleon **is turning** yellow.
　　　　　 S　　　　　 V　　　 SC

　　 그 카멜레온은 노랗게 되고 있다.

04 Natural disasters **can happen** / in any country.
　　　　　 S　　　　　 V　　　　 M

　　 자연 재해는 발생할 수 있다 / 어느 나라에서나 → 자연 재해는 어느 나라에서나 발생할 수 있다.

　　 어휘 natural disaster 자연 재해

05 The squirrel **ran away** / from the dog / quickly.
　　　　 S　　　 V　　　 M　　　 M

　　 그 다람쥐는 도망갔다 / 그 개로부터 / 빠르게 → 그 다람쥐는 그 개로부터 빠르게 도망갔다.

06 Broccoli **tastes** bitter / to people (with many taste buds). <모의>
　　　 S　　 V　　 SC　　　　 M

　　 브로콜리는 쓴 맛이 난다 / (많은 미뢰를 가진) 사람들에게 → 브로콜리는 많은 미뢰를 가진 사람들에게 쓴 맛이 난다.

　　 어휘 bitter 圈 (맛이) 쓴

07 The boxer **ate** fewer calories / and **lost** weight.
　　　 S　　 V¹　　 O¹　　　　　 V²　 O²

　　 그 복싱 선수는 더 적은 칼로리를 섭취했다 / 그리고 살을 뺐다 → 그 복싱 선수는 더 적은 칼로리를 섭취했고 살을 뺐다.

08 Almost every student **found** / the test difficult.
　　　　　 S　　　　 V　　　 O　　 OC

　　 거의 모든 학생이 생각했다 / 그 시험이 어렵다고 → 거의 모든 학생이 그 시험이 어렵다고 생각했다.

　　 ❏ 「every+단수명사」는 '모든 ~'이라고 해석하며 단수 취급한다.

09 The farmer **gave** / his cow carrots and potatoes.
　　　 S　　 V　　 IO　　　 DO

　　 그 농부는 줬다 / 그의 소에게 당근과 감자를 → 그 농부는 그의 소에게 당근과 감자를 줬다.

10 Amanda closely **resembles** her older sister / in appearance.
　　　 S　　 M　　　 V　　　 O　　　　 M

　　 Amanda는 그녀의 언니를 꼭 닮았다 / 외모에 있어서 → Amanda는 외모에 있어서 그녀의 언니를 꼭 닮았다.

　　 ❏ Amanda closely resembles *with* her older sister in appearance. (X)

　　 어휘 closely 圉 꼭, 딱　appearance 圆 외모

11 Antony often **puts off** his homework / until the day before the due date.
　　　 S　 M　 V　　　 O　　　　　 M

　　 Antony는 종종 그의 숙제를 미룬다 / 기한 전날까지 → Antony는 종종 기한 전날까지 그의 숙제를 미룬다.

　　 어휘 due date 圆 기한, 만기일

12 The company's staff **attend** a meeting / every Monday morning.
　　　　　　　 S　　　　　　 V　　　 O　　　　　　　 M

그 회사의 직원들은 회의에 참석한다 / 매주 월요일 아침에 → 그 회사의 직원들은 매주 월요일 아침에 회의에 참석한다.

　○ The company's staff attend *to* a meeting every Monday morning. (X)
　○ 집합명사 staff는 집단에 속한 구성원 모두를 가리킬 때 복수 취급한다.

어휘 company 몡 회사

13 Many people **consider** / diligence an important quality.
　　　　 S　　　　 V　　　　　 O　　　　　　 OC

많은 사람들은 생각한다 / 성실이 중요한 자질이라고 → 많은 사람들은 성실이 중요한 자질이라고 생각한다.

어휘 diligence 몡 성실, 근면　quality 몡 자질

고난도
14 The salesperson **sent** / her customers free samples (of the new product).
　　　　 S　　　　 V　　 IO　　　　 DO

그 판매원은 보냈다 / 그녀의 고객들에게 (새 제품의) 무료 샘플들을 → 그 판매원은 그녀의 고객들에게 새 제품의 무료 샘플들을 보냈다.

어휘 salesperson 몡 판매원　customer 몡 고객　product 몡 제품

고난도
15 With my friends, / I frequently **discuss** / ways (to protect the Earth).
　　 M　　　　 S　　 M　　　 V　　　 O

나의 친구들과 함께 / 나는 자주 논의한다 / (지구를 보호하는) 방법들에 대해 → 나의 친구들과 함께, 나는 지구를 보호하는 방법들에 대해 자주 논의한다.

　○ With my friends, I frequently discuss *about* ways to protect the Earth. (X)
　○ to부정사구 to protect the Earth는 ways를 꾸며주는 형용사적 용법으로 쓰였다.

어휘 frequently 몡 자주, 빈번하게　protect 통 보호하다

UNIT 07 현재/과거/미래시제 해석하기

본책 p.24

01 Ben **goes** to Spanish class / on Thursday evenings. <모의응용>

Ben은 스페인어 수업에 간다 / 목요일 저녁마다 → Ben은 목요일 저녁마다 스페인어 수업에 간다.

02 Some flowers **bloom** / in winter.

몇몇 꽃들은 핀다 / 겨울에 → 몇몇 꽃들은 겨울에 핀다.

어휘 bloom 통 (꽃이) 피다

03 Monica **drinks** apple juice / every morning.

Monica는 사과주스를 마신다 / 매일 아침 → Monica는 매일 아침 사과주스를 마신다.

04 My skin **burns** easily / in the sun.

나의 피부는 쉽게 탄다 / 햇볕에서 → 나의 피부는 햇볕에서 쉽게 탄다.

05 The flight (to London) **leaves** / at 2 P.M.

(런던으로 가는) 비행기는 떠날 것이다 / 오후 2시에 → 런던으로 가는 비행기는 오후 2시에 떠날 것이다.

고난도
06 You **look** very smart / when you **have** those glasses on.

너는 매우 똑똑해 보인다 / 네가 그 안경을 쓸 때 → 너는 그 안경을 쓸 때 매우 똑똑해 보인다.

07 We all **got** a text message / from the teacher / last week. <모의>

우리는 모두 문자 메시지를 받았다 / 그 선생님으로부터 / 지난주에 → 지난주에 우리는 모두 그 선생님으로부터 문자 메시지를 받았다.

08 Scott **wore** a new outfit / at yesterday's party.

Scott은 새 옷을 입었다 / 어제의 파티에서 → Scott은 어제의 파티에서 새 옷을 입었다.

○ wore는 과거형으로 쓰였다. (wear-wore-worn)

어휘 outfit 명 옷, 복장

09 In 1945, / Korea finally **gained** independence.

1945년에 / 한국은 마침내 독립을 얻었다 → 1945년에, 한국은 마침내 독립을 얻었다.

어휘 gain 통 얻다 independence 명 독립

10 Vikings **lived** / in long wooden houses / a long time ago.

바이킹은 살았다 / 긴 나무집에서 / 오래전에 → 오래전에 바이킹들은 긴 나무집에서 살았다.

11 Wendy **ordered** spaghetti, // but pizza **came out**.

Wendy는 스파게티를 주문했다 // 그러나 피자가 나왔다 → Wendy는 스파게티를 주문했지만, 피자가 나왔다.

어휘 order 통 주문하다

12 I **spoke** with my grandmother / on the telephone / last night.

나는 나의 할머니와 이야기했다 / 전화로 / 어젯밤에 → 나는 어젯밤에 전화로 나의 할머니와 이야기했다.

○ spoke는 과거형으로 쓰였다. (speak-spoke-spoken)

13 Only five groups **will advance** / to the final round. <모의>

다섯 팀만이 진출할 것이다 / 결승전에 → 다섯 팀만이 결승전에 진출할 것이다.

어휘 advance 图 진출하다, 나아가다   final round 결승전

14 I **will bake** a cake / for my father's birthday.

나는 케이크를 구울 것이다 / 나의 아버지의 생신을 위해 → 나는 나의 아버지의 생신을 위해 케이크를 구울 것이다.

15 The artist **is going to win** an award / for his excellent artwork.

그 예술가는 상을 탈 것이다 / 그의 훌륭한 예술 작품으로 → 그 예술가는 그의 훌륭한 예술 작품으로 상을 탈 것이다.

16 Louis **will sleep over** / at his friend's house / tomorrow.

Louis는 자고 올 것이다 / 그의 친구의 집에서 / 내일 → Louis는 내일 그의 친구의 집에서 자고 올 것이다.

어휘 sleep over (남의 집에서) 자고 오다

17 Katherine **will take care of** her neighbor's dog / next week.

Katherine은 그녀의 이웃의 개를 돌볼 것이다 / 다음 주에 → Katherine은 다음 주에 그녀의 이웃의 개를 돌볼 것이다.

어휘 neighbor 图 이웃

18 This spring **is not going to last** long / due to global warming.

이번 봄은 오래 지속되지 않을 것이다 / 지구온난화 때문에 → 지구온난화 때문에 이번 봄은 오래 지속되지 않을 것이다.

어휘 last 图 지속되다   due to ~ 때문에   global warming 图 지구온난화

UNIT 08 현재/과거/미래진행시제 해석하기

본책 p.26

01 I **am looking for** a wedding gift / for my cousin. <모의응용>

나는 결혼 선물을 찾고 있다 / 나의 사촌을 위해 → 나는 나의 사촌을 위해 결혼 선물을 찾고 있다.

02 The radio **is playing** / my favorite song.

라디오가 재생하고 있다 / 내가 가장 좋아하는 노래를 → 라디오가 내가 가장 좋아하는 노래를 재생하고 있다.

어휘 favorite 图 가장 좋아하는

03 The sunflowers (in the garden) **are growing** / very tall.

(정원에 있는) 해바라기들은 자라고 있다 / 매우 높게 → 정원에 있는 해바라기들은 매우 높게 자라고 있다.

04 The restaurant **is changing** / its opening hours / from next week.

그 음식점은 바꿀 것이다 / 그것의 영업 시간을 / 다음 주부터 → 그 음식점은 다음 주부터 그것의 영업 시간을 바꿀 것이다.

어휘 opening hours 영업 시간

05 It was a cold day, // and Jim **was waiting** for a bus. <모의응용>

추운 날이었다 // 그리고 Jim은 버스를 기다리고 있었다 → 추운 날이었고, Jim은 버스를 기다리고 있었다.

❍ 날씨를 나타내는 비인칭 주어 it이 쓰였으며, 이때 it은 의미를 가지지 않으므로 해석하지 않는다.

06 The doorbell rang / as we **were having** dinner.

초인종이 울렸다 / 우리가 저녁을 먹고 있을 때 → 우리가 저녁을 먹고 있을 때 초인종이 울렸다.

07 I **was reading** a magazine / when you called earlier.

나는 잡지를 읽고 있었다 / 네가 아까 전화했을 때 → 네가 아까 전화했을 때 나는 잡지를 읽고 있었다.

어휘 magazine 圆 잡지

08 Alice **was traveling** across South America / this time last year.

Alice는 남미를 여행하고 있었다 / 작년 이맘때 → 작년 이맘때 Alice는 남미를 여행하고 있었다.

09 We **will be holding** / our annual charity event / next weekend. <모의응용>

우리는 주최하고 있을 것이다 / 우리의 연례 자선 행사를 / 다음 주말에 → 다음 주말에 우리는 우리의 연례 자선 행사를 주최하고 있을 것이다.

어휘 hold 图 주최하다 annual 圆 연례의 charity 圆 자선

10 [고난도] The kids **will be learning** / about outer space / in science class tomorrow.

그 아이들은 배우고 있을 것이다 / 우주에 대해 / 내일 과학 시간에 → 내일 과학 시간에 그 아이들은 우주에 대해 배우고 있을 것이다.

어휘 outer space 圆 우주

UNIT 09 현재완료시제 해석하기

본책 p.27

01 This brand **has** just **released** / a new shampoo. <모의>

이 브랜드는 막 출시했다 / 새로운 샴푸를 → 이 브랜드는 막 새로운 샴푸를 출시했다.

어휘 release 图 출시하다

02 We **have spent** a lot of time together / lately.

우리는 많은 시간을 함께 보냈다 / 최근에 → 최근에 우리는 많은 시간을 함께 보냈다.

❍ spent는 과거분사(p.p.)로 쓰였다. (spend-spent-spent)

03 Ms. Turner **hasn't paid** / her Internet bill / yet.

Turner씨는 지불하지 않았다 / 그녀의 인터넷 요금을 / 아직 → Turner씨는 아직 그녀의 인터넷 요금을 지불하지 않았다.

어휘 bill 圆 요금, 청구서

04 I **have** just **auditioned** / for a part (in the school play).

나는 막 오디션을 봤다 / (학교 연극에서의) 배역을 위해 → 나는 학교 연극에서의 배역을 위해 막 오디션을 봤다.

어휘 audition 图 오디션을 보다 part 圆 배역

[고난도]
05 The author **has** already **finished** / writing the next novel (in the series).

그 작가는 이미 끝냈다 / (그 시리즈의) 다음 소설을 쓰는 것을 → 그 작가는 이미 그 시리즈의 다음 소설을 쓰는 것을 끝냈다.

● 동명사구 writing ~ series는 동사 has ~ finished의 목적어로 쓰였다.

어휘 author [명] 작가 novel [명] 소설

06 My parents **have climbed** this mountain / before. <모의응용>

나의 부모님은 이 산을 등반한 적이 있다 / 이전에 → 나의 부모님은 이전에 이 산을 등반한 적이 있다.

07 I **have tried** Indian food / a few times.

나는 인도 음식을 시도해본 적이 있다 / 몇 번 → 나는 몇 번 인도 음식을 시도해본 적이 있다.

08 Harry **has** never **watched** scary movies / all by himself.

Harry는 무서운 영화를 본 적이 없다 / 오로지 그 혼자서 → Harry는 오로지 그 혼자서 무서운 영화를 본 적이 없다.

● by oneself는 '혼자서, 혼자 힘으로'라고 해석한다.

09 The children **have been** to the amusement park / just once.

그 아이들은 그 놀이공원에 가본 적이 있다 / 딱 한 번 → 그 아이들은 딱 한 번 그 놀이공원에 가본 적이 있다.

어휘 amusement park [명] 놀이공원

[고난도]
10 **Have** you ever **considered** / starting a career / in journalism?

너는 고려해본 적이 있니 / 직장 생활을 시작하는 것을 / 언론계에서 → 너는 언론계에서 직장 생활을 시작하는 것을 고려해본 적이 있니?

● 동명사구 starting ~ journalism은 동사 Have ~ considered의 목적어로 쓰였다.

어휘 consider [동] 고려하다 career [명] 직장 생활, 직업 journalism [명] 언론계

11 The gallery **has attracted** / a lot of visitors / since 1935. <모의응용>

그 갤러리는 끌어들였다 / 많은 방문객들을 / 1935년 이래로 → 그 갤러리는 1935년 이래로 많은 방문객들을 끌어들였다.

어휘 attract [동] 끌어들이다, 유치하다

12 That land **has remained** empty / for over 20 years.

저 땅은 비어 있는 상태로 있어왔다 / 20년이 넘는 동안 → 저 땅은 20년이 넘는 동안 비어 있는 상태로 있어왔다.

13 Amy **has trained** for the marathon / every day / since May.

Amy는 마라톤을 위해 훈련해왔다 / 매일 / 5월 이래로 → Amy는 5월 이래로 매일 마라톤을 위해 훈련해왔다.

14 The argument **has lasted** / for several days now.

그 논쟁은 지속되어왔다 / 지금까지 며칠 동안 → 그 논쟁은 지금까지 며칠 동안 지속되어왔다.

어휘 argument [명] 논쟁

[고난도]
15 Mr. Barnes **has taught** students physics / at the university / since 2001.

Barnes씨는 학생들에게 물리학을 가르쳐왔다 / 그 대학에서 / 2001년 이래로 → Barnes씨는 2001년 이래로 그 대학에서 학생들에게 물리학을 가르쳐왔다.

● 「teach+간접 목적어(students)+직접 목적어(physics)」의 구조이다.

어휘 physics [명] 물리학

16 All the party guests **have gone** home. <모의응용>

모든 파티 손님들은 집으로 갔다. (그 결과 지금은 여기에 없다)

17 Kelly **has broken** her laptop. // She is planning to buy another one.

Kelly는 그녀의 노트북을 망가트렸다. // 그녀는 다른 것을 사려고 계획하고 있다.

   ◐ broken은 과거분사(p.p.)로 쓰였다. (break-broke-broken)
   ◐ to부정사구 to buy another one은 동사 is planning의 목적어로 쓰였다.
   ◐ laptop 대신 대명사 one이 쓰였다.

`고난도`
18 David **has moved** to France, // so we can't meet him / in person / anymore.

David는 프랑스로 이사했다 // 그래서 우리는 그를 만날 수 없다 / 직접 / 더 이상 → David가 프랑스로 이사해서, 우리는 더 이상 그를 직접 만날 수 없다.

어휘 in person 직접

UNIT 10 과거완료시제 해석하기

본책 p.29

01 I **had** never **been** on TV / before my debut. <모의응용>

나는 TV에 나온 적이 없었다 / 나의 데뷔 전에 → 나는 나의 데뷔 전에 TV에 나온 적이 없었다.

어휘 debut 몡 데뷔

02 Most birds **had** already **flown** south / for the winter.

대부분의 새들은 이미 남쪽으로 날아갔었다 / 겨울을 위해 → 대부분의 새들은 겨울을 위해 이미 남쪽으로 날아갔었다.

   ◐ flown은 과거분사(p.p.)로 쓰였다. (fly-flew-flown)

03 His parents **had been** in the hospital / for a long time. <모의>

그의 부모님은 입원해왔었다 / 오랫동안 → 그의 부모님은 오랫동안 입원해왔었다.

04 **Had** you ever **visited** other countries / before you came to Korea?

너는 다른 나라들을 방문해본 적이 있었니 / 네가 한국에 오기 전에 → 너는 한국에 오기 전에 다른 나라들을 방문해본 적이 있었니?

05 The sun **had** already **set** / when we went out / for a walk.

해는 이미 졌다 / 우리가 밖에 나갔을 때 / 산책을 위해 → 우리가 산책을 위해 밖에 나갔을 때 해는 이미 졌었다.

   ◐ set은 과거분사(p.p.)로 쓰였다. (set-set-set)

06 The singer **had lost** his voice / right before the concert.

그 가수는 목이 쉬었었다 / 콘서트 직전에 → 그 가수는 콘서트 직전에 목이 쉬었었다.

   ◐ lost는 과거분사(p.p.)로 쓰였다. (lose-lost-lost)
   ◐ lose one's voice는 '목이 쉬다'라고 해석한다.

07 Oliver **had** just **woken up** / when his mother called him.

Oliver는 막 일어났었다 / 그의 어머니가 그를 불렀을 때 → Oliver는 그의 어머니가 그를 불렀을 때 막 일어났었다.

08 I **had** never **noticed** / the difference (between the twins) / before yesterday.

나는 알아챈 적이 없었다 / (그 쌍둥이 간의) 차이점을 / 어제 이전에는 → 나는 어제 이전에는 그 쌍둥이 간의 차이점을 알아챈 적이 없었다.

어휘 notice 몡 알아채다 difference 몡 차이점

09 The actor **had attempted** / to get a major role / for the past five years.

그 배우는 노력해왔었다 / 주요 역할을 얻으려고 / 지난 5년 동안 → 그 배우는 지난 5년 동안 주요 역할을 얻으려고 노력해왔었다.

   ◐ to부정사구 to get a major role은 동사 had attempted의 목적어로 쓰였다.

어휘 attempt 몡 노력하다

[고난도]
10 The house **had looked** the same / since the 1970s / until it was renovated.

그 집은 똑같이 보였었다 / 1970년대 이래로 / 그것이 수리되기 전까지 → 그 집은 그것이 수리되기 전까지 1970년대 이래로 똑같이 보였었다.

어휘 renovate [동] 수리하다

Chapter Test

본책 p.30

01 We **watch** television together / every Saturday night.

우리는 함께 텔레비전을 본다 / 매주 토요일 밤에 → 우리는 매주 토요일 밤에 함께 텔레비전을 본다.

02 The movie **starts** / in about ten minutes.

영화는 시작할 것이다 / 약 10분 후에 → 영화는 약 10분 후에 시작할 것이다.

03 The tourists **will visit** / several local museums.

그 관광객들은 방문할 것이다 / 여러 지역 박물관들을 → 그 관광객들은 여러 지역 박물관들을 방문할 것이다.

어휘 local [형] 지역의

04 Some animals **hibernate** / to save energy / during winter.

몇몇 동물들은 동면한다 / 에너지를 비축하기 위해 / 겨울 동안 → 겨울 동안 몇몇 동물들은 에너지를 비축하기 위해 동면한다.

● to부정사구 to save energy는 목적을 나타내는 부사적 용법으로 쓰였다.

05 I **wasn't doing** so well / in math class / until I got a tutor.

나는 그렇게 잘하고 있지 않았다 / 수학 수업에서 / 내가 과외 선생님을 얻기 전까지 → 나는 과외 선생님을 얻기 전까지 수학 수업에서 그렇게 잘하고 있지 않았다.

어휘 tutor [명] 과외 선생님, 가정 교사

06 Ms. Watson **has** just **opened** / a new shoe store.

Watson씨는 막 열었다 / 새로운 신발 가게를 → Watson씨는 막 새로운 신발 가게를 열었다.

07 Athens **held** the first modern Olympics / in 1896.

아테네는 첫 번째 현대 올림픽을 주최했다 / 1896년에 → 1896년에 아테네는 첫 번째 현대 올림픽을 주최했다.

● held는 과거형으로 쓰였다. (hold-held-held)

08 Laura **has sat** / in the front row (of the classroom) / from the first day.

Laura는 앉아왔다 / (교실의) 앞줄에 / 첫 날부터 → Laura는 첫 날부터 교실의 앞줄에 앉아왔다.

● sat은 과거분사(p.p.)로 쓰였다. (sit-sat-sat)

어휘 row [명] 줄, 열

09 The couple **is going to paint** their house / this weekend.

그 부부는 그들의 집을 페인트칠 할 것이다 / 이번 주말에 → 그 부부는 이번 주말에 그들의 집을 페인트칠 할 것이다.

10 Ted **has** already **missed** / two phone calls (from his older brother).

Ted는 이미 놓쳤다 / (그의 형으로부터 온) 두 번의 전화를 → Ted는 이미 그의 형으로부터 온 두 번의 전화를 놓쳤다.

어휘 miss [동] 놓치다

11 The medicine **is helping** / the patient to recover quickly.

그 약은 돕고 있다 / 그 환자가 빠르게 회복하도록 → 그 약은 그 환자가 빠르게 회복하도록 돕고 있다.

● 「help+목적어(the patient)+목적격 보어(to recover quickly)」의 구조이다.

어휘 medicine [명] 약 patient [명] 환자 recover [동] 회복하다

12 The foundation **had** already **donated** / millions of dollars.

그 재단은 이미 기부했었다 / 수백만 달러를 → 그 재단은 이미 수백만 달러를 기부했었다.

어휘 foundation 圆 재단 donate 圄 기부하다

13 The Amazon Rainforest **produces** / 20 percent of the Earth's oxygen.

아마존 열대 우림은 생산한다 / 지구의 산소 중 20퍼센트를 → 아마존 열대 우림은 지구의 산소 중 20퍼센트를 생산한다.

어휘 produce 圄 생산하다 oxygen 圆 산소

`고난도`
14 Emma **had** just **turned** 23 years old / when she **graduated** from college.

Emma는 막 23살이 되었었다 / 그녀가 대학교를 졸업했을 때 → Emma는 대학교를 졸업했을 때 막 23살이 되었었다.

어휘 graduate 圄 졸업하다

`고난도`
15 The invention and use (of soap) **has prevented** / the spread (of many diseases).

(비누의) 발명과 사용이 막았다 / (많은 질병들의) 확산을 → 비누의 발명과 사용이 많은 질병들의 확산을 막았다.

어휘 invention 圆 발명 prevent 圄 막다 spread 圆 확산 disease 圆 질병

CHAPTER 03 조동사

UNIT 11 can 해석하기

본책 p.32

01 Thanks to my teacher, / I **can** speak English fluently now. <모의응용>

나의 선생님 덕분에 / 나는 이제 영어를 유창하게 말할 수 있다

➲ = Thanks to my teacher, I **am able to** speak English fluently now.

어휘 fluently [부] 유창하게

02 I **can't** see faraway objects / without glasses.

나는 멀리 떨어진 물체를 볼 수 없다 / 안경 없이 → 나는 안경 없이 멀리 떨어진 물체를 볼 수 없다.

어휘 faraway [형] 멀리 떨어진 object [명] 물체

03 Mr. Brown **is able to** fix computers / very quickly.

Brown씨는 컴퓨터를 고칠 수 있다 / 매우 빠르게 → Brown씨는 매우 빠르게 컴퓨터를 고칠 수 있다.

어휘 fix [동] 고치다

04 Jack **couldn't** hear anything / over the loud noise.

Jack은 아무것도 들을 수 없었다 / 큰 소음 때문에 → Jack은 큰 소음 때문에 아무것도 들을 수 없었다.

05 She **was able to** play tennis better / after much practice.

그녀는 테니스를 더 잘할 수 있었다 / 많은 연습 후에 → 많은 연습 후에 그녀는 테니스를 더 잘할 수 있었다.

어휘 practice [명] 연습

06 My grandmother **can** remember / even the events (of the 1980s).

나의 할머니는 기억할 수 있다 / (1980년대의) 사건들조차도 → 나의 할머니는 1980년대의 사건들조차도 기억할 수 있다.

어휘 event [명] 사건

[고난도]
07 From next month, / guests **will be able to** book rooms / on the hotel's website.

다음 달부터 / 투숙객들은 방을 예약할 수 있을 것이다 / 그 호텔의 웹사이트에서 → 다음 달부터, 투숙객들은 그 호텔의 웹사이트에서 방을 예약할 수 있을 것이다.

어휘 book [동] 예약하다

08 You **can** add graphs / to your report. <모의응용>

너는 도표들을 추가해도 된다 / 너의 보고서에 → 너는 너의 보고서에 도표들을 추가해도 된다.

09 **Can** you lower your voice / a little? <모의>

너의 목소리를 낮춰주겠니 / 약간 → 너의 목소리를 약간 낮춰주겠니?

어휘 lower [동] 낮추다

10 Anyone **can** enter this island / without a travel permit.

누구나 이 섬에 들어가도 된다 / 여행 허가증 없이 → 누구나 여행 허가증 없이 이 섬에 들어가도 된다.

⭘ 동사 enter는 전치사가 뒤에 오는 것처럼 해석되지만 실제로는 전치사를 쓰지 않는다. e.g. Anyone can enter *to* this island ~. (X)

어휘 permit [명] 허가증

11 **Can** you tell me / the secret (to your success)? <수능>

나에게 말해주겠니 / (너의 성공의) 비결을 → 나에게 너의 성공의 비결을 말해주겠니?

⭘ 「tell+간접 목적어(me)+직접 목적어(the secret ~ success)」의 구조이다.

어휘 secret [명] 비결 success [명] 성공

12 Visitors **can't** take photos (of the artwork) / in the museum.

방문객들은 (예술 작품의) 사진을 찍어서는 안 된다 / 박물관 안에서 → 방문객들은 박물관 안에서 예술 작품의 사진을 찍어서는 안 된다.

어휘 artwork [명] 예술 작품

13 You **can** wear my jacket / as I have an extra one.

너는 나의 재킷을 입어도 된다 / 내가 여분의 것을 가지고 있기 때문에 → 내가 여분의 재킷을 가지고 있기 때문에 너는 나의 재킷을 입어도 된다.

⭘ jacket 대신 대명사 one이 쓰였다.

어휘 extra [형] 여분의

[고난도]

14 **Could** you explain / how you overcame your bad habit? <모의>

설명해주시겠어요 / 당신이 어떻게 당신의 안 좋은 습관을 극복했는지에 대해 → 당신이 어떻게 당신의 안 좋은 습관을 극복했는지에 대해 설명해주시겠어요?

⭘ 동사 explain은 전치사가 뒤에 오는 것처럼 해석되지만 실제로는 전치사를 쓰지 않는다. e.g. Could you explain *about* how ~. (X)

⭘ how ~ habit은 문장에서 목적어 역할을 하는 명사절이다.

어휘 explain [동] 설명하다 overcome [동] 극복하다

15 It **could** snow / later this evening.

눈이 올 수도 있다 / 이따 저녁에 → 이따 저녁에 눈이 올 수도 있다.

⭘ 날씨를 나타내는 비인칭 주어 it이 쓰였으며, 이때 it은 의미를 가지지 않으므로 해석하지 않는다.

16 That article **can't** be true. <수능>

그 기사는 사실일 리가 없다.

어휘 article [명] 기사

17 It's 10:30 P.M., // so Jamie **could** be asleep.

오후 10시 30분이다 // 그래서 Jamie는 잠이 들었을 수도 있다 → 오후 10시 30분이므로, Jamie는 잠이 들었을 수도 있다.

⭘ 시간을 나타내는 비인칭 주어 it이 쓰였으며, 이때 it은 의미를 가지지 않으므로 해석하지 않는다.

18 That girl **can't** be Emily / because she has gone abroad.

저 여자아이는 Emily일 리가 없다 / 그녀는 해외에 갔기 때문에 → Emily는 해외에 갔기 때문에 저 여자아이는 Emily일 리가 없다.

어휘 abroad [부] 해외에

19 The weather **could** be too cold / for swimming / tomorrow.

날씨가 너무 추울 수도 있다 / 수영을 하기에는 / 내일 → 내일 수영을 하기에는 날씨가 너무 추울 수도 있다.

20 This science fiction novel (about aliens) / **can't** be a real story.

(외계인에 대한) 이 공상 과학 소설은 / 진짜 이야기일 리가 없다

어휘 science fiction novel 공상 과학 소설

21 Ms. Bell is not answering the phone. // She **could** be teaching / her yoga class.

벨 선생님이 전화를 받고 있지 않다. // 그녀는 가르치고 있을 수도 있다 / 그녀의 요가 수업을
→ 벨 선생님이 전화를 받고 있지 않다. 그녀는 그녀의 요가 수업을 가르치고 있을 수도 있다.

UNIT 12 may 해석하기

본책 p.34

01 You **may** use the discount coupon / for this item. <모의>

너는 할인 쿠폰을 사용해도 된다 / 이 물건에 → 너는 이 물건에 할인 쿠폰을 사용해도 된다.

어휘 discount 통 할인

02 **May** I borrow your digital camera? <모의응용>

내가 너의 디지털 카메라를 빌려도 되니?

03 Guests **may** leave their belongings / in the lockers.

투숙객들은 그들의 소지품을 둬도 된다 / 물품 보관함에 → 투숙객들은 물품 보관함에 그들의 소지품을 둬도 된다.

어휘 leave 통 두다 belongings 명 소지품, 소유물

04 **May** I ask your opinion (on this matter)?

제가 (이 사안에 대한) 당신의 의견을 물어봐도 될까요?

어휘 opinion 명 의견 matter 명 사안

05 Employees **may** dress casually / on Fridays.

직원들은 편하게 입어도 된다 / 금요일마다 → 직원들은 금요일마다 편하게 입어도 된다.

어휘 employee 명 직원 casually 부 편하게

06 **May** I see your lecture notes / for a while?

내가 너의 강의 노트를 봐도 되니 / 잠깐 동안 → 내가 잠깐 동안 너의 강의 노트를 봐도 되니?

어휘 lecture 명 강의 for a while 잠깐 동안

고난도
07 Residents (of the building) / **may** use the gym / free of charge.

(그 건물의) 거주자들은 / 체육관을 사용해도 된다 / 무료로 → 그 건물의 거주자들은 무료로 체육관을 사용해도 된다.

어휘 resident 명 거주자 free of charge 무료로

08 Your parents **may** be waiting for you / by the front gate. <모의>

너의 부모님은 너를 기다리고 계실 수도 있다 / 정문 옆에서 → 너의 부모님은 정문 옆에서 너를 기다리고 계실 수도 있다.

09 I **might** be late for the concert / if I don't take a taxi.

나는 그 콘서트에 늦을 수도 있다 / 만약 내가 택시를 타지 않는다면 → 만약 내가 택시를 타지 않는다면 나는 그 콘서트에 늦을 수도 있다.

10 The ending (of the play) / **may** surprise the audience.

(그 연극의) 결말은 / 관객들을 놀라게 할 수도 있다

어휘 audience 명 관객

11 A package [that I ordered] **might** arrive / in the mail / today.

[내가 주문했던] 소포가 도착할 수도 있다 / 우편으로 / 오늘 → 내가 주문했던 소포가 오늘 우편으로 도착할 수도 있다.

▶ that I ordered는 package를 꾸며주는 목적격 관계대명사절이다.

어휘 package [명] 소포 order [동] 주문하다

[고난도]
12 You **may** be allergic to cats. // You keep coughing / when you are around them.

너는 고양이들에게 알레르기가 있을 수도 있다. // 너는 계속해서 기침한다 / 네가 그들 주변에 있을 때
→ 너는 고양이들에게 알레르기가 있을 수도 있다. 너는 그들 주변에 있을 때 계속해서 기침한다.

어휘 allergic [형] 알레르기가 있는 cough [동] 기침하다

UNIT 13 must 해석하기

본책 p.35

01 All skaters **must** wear gloves / in the ice rink. <모의>

모든 스케이트 타는 사람들은 장갑을 착용해야 한다 / 아이스 링크에서 → 모든 스케이트 타는 사람들은 아이스 링크에서 장갑을 착용해야 한다.

▶ = All skaters **have to** wear gloves in the ice rink.

02 We **have to** protect the Earth / from pollution.

우리는 지구를 지켜야 한다 / 공해로부터 → 우리는 공해로부터 지구를 지켜야 한다.

어휘 protect [동] 지키다, 보호하다 pollution [명] 공해, 오염

03 You **must not** cross the street / when the traffic light is red.

너는 길을 건너서는 안 된다 / 신호등이 빨간색일 때 → 신호등이 빨간색일 때 너는 길을 건너서는 안 된다.

어휘 traffic light [명] 신호등

04 The applicants **will have to** prepare for / the next week's interview.

그 지원자들은 준비해야 할 것이다 / 다음 주의 면접을 → 그 지원자들은 다음 주의 면접을 준비해야 할 것이다.

어휘 applicant [명] 지원자 prepare [동] 준비하다 interview [명] 면접

05 Everyone (on the plane) / **must** fasten their seat belts / during takeoff.

(비행기에 탄) 모든 사람들은 / 안전벨트를 매야 한다 / 이륙 중에 → 비행기에 탄 모든 사람들은 이륙 중에 안전벨트를 매야 한다.

어휘 fasten [명] 매다 takeoff [명] 이륙

[고난도]
06 Students **don't have to** bring their laptops / because the school has computer rooms.

학생들은 그들의 노트북을 가져올 필요가 없다 / 학교가 컴퓨터실을 가지고 있기 때문에
→ 학교가 컴퓨터실을 가지고 있기 때문에 학생들은 그들의 노트북을 가져올 필요가 없다.

어휘 laptop [명] 노트북

07 There **must** be a car accident. // Look at those tow trucks. <모의>

차 사고가 있음이 틀림없다. // 저 견인차들을 봐라.

어휘 accident [명] 사고 tow truck [명] 견인차

08 Tom **must** be very upset. // His voice is trembling.

Tom은 매우 화났음이 틀림없다. // 그의 목소리가 떨리고 있다.

어휘 tremble [동] 떨리다

09 Many critics are praising the movie. // It **must** be great.

많은 비평가들이 그 영화를 칭찬하고 있다. // 그것은 훌륭함이 틀림없다.

어휘 critic 몡 비평가 praise 통 칭찬하다

10 Jenny **must** have a serious problem. // She is crying loudly / in her room.

Jenny는 심각한 문제를 가지고 있음이 틀림없다. // 그녀는 큰 소리로 울고 있다 / 그녀의 방에서
→ Jenny는 심각한 문제를 가지고 있음이 틀림없다. 그녀는 그녀의 방에서 큰 소리로 울고 있다.

어휘 serious 몡 심각한

11 The people (walking outside) / are holding umbrellas, // so it **must** be raining.

(바깥에 걸어 다니는) 사람들은 / 우산을 들고 있다 // 그러므로 비가 오고 있음이 틀림없다
→ 바깥에 걸어 다니는 사람들이 우산을 들고 있으므로, 비가 오고 있음이 틀림없다.

- 현재분사구 walking outside는 people을 꾸며준다.
- 날씨를 나타내는 비인칭 주어 it이 쓰였으며, 이때 it은 의미를 가지지 않으므로 해석하지 않는다.

UNIT 14 should 해석하기

본책 p.36

01 We **should** accept / a little inconvenience / for our environment. <모의응용>

우리는 받아들여야 한다 / 작은 불편을 / 우리의 환경을 위해 → 우리는 우리의 환경을 위해 작은 불편을 받아들여야 한다.

- = We **ought to** accept a little inconvenience for our environment.

어휘 accept 통 받아들이다 inconvenience 몡 불편 environment 몡 환경

02 We **ought not to** repeat / the same mistake.

우리는 반복하면 안 된다 / 같은 실수를 → 우리는 같은 실수를 반복하면 안 된다.

어휘 repeat 통 반복하다

03 You **should** be nice / to your friends and family.

너는 친절해야 한다 / 너의 친구와 가족에게 → 너는 너의 친구와 가족에게 친절해야 한다.

04 I think / we **had better not** take a risk.

나는 생각한다 / 우리가 모험을 하지 않는 것이 낫다고 → 나는 우리가 모험을 하지 않는 것이 낫다고 생각한다.

- think와 we 사이에는 명사절 접속사 that이 생략되어 있다.

어휘 take a risk 모험을 하다, 위험을 감수하다

05 You **ought to** hand in your essay / before the due date. <모의>

너는 너의 에세이를 제출해야 한다 / 마감일 전에 → 너는 마감일 전에 너의 에세이를 제출해야 한다.

어휘 hand in 제출하다 due date 몡 마감일, 기한

06 People **should not** judge others / by appearances. <모의응용>

사람들은 다른 사람들을 판단하지 않는 것이 좋다 / 외모로 → 사람들은 다른 사람들을 외모로 판단하지 않는 것이 좋다.

어휘 judge 통 판단하다 appearance 몡 외모

07 You **had better** lock all the windows / when you leave the house.

너는 모든 창문들을 잠그는 것이 낫다 / 네가 집을 떠날 때 → 네가 집을 떠날 때 모든 창문들을 잠그는 것이 낫다.

08 Children **should** eat / three meals and one or two healthy snacks / each day.

아이들은 먹는 것이 좋다 / 세 끼의 식사와 한 가지 또는 두 가지의 건강한 간식을 / 매일
→ 아이들은 매일 세 끼의 식사와 한 가지 또는 두 가지의 건강한 간식을 먹는 것이 좋다.

09 Drivers **ought not to** check text messages / while they are driving.

운전자들은 문자 메시지를 확인하면 안 된다 / 그들이 운전하고 있는 동안 → 운전자들은 운전하고 있는 동안 문자 메시지를 확인하면 안 된다.

10 Aquarium visitors **should not** touch / the glass (of the fish tanks).

수족관 방문객들은 만지면 안 된다 / (수조의) 유리를 → 수족관 방문객들은 수조의 유리를 만지면 안 된다.

어휘 aquarium 몡 수족관   fish tank 몡 수조

11 We **had better** go to bed early / tonight / since we have a test / tomorrow.

우리는 일찍 잠자리에 드는 것이 낫다 / 오늘 밤 / 우리는 시험이 있기 때문에 / 내일 → 우리는 내일 시험이 있기 때문에 오늘 밤 일찍 잠자리에 드는 것이 낫다.

UNIT 15 will/would 해석하기

본책 p.37

01 **Will** you help / me carry these boxes? <모의응용>

도와주겠니 / 내가 이 상자들을 옮기는 것을 → 내가 이 상자들을 옮기는 것을 도와주겠니?
❍ 「help+목적어(me)+목적격 보어(carry these boxes)」의 구조이다.

02 **Will** you watch my bag / for a few minutes?

나의 가방을 봐주겠니 / 몇 분 동안 → 몇 분 동안 나의 가방을 봐주겠니?

03 **Would** you pass me / the salt and pepper?

저에게 건네주시겠어요 / 소금과 후추를 → 저에게 소금과 후추를 건네주시겠어요?
❍ 「pass+간접 목적어(me)+직접 목적어(the salt and pepper)」의 구조이다.

04 **Will** you chop / the vegetables (for the soup)?

썰어주겠니 / (수프를 위한) 채소들을 → 수프를 위한 채소들을 썰어주겠니?

어휘 chop 통 썰다   vegetable 몡 채소

05 **Would** you teach me / how to use this software program?

저에게 가르쳐주시겠어요 / 어떻게 이 소프트웨어 프로그램을 사용할지를 → 저에게 어떻게 이 소프트웨어 프로그램을 사용할지를 가르쳐주시겠어요?
❍ 「teach+간접 목적어(me)+직접 목적어(how to use ~ program)」의 구조이다.
❍ 「how+to부정사」는 '어떻게 ~할지'라고 해석한다.

06 I **would** run alone / in the past, // but it was no fun. <모의응용>

나는 혼자 달리곤 했다 / 과거에 // 하지만 그것은 재미가 없었다 → 과거에 나는 혼자 달리곤 했지만, 그것은 재미가 없었다.
❍ = I **used to** run alone in the past, but it was no fun.
❍ running alone 대신 대명사 it이 쓰였다.

07 Heather **would** go fishing / with her dad / when she was younger.

Heather는 낚시를 하러 가곤 했다 / 그녀의 아빠와 함께 / 그녀가 더 어렸을 때 → Heather는 더 어렸을 때 그녀의 아빠와 함께 낚시를 하러 가곤 했다.
❍ 「go+v-ing」는 '~하러 가다'라고 해석한다.

08 Andrew **would** work out / by himself / without professional help. <모의응용>

Andrew는 운동하곤 했다 / 혼자서 / 전문적인 도움 없이 → Andrew는 전문적인 도움 없이 혼자서 운동하곤 했다.

○ by oneself는 '혼자서, 혼자 힘으로'라고 해석한다.

어휘 work out 운동하다 professional [형] 전문적인

[고난도]

09 I **used to** worry / about everything, // but now I try / to look on the bright side.

나는 걱정을 하곤 했다 / 모든 것에 대해 // 하지만 이제 나는 노력한다 / 밝은 면을 보려고

→ 나는 모든 것에 대해 걱정을 하곤 했지만, 이제 나는 밝은 면을 보려고 노력한다.

○ 「try+to-v」는 '~하려고 노력하다'라고 해석한다. cf. 「try+v-ing」: (시험 삼아) ~해보다

UNIT 16 조동사+have+p.p. 해석하기

본책 p.38

01 You **must have worked** hard / to decorate this place. <모의>

너는 열심히 작업했음이 틀림없다 / 이 공간을 꾸미기 위해서 → 너는 이 공간을 꾸미기 위해서 열심히 작업했음이 틀림없다.

○ to부정사구 to decorate this place는 목적을 나타내는 부사적 용법으로 쓰였다.

어휘 decorate [동] 꾸미다

02 I **may have left** my wallet / on the bus.

나는 나의 지갑을 두고 왔을 수도 있다 / 버스에 → 나는 버스에 나의 지갑을 두고 왔을 수도 있다.

03 Rachel **could have forgotten** / about our appointment.

Rachel은 잊었을 수도 있다 / 우리의 약속에 대해 → Rachel은 우리의 약속에 대해 잊었을 수도 있다.

○ forgotten은 과거분사(p.p.)로 쓰였다. (forget-forgot-forgotten)

어휘 appointment [명] 약속

04 The lights (in their house) are off. // They **must have gone** out.

(그들 집의) 불들이 꺼져 있다. // 그들은 나갔음이 틀림없다.

05 Tim **might have felt** lonely / at the party / since he came alone.

Tim은 외로움을 느꼈을 수도 있다 / 그 파티에서 / 그가 혼자 왔기 때문에 → Tim은 혼자 왔기 때문에 그 파티에서 외로움을 느꼈을 수도 있다.

06 Paula is laughing out loud. // She **must have heard** a funny joke.

Paula가 큰 소리로 웃고 있다. // 그녀는 웃긴 농담을 들었음이 틀림없다.

어휘 out loud 큰 소리로, 소리 내어

07 The witness **cannot have lied** / to the police officer.

그 목격자가 거짓말을 했을 리가 없다 / 경찰관에게 → 그 목격자가 경찰관에게 거짓말을 했을 리가 없다.

어휘 witness [명] 목격자

08 Ancient Egyptians **may have used** jars / to make cheese.

고대 이집트인들은 항아리를 사용했을 수도 있다 / 치즈를 만들기 위해 → 고대 이집트인들은 치즈를 만들기 위해 항아리를 사용했을 수도 있다.

○ to부정사구 to make cheese는 목적을 나타내는 부사적 용법으로 쓰였다.

어휘 ancient [형] 고대의 jar [명] 항아리

09 The strong wind **could have knocked over** / the trees (in our garden).

그 강한 바람이 넘어트렸을 수도 있다 / (우리의 정원에 있는) 그 나무들을 → 그 강한 바람이 우리의 정원에 있는 그 나무들을 넘어트렸을 수도 있다.

어휘 knock over 넘어트리다

10 The seven-year-old girl **cannot have drawn** / this perfect portrait.

그 일곱 살짜리 여자아이가 그렸을 리가 없다 / 이 완벽한 초상화를 → 그 일곱 살짜리 여자아이가 이 완벽한 초상화를 그렸을 리가 없다.

○ drawn은 과거분사(p.p.)로 쓰였다. (draw-drew-drawn)

어휘 portrait 몡 초상화

고난도
11 Some scientists argue / that life **might have existed** / on Mars.

몇몇 과학자들은 주장한다 / 생명이 존재했을 수도 있다고 / 화성에 → 몇몇 과학자들은 화성에 생명이 존재했을 수도 있다고 주장한다.

○ that ~ Mars는 문장에서 목적어 역할을 하는 명사절이다.

어휘 argue 동 주장하다　exist 동 존재하다

12 You **shouldn't have taken** your eyes / off the road. <수능>

너는 너의 눈을 떼지 말았어야 했다 / 도로에서 → 너는 도로에서 너의 눈을 떼지 말았어야 했다.

13 I **should have listened** to my parents / and **saved** more money.

나는 나의 부모님 말을 들었어야 했다 / 그리고 돈을 더 저축했어야 했다 → 나는 나의 부모님 말을 들었어야 했고 돈을 더 저축했어야 했다.

○ listened와 saved가 등위접속사 and로 연결되어 있으며, should have와 함께 쓰인 과거분사에 해당한다.

14 You **shouldn't have spread** / rumors (about your friends).

너는 퍼뜨리지 말았어야 했다 / (너의 친구들에 대한) 소문을 → 너는 너의 친구들에 대한 소문을 퍼뜨리지 말았어야 했다.

○ spread는 과거분사(p.p.)로 쓰였다. (spread-spread-spread)

어휘 spread 동 퍼뜨리다

15 We **should have started** planning / for the school festival / earlier.

우리는 계획하기를 시작했어야 했다 / 학교 축제를 위해 / 더 일찍 → 우리는 더 일찍 학교 축제를 위해 계획하기를 시작했어야 했다.

○ 동명사구 planning ~ festival은 동사 should have started의 목적어로 쓰였으며, start는 동명사와 to부정사를 모두 목적어로 가진다.

16 You **shouldn't have traveled** by car / during rush hour.

너는 차로 이동하지 말았어야 했다 / 혼잡 시간대에 → 너는 혼잡 시간대에 차로 이동하지 말았어야 했다.

어휘 travel 동 이동하다　rush hour 몡 혼잡 시간대

17 My brother **should have checked** the expiration date / before drinking the milk.

나의 남동생은 유통기한을 확인했어야 했다 / 그 우유를 마시기 전에 → 나의 남동생은 그 우유를 마시기 전에 유통기한을 확인했어야 했다.

어휘 expiration date 몡 유통기한

18 I **shouldn't have missed** the last music class. // Everyone had fun singing and dancing.

나는 지난 음악 수업을 놓치지 말았어야 했다. // 모두가 노래하고 춤추면서 즐거운 시간을 보냈다.

○ 「have fun+v-ing」는 '~하면서 즐거운 시간을 보내다'라고 해석한다.

고난도
19 The fans **should have taken** / the chance (to see their favorite actor in person).

그 팬들은 잡았어야 했다 / (그들이 제일 좋아하는 배우를 직접 볼) 기회를 → 팬들은 그들이 제일 좋아하는 배우를 직접 볼 기회를 잡았어야 했다.

○ to부정사구 to see ~ person은 chance를 꾸며주는 형용사적 용법으로 쓰였다.

어휘 in person 직접

01 Only a few people **can** solve / this difficult riddle.

몇 명의 사람들만이 풀 수 있다 / 이 어려운 수수께끼를 → 몇 명의 사람들만이 이 어려운 수수께끼를 풀 수 있다.

어휘 solve 图 풀다 difficult 혱 어려운 riddle 뗑 수수께끼

02 Soccer players **must not** touch the ball / with their hands.

축구 선수들은 공을 만져서는 안 된다 / 그들의 손으로 → 축구 선수들은 그들의 손으로 공을 만져서는 안 된다.

03 **Could** you give me / more time (to think)?

저에게 주시겠어요 / (생각할) 더 많은 시간을 → 저에게 생각할 더 많은 시간을 주시겠어요?

○ 「give+간접 목적어(me)+직접 목적어(more time to think)」의 구조이다.
○ to부정사 to think는 time을 꾸며주는 형용사적 용법으로 쓰였다.

04 I **had to** renew my passport / last week / for the upcoming trip.

나는 나의 여권을 갱신해야 했다 / 지난주에 / 다가오는 여행을 위해 → 나는 다가오는 여행을 위해 지난주에 나의 여권을 갱신해야 했다.

어휘 renew 图 갱신하다 upcoming 혱 다가오는, 곧 있을

05 Going to the library / **could** help you focus on studying.

도서관에 가는 것은 / 네가 공부하는 것에 집중하는 것을 도울 수도 있다

○ 동명사구 Going to the library는 문장에서 주어 역할을 하고 있다.
○ 「help+목적어(you)+목적격 보어(focus on studying)」의 구조이다.

어휘 focus on ~에 집중하다

06 The person (standing there) **can't** be Alan. // Alan is taller than him.

(저기에 서 있는) 사람은 Alan일 리가 없다. // Alan은 그보다 더 키가 크다.

○ 현재분사구 standing there는 person을 꾸며준다.

07 You **should** try / at least one new thing / every day.

너는 시도해 보는 것이 좋다 / 적어도 하나의 새로운 것을 / 매일 → 너는 매일 적어도 하나의 새로운 것을 시도해 보는 것이 좋다.

어휘 at least 적어도

08 Visitors **will not be able to** access the building / during the remodeling.

방문객들은 건물에 들어갈 수 없을 것이다 / 리모델링 중에 → 리모델링 중에 방문객들은 건물에 들어갈 수 없을 것이다.

어휘 access 图 들어가다, 접근하다

09 Customers (buying fewer than ten items) **may** use / the self-checkout machines.

(10개보다 적은 물품을 사는) 고객은 사용해도 된다 / 셀프 계산 기계를 → 10개보다 적은 물품을 사는 고객은 셀프 계산 기계를 사용해도 된다.

어휘 customer 뗑 고객 self-checkout machine 셀프 계산 기계

10 In the fall, / all the villagers **would** harvest the crops / together.

가을에 / 모든 마을 사람들이 농작물을 수확하곤 했다 / 함께 → 가을에, 모든 마을 사람들이 함께 농작물을 수확하곤 했다.

어휘 villager 뗑 마을 사람 harvest 图 수확하다 crop 뗑 농작물

11 The city **should have turned** the empty space / into a parking lot / sooner.

그 도시는 그 빈 공간을 바꿨어야 했다 / 주차장으로 / 더 빨리 → 그 도시는 더 빨리 그 빈 공간을 주차장으로 바꿨어야 했다.

12 That woman (on the stage) **must** be confident. // She is delivering a speech smoothly.

(무대 위의) 저 여자는 자신감이 있음이 틀림없다. // 그녀는 차분하게 연설하고 있다.

어휘 confident 휑 자신감 있는 deliver a speech 연설하다 smoothly 閉 차분하게, 순조롭게

고난도
13 You **need not** feel guilty / about not knowing. // Everyone is a learner / forever.

너는 죄책감을 느낄 필요가 없다 / 알지 못하는 것에 대해 // 모든 사람은 학습자이다 / 영원히
→ 너는 알지 못하는 것에 대해 죄책감을 느낄 필요가 없다. 모든 사람은 영원히 학습자이다.

어휘 guilty 휑 죄책감을 느끼는

고난도
14 It **might** take a long time / for the author to write another book.

오랜 시간이 걸릴 수도 있다 / 그 작가가 또 다른 책을 쓰는 데 → 그 작가가 또 다른 책을 쓰는 데 오랜 시간이 걸릴 수도 있다.

❍ 「It takes+시간+to-v」는 '~하는 데 시간이 걸리다'라고 해석한다.
❍ to부정사구 to write another book의 의미상 주어로 the author가 쓰였다.

어휘 author 휑 작가

고난도
15 Look at his tanned face. // He **must have gone** somewhere hot / on vacation.

그의 햇볕에 탄 얼굴을 봐라. // 그는 어딘가 더운 곳에 갔음이 틀림없다 / 휴가 때 → 그의 햇볕에 탄 얼굴을 봐라. 그는 휴가 때 어딘가 더운 곳에 갔음이 틀림없다.

어휘 tanned 휑 햇볕에 탄, 그을린

CHAPTER 04 태

UNIT 17 주어+be동사+p.p. 수동태 문장 해석하기

본책 p.42

01 The hall **was taken** / by another team / at that time. <모의>
그 강당은 차지되었다 / 다른 팀에 의해 / 그 시간에 → 그 시간에 그 강당은 다른 팀에 의해 차지되었다.
⊙ ← Another team took the hall at that time.

02 The bicycle **was parked** / in the middle of the road.
그 자전거는 주차되었다 / 길의 한 가운데에 → 그 자전거는 길의 한 가운데에 주차되었다.

03 The new fantasy movie **was released** / last week.
그 새로운 판타지 영화는 개봉되었다 / 지난주에 → 그 새로운 판타지 영화는 지난주에 개봉되었다.
어휘 release [동] 개봉하다, 출시하다

04 The Olympic Games **are watched** / by millions of people.
올림픽 경기는 시청된다 / 수백만 명의 사람들에 의해 → 올림픽 경기는 수백만 명의 사람들에 의해 시청된다.
⊙ ← Millions of people watch the Olympic Games.

05 The speakers **were introduced** / by the host (of the debate program).
연설자들은 소개되었다 / (토론 프로그램의) 진행자에 의해 → 연설자들은 토론 프로그램의 진행자에 의해 소개되었다.
⊙ ← The host of the debate program introduced the speakers.
어휘 speaker [명] 연설자 introduce [동] 소개하다 debate [명] 토론

06 The first international airport **was established** / in 1919.
첫 번째 국제 공항은 설립되었다 / 1919년에 → 첫 번째 국제 공항은 1919년에 설립되었다.
어휘 international [형] 국제의 establish [동] 설립하다

07 Many of the Beatles' songs **were written** / by John Lennon and Paul McCartney.
비틀즈의 노래 중 다수는 쓰였다 / 존 레논과 폴 매카트니에 의해 → 비틀즈의 노래 중 다수는 존 레논과 폴 매카트니에 의해 쓰였다.
⊙ ← John Lennon and Paul McCartney wrote many of the Beatles' songs.
⊙ written은 과거분사(p.p.)로 쓰였다. (write-wrote-written)

08 Disasters **are prevented** / when safety measures **are prepared** well.
재난은 예방된다 / 안전 대책들이 잘 준비될 때 → 안전 대책들이 잘 준비될 때 재난은 예방된다.
어휘 disaster [명] 재난 prevent [동] 예방하다 safety measure [명] 안전 대책 prepare [동] 준비하다

[고난도]
09 The community center **was renovated** / to accommodate more citizens.
그 지역 문화 센터는 개조되었다 / 더 많은 시민들을 수용하기 위해 → 그 지역 문화 센터는 더 많은 시민들을 수용하기 위해 개조되었다.
⊙ to부정사구 to accommodate more citizens는 목적을 나타내는 부사적 용법으로 쓰였다.
어휘 community center [명] 지역 문화 센터 renovate [동] 개조하다 accommodate [동] 수용하다 citizen [명] 시민

[어법]
10 Food and drink **are allowed** / in this meeting room.
음식과 음료는 허용된다 / 이 회의실 안에서 → 이 회의실 안에서 음식과 음료는 허용된다.

정답 are allowed
해설 주어가 행위의 대상이므로 수동태 are allowed가 정답이다.

어휘 allow [동] 허용하다

UNIT 18 수동태의 다양한 시제 해석하기

본책 p.43

01 The results **will be announced** / at 2 P.M. <모의>
결과는 발표될 것이다 / 오후 2시에 → 결과는 오후 2시에 발표될 것이다.

어휘 result [명] 결과 announce [동] 발표하다

02 Social issues **are** often **discussed** / in documentaries.
사회 문제들은 종종 논의된다 / 다큐멘터리에서 → 사회 문제들은 다큐멘터리에서 종종 논의된다.

어휘 discuss [동] 논의하다

03 The artist's paintings **have been bought** / over the years. <수능응용>
그 예술가의 그림들은 구매되어왔다 / 수년 동안 → 그 예술가의 그림들은 수년 동안 구매되어왔다.

➊ bought는 과거분사(p.p.)로 쓰였다. (buy-bought-bought)

04 Too much garbage **is being thrown** / into the sea.
너무 많은 쓰레기가 던져지고 있다 / 바다 속으로 → 너무 많은 쓰레기가 바다 속으로 던져지고 있다.

➊ thrown은 과거분사(p.p.)로 쓰였다. (throw-threw-thrown)

어휘 garbage [명] 쓰레기

05 The missing wallet **was kept** / in the police station.
그 분실된 지갑은 보관되었다 / 경찰서 내에 → 그 분실된 지갑은 경찰서 내에 보관되었다.

➊ kept는 과거분사(p.p.)로 쓰였다. (keep-kept-kept)

어휘 missing [형] 분실된

06 The boxes **were being loaded** / onto the truck.
그 상자들은 실리고 있었다 / 트럭 위에 → 그 상자들은 트럭 위에 실리고 있었다.

어휘 load [동] 싣다

07 The old building **had been abandoned** / for months / before it collapsed.
그 오래된 건물은 버려져왔었다 / 수 개월 동안 / 그것이 무너지기 전에 → 그 오래된 건물은 무너지기 전에 수 개월 동안 버려져왔었다.

어휘 abandon [동] 버리다 collapse [동] 무너지다

08 The book **will be translated** / into multiple languages.
그 책은 번역될 것이다 / 여러 언어들로 → 그 책은 여러 언어들로 번역될 것이다.

어휘 translate [동] 번역하다 multiple [형] 여러, 다수의

09 Young people **have been influenced** / by information (from online platforms).
젊은 사람들은 영향받아왔다 / (온라인 플랫폼에서의) 정보에 의해 → 젊은 사람들은 온라인 플랫폼에서의 정보에 의해 영향받이왔다.

➊ ← Information from online platforms has influenced young people.

어휘 influence [동] 영향을 주다

고난도

10 The government's policy (on housing) / **had been criticized** / until it was revised.

정부의 (주택에 관한) 정책은 / 비판받아왔었다 / 그것이 개정될 때까지 → 주택에 관한 정부의 정책은 개정될 때까지 비판받아왔었다.

어휘 government [명] 정부 policy [명] 정책 criticize [동] 비판하다 revise [동] 개정하다

UNIT 19 조동사가 있는 수동태 해석하기

본책 p.44

01 Facilities (in rural areas) **should be improved.** <수능응용>

(시골 지역에 있는) 시설들은 개선되어야 한다.

어휘 facility [명] 시설 rural [형] 시골의 improve [동] 개선하다

02 Most of the library books / **can be reserved** / in advance.

도서관 책들의 대부분은 / 예약될 수 있다 / 사전에 → 도서관 책들의 대부분은 사전에 예약될 수 있다.

어휘 reserve [동] 예약하다 in advance 사전에, 미리

03 Your essay **must be checked** carefully / before submission.

너의 에세이는 세심하게 검토되어야 한다 / 제출 전에 → 너의 에세이는 제출 전에 세심하게 검토되어야 한다.

어휘 submission [명] 제출

04 Traffic **may be avoided** / if we leave after rush hour.

교통 혼잡은 피해질 수도 있다 / 만약 우리가 혼잡 시간대 이후에 떠난다면 → 만약 우리가 혼잡 시간대 이후에 떠난다면 교통 혼잡은 피해질 수도 있다.

어휘 traffic [명] 교통 (혼잡) avoid [동] 피하다 rush hour [명] 혼잡 시간대

05 Stricter laws **should be made** / to protect kids from bullying.

더 엄격한 법이 만들어져야 한다 / 아이들을 괴롭힘으로부터 보호하기 위해 → 아이들을 괴롭힘으로부터 보호하기 위해 더 엄격한 법이 만들어져야 한다.

- to부정사구 to protect ~ bullying은 목적을 나타내는 부사적 용법으로 쓰였다.
- protect A from B는 'A를 B로부터 보호하다'라고 해석한다.

어휘 strict [형] 엄격한 bullying [명] 괴롭힘

06 People **can be motivated** / when they get proper rewards.

사람들은 동기 부여가 될 수 있다 / 그들이 적절한 보상을 받을 때 → 적절한 보상을 받을 때 사람들은 동기 부여가 될 수 있다.

어휘 motivate [동] 동기를 부여하다 proper [형] 적절한 reward [명] 보상

07 The work **must be completed** / by the end of this month.

그 업무는 완료되어야 한다 / 이번 달 말까지 → 그 업무는 이번 달 말까지 완료되어야 한다.

어휘 complete [동] 완료하다

08 Athletic equipment **should be examined** regularly / for safety.

운동 장비는 정기적으로 점검되는 것이 좋다 / 안전을 위해 → 운동 장비는 안전을 위해 정기적으로 점검되는 것이 좋다.

어휘 athletic [형] 운동의 equipment [명] 장비 examine [동] 점검하다 regularly [부] 정기적으로

09 Our choices **may be affected** / by our emotions / when we are upset.

우리의 선택은 영향받을 수도 있다 / 우리의 감정에 의해 / 우리가 화났을 때 → 우리가 화났을 때 우리의 선택은 감정에 의해 영향받을 수도 있다.

- ← Our emotions may affect our choices when we are upset.

어휘 affect [동] 영향을 주다 emotion [명] 감정

[고난도]
10 Some metals **can be melted down** / in order to create various new items.

몇몇 금속들은 녹여질 수 있다 / 다양한 새로운 물건들을 만들기 위해 → 몇몇 금속들은 다양한 새로운 물건들을 만들기 위해 녹여질 수 있다.

● to부정사구 to create ~ items는 목적을 나타내는 부사적 용법으로 쓰였으며, to 대신 in order to가 왔다.

어휘 metal [명] 금속 melt [동] 녹이다 create [동] 만들다, 창조하다 various [형] 다양한

UNIT 20 주어+be동사+p.p.+목적어 수동태 문장 해석하기

본책 p.45

01 Each group **was given** an easy puzzle / by the researchers. <모의>
(S: Each group / V: was given / O: an easy puzzle)

각각의 그룹은 쉬운 퍼즐을 받았다(← 퍼즐이 주어졌다) / 연구자들에 의해 → 각각의 그룹은 연구자들에 의해 쉬운 퍼즐을 받았다.

● ← The researchers gave each group an easy puzzle.
(S: The researchers / V: gave / IO: each group / DO: an easy puzzle)

어휘 researcher [명] 연구자

02 Aletha **was brought** the menu / as soon as she sat down.
(S: Aletha / V: was brought / O: the menu)

Aletha는 메뉴를 전달받았다 / 그녀가 앉자마자 → Aletha는 앉자마자 메뉴를 전달받았다.

03 The interns **were shown** / an hour-long training video.
(S: The interns / V: were shown / O: an hour-long training video)

그 인턴들은 봤다 / 한 시간 길이의 교육 동영상을 → 그 인턴들은 한 시간 길이의 교육 동영상을 봤다.

04 Eddy **was sent** / an e-mail (with the details (of his order)).
(S: Eddy / V: was sent / O: an e-mail (with the details (of his order)))

Eddy는 받았다 / ((그의 주문에 대한) 세부정보가 담긴) 이메일을 → Eddy는 그의 주문에 대한 세부정보가 담긴 이메일을 받았다.

어휘 detail [명] 세부정보 order [명] 주문

05 The boy **will be told** the truth / by his parents / someday.
(S: The boy / V: will be told / O: the truth)

그 남자아이는 진실을 들을 것이다 / 그의 부모님에 의해 / 언젠가 → 그 남자아이는 언젠가 그의 부모님에 의해 진실을 들을 것이다.

● ← The boy's parents will tell him the truth someday.
(S: The boy's parents / V: will tell / IO: him / DO: the truth)

06 The actor **was given** / a small role (in the play).
(S: The actor / V: was given / O: a small role (in the play))

그 배우는 받았다 / (연극 내의) 작은 역할을 → 그 배우는 연극 내의 작은 역할을 받았다.

07 Many Korean students **are taught** / a second language / in school.
(S: Many Korean students / V: are taught / O: a second language)

많은 한국 학생들은 배운다 / 제2언어를 / 학교에서 → 많은 한국 학생들은 학교에서 제2언어를 배운다.

08 The applicant **was asked** / questions (about her career).
(S: The applicant / V: was asked / O: questions (about her career))

그 지원자는 받았다 / (그녀의 경력에 대한) 질문들을 → 그 지원자는 그녀의 경력에 대한 질문들을 받았다.

어휘 applicant [명] 지원자 career [명] 경력, 직장 생활

09 The company **has been lent** / two million dollars / so far.
(S: The company / V: has been lent / O: two million dollars)

그 회사는 대출받았다 / 2백만 달러를 / 지금까지 → 그 회사는 지금까지 2백만 달러를 대출받았다.

어휘 company [명] 회사

10 First-year students **are offered** help / with their assignments / throughout the year.
S   V   O

신입생들은 도움을 제공받는다 / 그들의 과제에 있어서 / 1년 내내 → 신입생들은 1년 내내 그들의 과제에 있어서 도움을 제공받는다.

어휘 offer 통 제공하다 assignment 명 과제 throughout 전 ~ 내내

UNIT 21 주어+be동사+p.p.+전치사+목적어 수동태 문장 해석하기 본책 p.46

01 Equal opportunities **were given** / *to* students / by the teacher. <모의응용>
             S   V   전치사 O′

동등한 기회가 주어졌다 / 학생들에게 / 선생님에 의해 → 동등한 기회가 선생님에 의해 학생들에게 주어졌다.

○ ← The teacher gave students equal opportunities.
        S   V   IO   DO

어휘 equal 형 동등한 opportunity 명 기회

02 The tree house **was built** / *for* Paul / by his father.
      S   V   전치사 O′

그 나무 위의 집은 지어졌다 / Paul에게 / 그의 아버지에 의해 → 그 나무 위의 집은 Paul의 아버지에 의해 그에게 지어졌다.

○ ← Paul's father built him the tree house.
      S   V   IO   DO

03 A notice (about the construction) **was sent** / *to* all employees.
                 S   V   전치사   O′

(공사에 대한) 공지가 보내졌다 / 모든 직원들에게 → 공사에 대한 공지가 모든 직원들에게 보내졌다.

어휘 notice 명 공지 construction 명 공사 employee 명 직원

04 A special dinner **was cooked** / *for* Joan / on her birthday.
       S   V   전치사 O′

특별한 저녁이 요리되었다 / Joan에게 / 그녀의 생일에 → Joan의 생일에 특별한 저녁이 그녀에게 요리되었다.

05 His identification card **was shown** / *to* the building's security guard.
           S   V   전치사   O′

그의 신분증이 보여졌다 / 그 건물의 경비원에게 → 그의 신분증이 그 건물의 경비원에게 보여졌다.

어휘 identification 명 신분증 security guard 명 경비원

06 This lovely dress **was made** / *for* the bride / by a famous designer.
        S   V   전치사   O′

이 사랑스러운 드레스는 만들어졌다 / 그 신부에게 / 유명한 디자이너에 의해 → 이 사랑스러운 드레스는 유명한 디자이너에 의해 그 신부에게 만들어졌다.

○ ← A famous designer made the bride this lovely dress.
        S   V   IO   DO

어휘 bride 명 신부

07 The pictures **were lent** / *to* the gallery / by a private collector.
      S   V   전치사   O′

그 그림들은 대여되었다 / 갤러리에 / 개인 수집가에 의해 → 그 그림들은 개인 수집가에 의해 갤러리에 대여되었다.

○ ← A private collector lent the gallery the pictures.
      S   V   IO   DO

어휘 private 형 개인의, 사적인 collector 명 수집가

Chapter 04 태 • 해커스 완전석권 구문독해

고난도
08 Questions (about future plans) **were asked** / *of* the prospective mayor.
S V 전치사 O′

(미래의 계획에 대한) 질문들이 물어졌다 / 예비 시장에게 → 미래의 계획에 대한 질문들이 예비 시장에게 물어졌다.

어휘 prospective [형] 예비의, 장래의 mayor [명] 시장

UNIT 22 주어+be동사+p.p.+보어 수동태 문장 해석하기

본책 p.47

01 The phenomenon **is called** coral bleaching / by scientists. <모의응용>
S V C

그 현상은 산호 탈색이라고 불린다 / 과학자들에 의해 → 그 현상은 과학자들에 의해 산호 탈색이라고 불린다.

← Scientists call the phenomenon coral bleaching.
S V O OC

어휘 phenomenon [명] 현상 coral bleaching [명] 산호 탈색, 산호 백화

02 The theory **was** later **proved** false.
S M V C

그 이론은 나중에 틀린 것으로 판명되었다.

어휘 theory [명] 이론 prove [동] 판명하다 false [형] 틀린

03 Seeing pigs in a dream / **is considered** a good sign. <모의>
S V C

꿈에서 돼지들을 보는 것은 / 좋은 신호라고 생각된다

동명사구 Seeing ~ dream은 문장에서 주어 역할을 하고 있다.

어휘 consider [동] 생각하다

04 The walls (of the flower shop) / **were painted** pink.
S V C

(그 꽃가게의) 벽들은 / 분홍색으로 페인트칠해졌다

05 The force [that makes things fall] / **is called** gravity. <모의응용>
S V C

[물건들을 떨어지게 만드는] 힘은 / 중력이라고 불린다

that ~ fall은 force를 꾸며주는 주격 관계대명사절이다.
「make+목적어(things)+목적격 보어(fall)」의 구조이다.

어휘 force [명] 힘 gravity [명] 중력

06 The newborn baby **was named** Carla / by her grandparents.
S V C

그 신생아는 Carla라고 이름 지어졌다 / 그녀의 조부모에 의해 → 그 신생아는 그녀의 조부모에 의해 Carla라고 이름 지어졌다.

← The newborn baby's grandparents named her Carla.
S V O OC

어휘 newborn [형] 신생의 name [동] 이름 짓다

07 The facilities **were made** clean / by the staff / before the inspection.
S V C

그 시설들은 깨끗하게 만들어졌다 / 직원들에 의해 / 점검 전에 → 그 시설들은 점검 전에 직원들에 의해 깨끗하게 만들어졌다.

← The staff made the facilities clean before the inspection.
S V O OC

어휘 inspection [명] 점검

08 The story (of the book) / **was found** attractive / by readers (around the world).
    S   V   C

(그 책의) 이야기는 / 매력적이라고 생각되었다 / (전 세계의) 독자들에 의해 → 그 책의 이야기는 전 세계의 독자들에 의해 매력적이라고 생각되었다.

  ◐ ← Readers around the world found the story of the book attractive.
             S   V   O   OC

어휘 attractive 휑 매력적인

09 Ms. Brown **was appointed** chairperson / by the board of directors.
    S   V   C

Brown씨는 회장으로 임명되었다 / 이사회에 의해 → Brown씨는 이사회에 의해 회장으로 임명되었다.

  ◐ ← The board of directors appointed Ms. Brown chairperson.
             S   V   O   OC

어휘 appoint 통 임명하다 chairperson 휑 회장

고난도
10 The museum expansion **was** finally **made** possible / thanks to a generous donor.
    S   ⌞—— V ——⌟   C

박물관 확장은 마침내 가능하게 만들어졌다 / 한 관대한 기부자 덕분에 → 한 관대한 기부자 덕분에 박물관 확장은 마침내 가능하게 만들어졌다.

어휘 expansion 휑 확장 generous 휑 관대한 donor 휑 기부자

UNIT 23   It+be동사+p.p.+that절 수동태 문장 해석하기   본책 p.48

01 *It* **is said** / *that* a cozy hat is a must / on a cold winter's day. <모의>

말해진다 / 포근한 모자가 필수품이라고 / 추운 겨울날에 → 추운 겨울날에 포근한 모자가 필수품이라고 말해진다.

  ◐ ← People[They] say that a cozy hat is a must on a cold winter's day.

어휘 cozy 휑 포근한 must 휑 필수품

02 *It* **is said** / *that* prevention is better than cure. <속담>

말해진다 / 예방이 치료보다 낫다고 → 호미로 막을 것을 가래로 막는다.

  ◐ ← People[They] say that prevention is better than cure.

어휘 prevention 휑 예방 cure 휑 치료

03 *It* **is thought** / *that* the discovery (of fire) was accidental.

생각된다 / (불의) 발견은 우연이었다고 → 불의 발견은 우연이었다고 생각된다.

  ◐ ← People[They] think that the discovery of fire was accidental.

어휘 discovery 휑 발견 accidental 휑 우연한

04 *It* **is known** / *that* bacteria consume rotten products. <모의응용>

알려져 있다 / 박테리아는 부패된 제품을 섭취한다고 → 박테리아는 부패된 제품을 섭취한다고 알려져 있다.

  ◐ ← People[They] know that bacteria consume rotten products.

어휘 consume 통 섭취하다 rotten 휑 부패된

05 *It* **is believed** / *that* the castle was built / about 200 years ago.

믿어진다 / 그 성은 지어졌다고 / 약 200년 전에 → 그 성은 약 200년 전에 지어졌다고 믿어진다.

  ◐ ← People[They] believe that the castle was built about 200 years ago.

어휘 castle 휑 성

06 *It* **was found** / *that* the color (of a room) can change / a person's mood.

밝혀졌다 / (방의) 색깔이 바꿀 수 있다고 / 사람의 기분을 → 방의 색깔이 사람의 기분을 바꿀 수 있다고 밝혀졌다.

○ ← People[They] found that the color of a room can change a person's mood.

어휘 mood 圆 기분

07 *It* **is said** / *that* garlic helps / us reduce blood pressure.

말해진다 / 마늘이 돕는다고 / 우리가 혈압을 낮추는 것을 → 마늘이 우리가 혈압을 낮추는 것을 돕는다고 말해진다.

○ ← People[They] say that garlic helps us reduce blood pressure.

○ 「help+목적어(us)+목적격 보어(reduce blood pressure)」의 구조이다.

어휘 garlic 圆 마늘 reduce 통 낮추다 blood pressure 圆 혈압

08 *It* **was thought** / *that* the CEO would step down / from his position.

생각되었다 / 그 최고 경영자가 내려올 것이라고 / 그의 자리에서 → 그 최고 경영자가 그의 자리에서 내려올 것이라고 생각되었다.

○ ← People[They] thought that the CEO would step down from his position.

어휘 step down 내려오다, 사직하다 position 圆 자리

09 *It* **is believed** / *that* the temple once contained / a statue of a goddess.

믿어진다 / 그 신전이 한때 담고 있었다고 / 여신상을 → 그 신전이 한때 여신상을 담고 있었다고 믿어진다.

○ ← People[They] believe that the temple once contained a statue of a goddess.

어휘 temple 圆 신전 contain 통 담고 있다, 포함하다 statue 圆 조각상 goddess 圆 여신

고난도
10 In experiments, / *it* **was found** / *that* rats often eat more / under stressful situations.

실험에서 / 밝혀졌다 / 쥐는 종종 더 많이 먹는다고 / 스트레스가 많은 상황에서 → 실험에서, 쥐는 스트레스가 많은 상황에서 종종 더 많이 먹는다고 밝혀졌다.

○ ← People[They] found that rats often eat more under stressful situations.

어휘 experiment 圆 실험 situation 圆 상황

UNIT 24 by 이외의 전치사와 쓰이는 수동태 관용 표현 해석하기

본책 p.49

01 Most of Antarctica **is covered with** / ice and snow. <모의>

남극 대륙의 대부분은 덮여 있다 / 얼음과 눈으로 → 남극 대륙의 대부분은 얼음과 눈으로 덮여 있다.

어휘 Antarctica 圆 남극 대륙

02 This wallet **was made of** old jeans. <모의>

이 지갑은 낡은 청바지로 만들어졌다.

03 Birds' feet **are covered with** scales / for protection.

새들의 발은 비늘로 덮여 있다 / 보호를 위해 → 새들의 발은 보호를 위해 비늘로 덮여 있다.

어휘 protection 圆 보호

04 The bakery **was filled with** / the smell (of fresh bread).

그 빵집은 가득 차 있었다 / (신선한 빵의) 냄새로 → 그 빵집은 신선한 빵의 냄새로 가득 차 있었다.

05 The astronomer **was surprised at** / the appearance (of a new star).

그 천문학지는 놀랐다 / (새로운 별의) 출현에 → 그 친문힉자는 새로운 별의 출현에 놀랐다.

어휘 astronomer 圆 천문학자 appearance 圆 출현

06 During family gatherings, / our home **is crowded with** relatives.

가족 모임 동안 / 우리 집은 친척들로 붐빈다

어휘 gathering 圀 모임   relative 圀 친척

07 These snacks (for children) / **were made from** grains. <모의응용>

(아이들을 위한) 이 간식들은 / 곡물로 만들어졌다

어휘 grain 圀 곡물

08 The film director **was satisfied with** / the actors' performances.

그 영화 감독은 만족했다 / 배우들의 연기에 → 그 영화 감독은 배우들의 연기에 만족했다.

어휘 director 圀 감독   performance 圀 연기, 공연

09 The Eiffel Tower (in Paris) **is known as** / a popular tourist attraction.

(파리에 있는) 에펠 탑은 알려져 있다 / 인기 있는 관광지로 → 파리에 있는 에펠 탑은 인기 있는 관광지로 알려져 있다.

어휘 tourist attraction 圀 관광지, 관광 명소

10 Jane Goodall **was interested in** / the connection (between chimpanzees and humans).

제인 구달은 흥미가 있었다 / (침팬지와 인간 사이의) 연관성에 → 제인 구달은 침팬지와 인간 사이의 연관성에 흥미가 있었다.

어휘 connection 圀 연관성

고난도
11 The student **was worried about** / not having enough money / for university tuition.

그 학생은 걱정했다 / 충분한 돈을 가지고 있지 않은 것에 대해 / 대학 등록금을 위해
→ 그 학생은 대학 등록금을 위해 충분한 돈을 가지고 있지 않은 것에 대해 걱정했다.

● 동명사구 not having ~ tuition은 전치사 about의 목적어로 쓰였다.

어휘 tuition 圀 등록금, 학비

Chapter Test

본책 p.50

01 The main entrance (to the hospital) / **is being repaired**. <모의응용>

(병원의) 정문이 / 수리되고 있다

어휘 main entrance 圀 정문, 중앙 출입구   repair 图 수리하다

02 *It* **is said** / *that* there is no such thing as a free lunch. <속담>

말해진다 / 공짜 점심 같은 것은 없다고 → 세상에 공짜는 없다.

● ← People[They] say that there is no such thing as a free lunch.

03 Ms. Hills **is considered** a good neighbor / because of her kindness.
　　　　　S　　　　　　V　　　　　　C

Hills씨는 좋은 이웃이라고 생각된다 / 그녀의 친절함 때문에 → Hills씨는 그녀의 친절함 때문에 좋은 이웃이라고 생각된다.

어휘 neighbor 圀 이웃

04 Each guest **was given** a bottle of wine / by the party host.
　　　S　　　　　V　　　　　O

각각의 손님은 와인 한 병을 받았다 / 파티 주최자에 의해 → 각각의 손님은 파티 주최자에 의해 와인 한 병을 받았다.

● ← The party host gave each guest a bottle of wine.
　　　　S　　　V　　IO　　　DO

어휘 host 圀 주최자

05 The portable tool **can be used** / in numerous different ways.

그 휴대용 도구는 사용될 수 있다 / 수많은 다양한 방식들로 → 그 휴대용 도구는 수많은 다양한 방식들로 사용될 수 있다.

어휘 portable 휑 휴대용의 tool 몡 도구 numerous 휑 수많은 different 휑 다양한

06 Many factory workers **have been replaced** / by machines.

많은 공장 노동자가 대체되어왔다 / 기계에 의해 → 많은 공장 노동자가 기계에 의해 대체되어왔다.

○ ← Machines have replaced many factory workers.

어휘 replace 동 대체하다

07 Overtime **was asked** / *of* the sales staff / during the Christmas season.
　　　　S　　　　V　　　전치사　　　O'

초과근무가 요청되었다 / 영업 사원들에게 / 크리스마스 기간 중에 → 크리스마스 기간 중에 영업 사원들에게 초과근무가 요청되었다.

어휘 overtime 몡 초과근무

08 All the money (from this event) / **will be donated** to charity.

(이 행사로부터 나온) 모든 돈은 / 자선 단체에 기부될 것이다

어휘 donate 동 기부하다 charity 몡 자선 단체

09 *It* **is known** / *that* Mars has a thin atmosphere.

알려져 있다 / 화성은 옅은 대기를 가지고 있다고 → 화성은 옅은 대기를 가지고 있다고 알려져 있다.

○ ← People[They] know that Mars has a thin atmosphere.

어휘 Mars 몡 화성 thin 휑 옅은 atmosphere 몡 대기

10 The recipe **must be followed** precisely / to make the cake delicious.

그 조리법은 정확하게 따라져야 한다 / 그 케이크를 맛있게 만들기 위해 → 그 케이크를 맛있게 만들기 위해 그 조리법은 정확하게 따라져야 한다.

○ to부정사구 to make ~ delicious는 목적을 나타내는 부사적 용법으로 쓰였다.
○ 「make+목적어(the cake)+목적격 보어(delicious)」의 구조이다.

어휘 precisely 편 정확하게

11 We **were seated** immediately / as the restaurant was not busy.

우리는 즉시 자리에 앉혀졌다 / 그 음식점이 붐비지 않기 때문에 → 그 음식점이 붐비지 않기 때문에 우리는 즉시 자리에 앉혀졌다.

어휘 seat 동 (자리에) 앉히다 immediately 편 즉시 busy 휑 붐비는

12 Chris **was elected** the student president / in March.
　　　S　　　　V　　　　　　C

Chris는 학생회장으로 선출되었다 / 3월에 → Chris는 3월에 학생회장으로 선출되었다.

어휘 elect 동 선출하다 president 몡 회장

13 Most viewers **were satisfied with** / the outcome (of the trial).

대부분의 참관자들은 만족했다 / (그 재판의) 결과에 → 대부분의 참관자들은 그 재판의 결과에 만족했다.

어휘 viewer 몡 참관자 outcome 몡 결과 trial 몡 재판

고난도
14 The perfect apartment **was found** / *for* the couple / by the real estate agent.
　　　　S　　　　　　　　　V　　전치사　　O'

그 완벽한 아파트는 찾아졌다 / 그 부부에게 / 부동산 중개인에 의해 → 그 완벽한 아파트는 부동산 중개인에 의해 그 부부에게 찾아졌다.

○ ← The real estate agent found the couple the perfect apartment.
　　　　　　S　　　　　V　　IO　　　　DO

고난도
15 Live performances **have been provided** / by a number of talented musicians.

라이브 공연이 제공되어왔다 / 많은 재능 있는 음악가들에 의해 → 라이브 공연이 많은 재능 있는 음악가들에 의해 제공되어왔다.

○ ← A number of talented musicians have provided live performances.

어휘 provide 동 제공하다 talented 휑 재능 있는

CHAPTER 05 to부정사(to-v)

UNIT 25 명사 역할을 하는 to부정사 해석하기

본책 p.52

01 **To develop** your leadership ability / is important. <모의응용>
　　　　　　　　　S　　　　　　　　　　　　V　　SC

너의 리더십 능력을 개발하는 것은 / 중요하다

❍ = It is important **to develop** your leadership ability.
　S(가주어) V　SC　　　　　　　S(진주어)

어휘 develop 통 개발하다, 발전시키다　ability 명 능력

02 **To make** mistakes at first / is normal.
　　　　　　　S　　　　　　　V　　SC

처음에 실수를 하는 것은 / 정상이다

❍ = It is normal **to make** mistakes at first.
　S(가주어) V　SC　　　S(진주어)

어휘 normal 형 정상인, 평범한

03 It is easy / **to download** music / on your mobile phone.
　S(가주어) V SC　　　　　S(진주어)

쉽다 / 음악을 다운로드하는 것은 / 너의 휴대폰에 → 너의 휴대폰에 음악을 다운로드하는 것은 쉽다.

04 **To have** insurance / can give you peace of mind.
　　　　　S　　　　　　V　　IO　　DO

보험을 가지고 있는 것은 / 너에게 마음의 평화를 줄 수 있다

❍ = It can give you peace of mind **to have** insurance.
　S(가주어) V　IO　　DO　　　　　S(진주어)

어휘 insurance 명 보험

05 It is polite / **to thank** people / when they help you with something.
　S(가주어) V　SC　　　　　S(진주어)

예의 바르다 / 사람들에게 감사하는 것은 / 그들이 네가 무언가를 하는 것을 도와줄 때
→ 사람들이 네가 무언가를 하는 것을 도와줄 때 그들에게 감사하는 것은 예의 바르다.

❍ help A with B는 'A가 B하는 것을 돕다'라고 해석한다.

어휘 polite 형 예의 바른

고난도
06 **To become** a successful singer-songwriter / has been my lifelong dream.
　　　　　　　　　S　　　　　　　　　　　　　V　　　　SC

성공한 싱어송라이터가 되는 것은 / 나의 평생의 꿈이었다

❍ = It has been my lifelong dream **to become** a successful singer-songwriter.
　S(가주어) V　　my lifelong dream　　SC　S(진주어)

어휘 successful 형 성공한　lifelong 형 평생의

07 We sometimes want / **to keep** some items / for old memories. <모의>
　S　　　　　M　　　　　V　　　　　　　　　　　　O

우리는 때때로 원한다 / 몇몇 물건들을 보관하기를 / 옛 추억을 위해 → 우리는 때때로 옛 추억을 위해 몇몇 물건들을 보관하기를 원한다.

어휘 memory 뗑 추억

08 Mark needs / **to get** a haircut / for his school picture.
　　　S　　　V　　　　　　　　　O

Mark는 필요로 한다 / 머리 자르는 것을 / 그의 학교 사진을 위해 → Mark는 그의 학교 사진을 위해 머리 자르는 것을 필요로 한다.

09 Austin expects / **to graduate** from college / before he turns 23.
　　　S　　　V　　　　　　　　　　　O

Austin은 예상한다 / 대학교를 졸업할 것을 / 그가 23살이 되기 전에 → Austin은 23살이 되기 전에 대학교를 졸업할 것을 예상한다.

어휘 graduate 뚱 졸업하다

10 They have decided / **to go** to Hawaii / for their summer holidays.
　　S　　　V　　　　　　　　　　　O

그들은 결정했다 / 하와이에 가기로 / 그들의 여름휴가로 → 그들은 여름휴가로 하와이에 가기로 결정했다.

11 The movie director is planning / **to release** his second film / next fall.
　　　　　　S　　　　　　V　　　　　　　　　　O

그 영화 감독은 계획하고 있다 / 그의 두 번째 영화를 개봉할 것을 / 내년 가을에 → 그 영화 감독은 내년 가을에 그의 두 번째 영화를 개봉할 것을 계획하고 있다.

어휘 director 뗑 감독　release 뚱 개봉하다, 출시하다

12 Jane's mother promised / **to take** her to the amusement park / on Children's Day.
　　　　S　　　　V　　　　　　　　　　　　O

Jane의 어머니는 약속했다 / 그녀를 놀이공원에 데려가기로 / 어린이 날에 → Jane의 어머니는 어린이 날에 그녀를 놀이공원에 데려가기로 약속했다.

어휘 amusement park 뗑 놀이공원

13 To change / is **to move** in a different direction. <모의응용>
　　S　　　V　　　　　　SC

변화한다는 것은 / 다른 방향으로 움직이는 것이다

어휘 different 뼹 다른　direction 뗑 방향

14 For Sue, / to read / was **to explore** a new world.
　　M　　　　S　　　V　　　　SC

Sue에게 / 읽기는 / 새로운 세상을 탐험하는 것이었다

어휘 explore 뚱 탐험하다

15 My advice / is **to stay** positive and open-minded.
　　S　　　V　　　SC

나의 조언은 / 긍정적이고 마음을 연 상태로 있으라는 것이다

❍ 형용사 positive와 open-minded가 등위접속사 and로 연결되어 병렬 구문을 이룬다.

어휘 advice 뗑 조언　positive 뼹 긍정적인　open-minded 뼹 마음을 연, 편견 없는

16 In the near future, / a useful skill / will be **to process** data efficiently.
　　　　M　　　　　　S　　　　V　　　　SC

가까운 미래에 / 유용한 기술은 / 효율적으로 데이터를 처리하는 것일 것이다

어휘 process 뚱 처리하다　efficiently 뿐 효율적으로

17 In Ms. Thompson's class, / the most important thing / is **to be** creative.
　　　　　　　M　　　　　　　　　　　　S　　　　　　　　　V　　SC

Thompson 선생님의 수업에서 / 가장 중요한 것은 / 창의적이 되는 것이다

◐ 「the+최상급」은 '가장 ~한/하게'라고 해석한다.

어휘 important 휑 중요한　creative 휑 창의적인

18 The company's goal / is **to gain** a strong position / in the Asian market.
　　　　S　　　　　　　　　V　　　　　　　　SC

그 회사의 목표는 / 확고한 입지를 얻는 것이다 / 아시아 시장에서 → 그 회사의 목표는 아시아 시장에서 확고한 입지를 얻는 것이다.

어휘 company 휑 회사　gain 통 얻다　position 휑 입지, 위치

UNIT 26 의문사+to부정사 해석하기

본책 p.54

01 Learn **how to use** a fire extinguisher / in case there is a fire. <모의응용>
　　　V　　　　　　O　　　　　　　　　　　　　M

어떻게 소화기를 사용할지를 배워라 / 화재가 있을 경우에 대비하여 → 화재가 있을 경우에 대비하여 어떻게 소화기를 사용할지를 배워라.

◐ 주어 없이 동사로 시작하는 명령문이다.

어휘 fire extinguisher 휑 소화기

02 **Where to hold** the event / will be discussed tomorrow.
　　　　　S　　　　　　　　　V　　　　　M

어디에서 그 행사를 개최할지는 / 내일 논의될 것이다

어휘 hold 통 개최하다　discuss 통 논의하다

03 We weren't quite sure of / **whom to contact** / for assistance.
　　S　　V　　SC　전치사　　O′(전치사의 목적어)

우리는 완전히 확신하지 못했다 / 누구에게 연락할지를 / 도움을 위해 → 우리는 도움을 위해 누구에게 연락할지를 완전히 확신하지 못했다.

◐ sure와 의문사 whom 사이에 오는 전치사 of는 생략할 수 있다.

어휘 contact 통 연락하다　assistance 휑 도움

04 The question is / **when to give up** and **when to keep going**.
　　　S　　　　V　　　　　　　　　SC

문제는 ~이다 / 언제 포기하고 언제 계속할지 → 문제는 언제 포기하고 언제 계속할지이다.

◐ when ~ up과 when ~ going이 등위접속사 and로 연결되어 병렬 구문을 이룬다.

어휘 keep going 계속하다, 계속 견디다

05 There were so many colors, // so I didn't know / **which to pick**.
　　　V¹　　　　S¹　　　　　S²　V²　　　O²

너무 많은 색이 있었다 // 그래서 나는 알지 못했다 / 어느 것을 고를지를 → 너무 많은 색이 있어서 나는 어느 것을 고를지를 알지 못했다.

어휘 pick 통 고르다

06 Social media influencers / often tell their followers / **where to shop**.
　　　　S　　　　　　　　　M　V　　IO　　　　DO

소셜 미디어 인플루언서들은 / 종종 그들의 팔로워들에게 말해준다 / 어디에서 쇼핑할지를
→ 소셜 미디어 인플루언서들은 종종 그들의 팔로워들에게 어디에서 쇼핑할지를 말해준다.

07 Harry hasn't decided / **who to invite** / to his birthday party.
S V O

Harry는 결정하지 않았다 / 누구를 초대할지를 / 그의 생일 파티에 → Harry는 그의 생일 파티에 누구를 초대할지를 결정하지 않았다.

어휘 invite [동] 초대하다

08 I showed my grandmother / **what to do** / when her computer crashes.
S V IO DO

나는 나의 할머니께 보여드렸다 / 무엇을 할지를 / 그녀의 컴퓨터가 고장 날 때 → 나는 나의 할머니께 그녀의 컴퓨터가 고장 날 때 무엇을 할지를 보여드렸다.

어휘 crash [동] 고장나다

[고난도]
09 Most seed packets include / the information (about **how to plant** the seeds).
S V O (전치사: about, O'(전치사의 목적어): how to plant the seeds)

대부분의 씨앗 봉지는 포함한다 / (어떻게 그 씨앗들을 심을지에 대한) 정보를 → 대부분의 씨앗 봉지는 어떻게 그 씨앗들을 심을지에 대한 정보를 포함한다.

어휘 seed [명] 씨앗 packet [명] 봉지 include [동] 포함하다 plant [동] 심다

UNIT 27 형용사 역할을 하는 to부정사 해석하기

본책 p.55

01 The orientation will give you / *the chance* (**to meet** other students). <모의응용>

그 오리엔테이션은 너에게 줄 것이다 / (다른 학생들을 만날) 기회를 → 그 오리엔테이션은 너에게 다른 학생들을 만날 기회를 줄 것이다.

● 「give+간접 목적어(you)+직접 목적어(the chance ~ students)」의 구조이다.

02 Some planets do not even have / *surfaces* (**to land on**). <모의>

어떤 행성들은 심지어 가지고 있지도 않다 / (착륙할) 표면을 → 어떤 행성들은 심지어 착륙할 표면을 가지고 있지도 않다.

어휘 planet [명] 행성 surface [명] 표면 land [동] 착륙하다

03 *A good way* (**to look around** a city) / is to cycle through it.

(도시를 둘러보는) 좋은 방법은 / 그곳을 통과하여 자전거를 타는 것이다

● to부정사구 to cycle through it은 문장에서 주격 보어 역할을 하고 있다.

어휘 cycle [동] 자전거를 타다

04 Jin wants to find / *more friends* (**to practice** his English **with**).

Jin은 찾기를 원한다 / (그의 영어를 함께 연습할) 더 많은 친구들을 → Jin은 그의 영어를 함께 연습할 더 많은 친구들을 찾기를 원한다.

● to부정사구 to find ~ with는 동사 wants의 목적어로 쓰였다.

어휘 practice [동] 연습하다

05 The hike will provide / *a lot of beautiful views* (**to photograph**).

그 도보 여행은 제공할 것이다 / (사진을 찍을) 많은 아름다운 경치를 → 그 도보 여행은 사진을 찍을 많은 아름다운 경치를 제공할 것이다.

어휘 hike [명] 도보 여행 provide [동] 제공하다 view [명] 경치 photograph [동] 사진을 찍다

06 After camping, / I appreciated / having *a warm bed* (**to sleep in**) again.

캠핑 후에 / 나는 감사했다 / (잘 수 있는) 따뜻한 침대를 다시 가지는 것에 → 캠핑 후에 나는 잘 수 있는 따뜻한 침대를 다시 가지는 것에 감사했다.

● 동명사구 having ~ again은 동사 appreciated의 목적어로 쓰였다.

어휘 appreciate [동] 감사하다

07 Take *something* (**to read**), / since you might have to wait / for a long time.

(읽을) 무언가를 가져가라 / 네가 기다려야 할 수도 있으므로 / 오랫동안 → 네가 오랫동안 기다려야 할 수도 있으므로, 읽을 무언가를 가져가라.

● 주어 없이 동사로 시작하는 명령문이다.

08 The new bakery offers / *a variety of options* (**to choose from**).

그 새로운 빵집은 제공한다 / (고를 수 있는) 다양한 선택권을 → 그 새로운 빵집은 고를 수 있는 다양한 선택권을 제공한다.

어휘 offer [동] 제공하다 a variety of 다양한

고난도
09 Cassie is looking for / *someone* (**to talk to** / about her worries).

Cassie는 찾고 있다 / (그녀의 걱정들에 대해 / 말할) 누군가를 → Cassie는 그녀의 걱정들에 대해 말할 누군가를 찾고 있다.

UNIT 28 부사 역할을 하는 to부정사 해석하기

본책 p.56

01 Kathy traveled to London / **to buy** a copy of the book. <모의>

Kathy는 런던에 갔다 / 그 책의 한 부를 사기 위해 → Kathy는 그 책의 한 부를 사기 위해 런던에 갔다.

● = Kathy traveled to London **in order to**[**so as to**] **buy** a copy of the book.

어휘 travel [동] 가다, 이동하다 copy [명] (책, 신문 등의) 한 부

02 Male peacocks spread their colorful feathers / **to attract** a mate.

수컷 공작새들은 그들의 화려한 깃털을 펼친다 / 짝을 유혹하기 위해 → 수컷 공작새들은 짝을 유혹하기 위해 그들의 화려한 깃털을 펼친다.

어휘 spread [동] 펼치다 feather [명] 깃털 attract [동] 유혹하다 mate [명] 짝

03 I wear slippers indoors / **so as not to make** noise / when I walk.

나는 실내에서 슬리퍼를 신는다 / 소음을 내지 않기 위해 / 내가 걸을 때 → 나는 걸을 때 소음을 내지 않기 위해 실내에서 슬리퍼를 신는다.

어휘 indoors [부] 실내에서

04 Dylan posts pictures online / **in order to share** moments (from his daily life).

Dylan은 온라인에 사진들을 게시한다 / (그의 일상의) 순간들을 공유하기 위해 → Dylan은 그의 일상의 순간들을 공유하기 위해 온라인에 사진들을 게시한다.

어휘 post [동] 게시하다 moment [명] 순간

05 They turned on the air conditioner / **to lower** the temperature (of the room).

그들은 에어컨을 켰다 / (그 방의) 온도를 낮추기 위해 → 그들은 그 방의 온도를 낮추기 위해 에어컨을 켰다.

어휘 lower [동] 낮추다 temperature [명] 온도

06 Jason was glad / **to run into** his friend Jennifer / in town. <모의>

Jason은 기뻤다 / 그의 친구인 Jennifer를 우연히 만나게 되어 / 시내에서 → Jason은 시내에서 그의 친구인 Jennifer를 우연히 만나게 되어 기뻤다.

어휘 run into ~를 우연히 만나다

07 I was happy / **to be** back at school / after a long vacation.

나는 행복했다 / 학교에 돌아가게 되어 / 긴 방학 후에 → 나는 긴 방학 후에 학교에 돌아가게 되어 행복했다.

08 Mr. Dixon is very proud / **to take part in** the research project.

Dixon씨는 매우 자랑스럽다 / 그 연구 프로젝트에 참여하게 되어 → Dixon씨는 그 연구 프로젝트에 참여하게 되어 매우 자랑스럽다.

어휘 take part in ~에 참여하다 research [명] 연구

09 Hannah was surprised / **to see** / her cat climb out the window.

Hannah는 놀랐다 / 봐서 / 그녀의 고양이가 창문 밖으로 기어 나가는 것을 → Hannah는 그녀의 고양이가 창문 밖으로 기어 나가는 것을 봐서 놀랐다.

⊙ 「see+목적어(her cat)+목적격 보어(climb ~ window)」의 구조이다.

어휘 climb out ~밖으로 기어 나가다

[고난도]

10 Many viewers were disappointed / **to hear** / that the show had been canceled.

많은 시청자들은 실망했다 / 듣게 되어 / 그 방송이 취소되었다는 것을 → 많은 시청자들은 그 방송이 취소되었다는 것을 듣게 되어 실망했다.

⊙ that ~ canceled는 to부정사 to hear의 목적어 역할을 하는 명사절이다.

어휘 viewer [명] 시청자 disappointed [형] 실망한

11 I was lucky / **to catch** the train / at the last minute. <모의>

나는 운이 좋았다 / 그 기차를 타다니 / 마지막 순간에 → 마지막 순간에 그 기차를 타다니 나는 운이 좋았다.

어휘 catch [동] (시간 맞춰) 타다 at the last minute 마지막 순간에, 임박해서

12 You were wise / **to stay out of** that argument.

너는 현명했다 / 그 논쟁을 피하다니 → 그 논쟁을 피하다니 너는 현명했다.

어휘 stay out of ~을 피하다 argument [명] 논쟁

13 Lucas was kind / **to lend** me / his notes (from history class).

Lucas는 친절했다 / 나에게 빌려주다니 / 그의 (역사 수업의) 필기를 → 나에게 역사 수업의 필기를 빌려주다니 Lucas는 친절했다.

⊙ 「lend+간접 목적어(me)+직접 목적어(his ~ class)」의 구조이다.

14 The girl was clever / **to find** the answer / so quickly.

그 여자아이는 똑똑했다 / 답을 찾은 것을 보니 / 그렇게 빨리 → 그렇게 빨리 답을 찾은 것을 보니 그 여자아이는 똑똑했다.

15 I was foolish / **to believe** / that Sheila would actually keep her word.

나는 어리석었다 / 믿다니 / Sheila가 실제로 그녀의 약속을 지킬 것이라고 → Sheila가 실제로 그녀의 약속을 지킬 것이라고 믿다니 나는 어리석었다.

⊙ that ~ word는 to부정사 to believe의 목적어 역할을 하는 명사절이다.

⊙ keep one's word는 '~의 약속을 지키다'라고 해석한다.

어휘 actually [부] 실제로

16 Old newspapers / are not easy **to access** / on the Internet. <모의>

옛날 신문들은 / 이용하기에 쉽지 않다 / 인터넷에서 → 옛날 신문들은 인터넷에서 이용하기에 쉽지 않다.

17 The dance / was rather difficult **to learn**, // but it was fun.

그 춤은 / 배우기에 다소 어려웠다 // 그러나 그것은 재미있었다 → 그 춤은 배우기에 다소 어려웠지만, 재미있었다.

어휘 rather [부] 다소

18 Good restaurants / are easy **to find** / in my neighborhood.

좋은 식당은 / 찾기에 쉽다 / 나의 동네에서 → 나의 동네에서 좋은 식당은 찾기에 쉽다.

어휘 neighborhood [명] 동네

19 Foreign languages / are nearly impossible **to master** quickly.

외국어는 / 빠르게 숙달하기에 거의 불가능하다

어휘 foreign 웹 외국의 nearly 뷔 거의 master 图 숙달하다

20 The water (from the mineral spring) / is clean and safe **to drink**.

(그 약수터에서 나온) 물은 / 깨끗하고 마시기에 안전하다

○ 형용사 clean과 safe가 등위접속사 and로 연결되어 병렬 구문을 이룬다.

어휘 mineral spring 웹 약수터

UNIT 29 목적격 보어로 쓰이는 to부정사 해석하기

본책 p.58

01 Some teachers will ask / you **to call** them by their first names. <모의>
　　　S　　　　　　V　　O　　　　　　　　OC

어떤 선생님들은 요청할 것이다 / 네가 그들을 그들의 이름으로 부르도록 → 어떤 선생님들은 네가 그들을 그들의 이름으로 부르도록 요청할 것이다.

02 Julian's coach ordered / him **to run** five laps around the field.
　　　S　　　　　　V　　　O　　　　　　　　OC

Julian의 코치는 명령했다 / 그에게 운동장을 다섯 바퀴 뛰라고 → Julian의 코치는 그에게 운동장을 다섯 바퀴 뛰라고 명령했다.

어휘 lap 웹 (트랙의) 한 바퀴

03 My parents will never allow / me **to go** on a trip by myself.
　　　S　　　　　　　M　　　V　　O　　　OC

나의 부모님은 결코 허락하지 않을 것이다 / 내가 혼자서 여행을 가도록 → 나의 부모님은 내가 혼자서 여행을 가도록 결코 허락하지 않을 것이다.

○ by oneself는 '혼자서, 혼자 힘으로'라고 해석한다.

04 The guard always tells / the visitors **not to touch** anything (in the museum).
　　　S　　　M　　V　　　O　　　　　　　　OC

그 경비요원은 항상 말한다 / 방문객들에게 (박물관에 있는) 어떤 것도 만지지 말라고
→ 그 경비요원은 항상 방문객들에게 박물관에 있는 어떤 것도 만지지 말라고 말한다.

어휘 guard 웹 경비요원

05 The doctor advised / the patient **to exercise** more and **lose** weight.
　　　S　　　V　　　O　　　　　　　OC

그 의사는 조언했다 / 그 환자에게 더 운동하고 몸무게를 줄이라고 → 그 의사는 그 환자에게 더 운동하고 몸무게를 줄이라고 조언했다.

○ exercise와 lose가 등위접속사 and로 연결되어 있으며, to부정사의 동사원형에 해당한다.

06 Greenhouse gases are causing / the Earth's atmosphere **to warm up**.
　　　S　　　　　　V　　　　　O　　　　OC

온실가스는 야기하고 있다 / 지구의 대기가 데워지도록 → 온실가스는 지구의 대기가 데워지도록 야기하고 있다.

어휘 greenhouse gas 웹 온실가스 atmosphere 웹 대기

07 Mr. Cowling encouraged / some of his students **to apply** to the university.
　　　S　　　　V　　　O　　　　　　　OC

Cowling 선생님은 독려했다 / 그의 학생들 중 몇몇이 그 대학교에 지원하도록 → Cowling 선생님은 그의 학생들 중 몇몇이 그 대학교에 지원하도록 독려했다.

어휘 apply 图 지원하다

08 I want / my friend **to know** / how much I like her.

나는 원한다 / 나의 친구가 알기를 / 내가 얼마나 많이 그녀를 좋아하는지를 → 나는 나의 친구가 내가 얼마나 많이 그녀를 좋아하는지를 알기를 원한다.

❍ how ~ her는 to부정사 to know의 목적어 역할을 하는 명사절이다.

정답 to know
해설 want는 목적격 보어로 to부정사를 가지므로 to know가 정답이다.

UNIT 30 to부정사의 의미상 주어 해석하기

본책 p.59

01 It is essential / *for children* **to improve** social skills. <모의응용>

필수적이다 / 어린이들이 사회적 기술을 향상시키는 것은 → 어린이들이 사회적 기술을 향상시키는 것은 필수적이다.

❍ 진주어 to improve social skills 대신 가주어 it이 주어 자리에 쓰였다.

어휘 essential 혱 필수적인 improve 퉁 향상시키다

02 It was so nice / *of you* **to hold** the bag / for me. <모의응용>

정말 친절했다 / 네가 그 가방을 들어준 것은 / 나를 위해 → 네가 나를 위해 그 가방을 들어준 것은 정말 친절했다.

❍ 진주어 to hold ~ me 대신 가주어 it이 주어 자리에 쓰였다.

03 It is not easy / *for birds* **to fly** south / for the winter.

쉽지 않다 / 새들이 남쪽으로 날아가는 것은 / 겨울을 위해 → 겨울을 위해 새들이 남쪽으로 날아가는 것은 쉽지 않다.

❍ 진주어 to fly ~ winter 대신 가주어 it이 주어 자리에 쓰였다.

04 I kept the window open / *for air* **to circulate**.

나는 창문을 열린 상태로 뒀다 / 공기가 순환하기 위해 → 나는 공기가 순환하도록 창문을 열린 상태로 뒀다.

❍ 「keep+목적어(the window)+목적격 보어(open)」의 구조이다.
❍ to부정사 to circulate는 목적을 나타내는 부사적 용법으로 쓰였다.

05 Our aim is / *for all the students* **to fulfill** their true potential.

우리의 목표는 ~이다 / 모든 학생들이 그들의 진정한 잠재력을 발휘하는 것 → 우리의 목표는 모든 학생들이 그들의 진정한 잠재력을 발휘하는 것이다.

❍ to부정사구 to fulfill ~ potential은 문장에서 주격 보어 역할을 하고 있다.

어휘 aim 혱 목표 fulfill 퉁 발휘하다, 실현하다 potential 혱 잠재력

06 It was thoughtful / *of you* **to make** tea / for the guests.

사려 깊었다 / 네가 차를 만든 것은 / 그 손님들을 위해 → 네가 그 손님들을 위해 차를 만든 것은 사려 깊었다.

❍ 진주어 to make ~ guests 대신 가주어 it이 주어 자리에 쓰였다.

어휘 thoughtful 혱 사려 깊은

07 *For humans* **to imagine** a life (without emotion) / is almost impossible. <모의응용>

인간들이 (감정 없는) 삶을 상상하는 것은 / 거의 불가능하다

❍ to부정사구 to imagine ~ emotion은 문장에서 주어 역할을 하고 있다.

어휘 imagine 퉁 상상하다 emotion 혱 감정

08 This contest is / a great opportunity (*for everyone* **to show off** their talents).

이 대회는 ~이다 / (모두가 그들의 재능을 뽐낼) 좋은 기회 → 이 대회는 모두가 그들의 재능을 뽐낼 좋은 기회이다.

❍ to부정사구 to show ~ talents는 opportunity를 꾸며주는 형용사적 용법으로 쓰였다.

어휘 contest 혱 대회 opportunity 혱 기회 show off 뽐내다, 자랑하다 talent 혱 재능

09 It was very brave / *of him* **to rescue** the little girl / from the sea.

매우 용감했다 / 그가 그 어린 여자아이를 구한 것은 / 바다에서 → 그가 바다에서 그 어린 여자아이를 구한 것은 매우 용감했다.

○ 진주어 to rescue ~ sea 대신 가주어 it이 주어 자리에 쓰였다.

정답 of
해설 brave는 사람의 성격/성질을 나타내는 형용사이므로, 뒤에 오는 to부정사의 의미상 주어는 「of+행위자」의 형태로 쓴다.

어휘 rescue 통 구조하다

UNIT 31 to부정사 구문 해석하기

본책 p.60

01 Peter was **too** *sick* / **to attend** the banquet. <모의응용>

Peter는 너무 아팠다 / 그 연회에 참석하기에 → Peter는 그 연회에 참석하기에 너무 아팠다.

○ ≒ Peter was **so** *sick* **that he couldn't attend** the banquet.

어휘 attend 통 참석하다 banquet 명 연회

02 My sister is **too** *short* / **to ride** the roller coaster.

나의 여동생은 너무 키가 작다 / 그 롤러코스터를 타기에 → 나의 여동생은 그 롤러코스터를 타기에 너무 키가 작다.

○ ≒ My sister is **so** *short* **that she can't ride** the roller coaster.

03 Brian walked **too** *slowly* / **to arrive** at school on time.

Brian은 너무 느리게 걸었다 / 제시간에 학교에 도착하기에 → Brian은 제시간에 학교에 도착하기에 너무 느리게 걸었다.

○ ≒ Brian walked **so** *slowly* **that he couldn't arrive** at school on time.

어휘 on time 제시간에

04 The sofa is **too** *big* / **to go through** the narrow door.

그 소파는 너무 크다 / 그 좁은 문을 통과하기에 → 그 소파는 그 좁은 문을 통과하기에 너무 크다.

○ ≒ The sofa is **so** *big* **that it can't go through** the narrow door.

어휘 go through 통과하다

05 The music was playing **so** *loudly* / **that I couldn't hear** the bell.

음악이 너무 크게 재생되고 있어서 / 나는 초인종 소리를 들을 수 없었다

06 Unfortunately, / the boy's handwriting was **too** *sloppy* / for others **to read**.

불행히도 / 그 남자아이의 손 글씨는 너무 엉망이었다 / 다른 사람들이 읽기에 → 불행히도, 그 남자아이의 손 글씨는 다른 사람들이 읽기에 너무 엉망이었다.

○ ≒ Unfortunately, the boy's handwriting was **so** *sloppy* **that others couldn't read** it.
○ to부정사 to read의 의미상 주어로 others가 쓰였다.

어휘 handwriting 명 손 글씨 sloppy 형 엉망인, 엉성한

07 Jonathan did *well* **enough** / **to move on** to the final round. <모의응용>

Jonathan은 충분히 잘 했다 / 결승전에 나갈 만큼 → Jonathan은 결승전에 나갈 만큼 충분히 잘 했다.

○ ≒ Jonathan did **so** *well* **that he could move on** to the final round.

어휘 final round 결승전

08 This digital camera is *small* **enough** / **to fit** in my pocket.

이 디지털 카메라는 충분히 작다 / 나의 주머니에 들어갈 만큼 → 이 디지털 카메라는 나의 주머니에 들어갈 만큼 충분히 작다.

≒ This digital camera is **so** *small* **that it can fit** in my pocket.

어휘 fit [동] 들어가다, 들어맞다

09 The police officer ran *fast* **enough** / **to catch up with** the thief.

그 경찰관은 충분히 빨리 달렸다 / 그 도둑을 따라잡을 만큼 → 그 경찰관은 그 도둑을 따라잡을 만큼 충분히 빨리 달렸다.

≒ The police officer ran **so** *fast* **that he could catch up with** the thief.

어휘 catch up with ~을 따라잡다

10 In summer, / the sidewalk is *hot* **enough** / **to cook** an egg on.

여름에 / 그 보도는 충분히 뜨겁다 / 위에서 계란을 익힐 만큼 → 여름에, 그 보도는 위에서 계란을 익힐 만큼 충분히 뜨겁다.

≒ In summer, the sidewalk is **so** *hot* **that you can cook** an egg on it.

어휘 sidewalk [명] 보도

11 Winston was **so** *smart* / **that he could pass** the exam / without studying.

Winston은 너무 똑똑해서 / 그는 그 시험을 통과할 수 있었다 / 공부하지 않고 → Winston은 너무 똑똑해서 공부하지 않고 그 시험을 통과할 수 있었다.

12 Marcia hasn't lived in the area *long* **enough** / **to see** her neighbors.

Marcia는 그 지역에 충분히 오래 살지 않았다 / 그녀의 이웃을 만날 만큼 → Marcia는 그녀의 이웃을 만날 만큼 그 지역에 충분히 오래 살지 않았다.

어휘 neighbor [명] 이웃

[고난도]

13 This room is *large* **enough** / for all of us **to have** a meeting in it.

이 방은 충분히 크다 / 우리 모두가 그 안에서 회의를 할 만큼 → 이 방은 우리 모두가 그 안에서 회의를 할 만큼 충분히 크다.

≒ This room is **so** *large* **that all of us can have** a meeting in it.

to부정사구 to have ~ it의 의미상 주어로 all of us가 쓰였다.

14 **It takes** *me* about two hours / **to commute** to school. <모의응용>

내가 (~하는 데) 약 두 시간이 걸린다 / 학교에 통학하는 데 → 내가 학교에 통학하는 데 약 두 시간이 걸린다.

= **It takes** about two hours *for me* **to commute** to school.

어휘 commute [동] 통학하다, 통근하다

15 **It takes** a lot of money / **to start** your own business.

많은 돈이 든다 / 너 자신의 사업을 시작하는 데 → 너 자신의 사업을 시작하는 데 많은 돈이 든다.

16 **It will take** *him* a few days / **to finish** the entire task alone.

그가 (~하는 데) 며칠이 걸릴 것이다 / 혼자 그 전체 일을 끝내는 데 → 그가 혼자 그 전체 일을 끝내는 데 며칠이 걸릴 것이다.

= **It will take** a few days *for him* **to finish** the entire task alone.

어휘 entire [형] 전체의 task [명] 일, 직무

17 **It took** *the scientist* approximately three years / **to develop** her theory.

그 과학자가 (~하는 데) 거의 3년이 걸렸다 / 그녀의 이론을 발전시키는 데 → 그 과학자가 그녀의 이론을 발전시키는 데 거의 3년이 걸렸다.

= **It took** approximately three years *for the scientist* **to develop** her theory.

어휘 approximately [부] 거의, 대략 theory [명] 이론

18 **It will take** millions of dollars / **to renovate** the subway stations.

수백만 달러가 들 것이다 / 지하철 역들을 개조하는 데 → 지하철 역들을 개조하는 데 수백만 달러가 들 것이다.

어휘 renovate [동] 개조하다

19 **It took** less than ten minutes / *for the detective* **to crack** the code.

10분보다 덜 걸렸다 / 그 탐정이 그 암호를 해독하는 데 → 그 탐정이 그 암호를 해독하는 데 10분보다 덜 걸렸다.

어휘 detective [명] 탐정 crack [동] 해독하다 code [명] 암호

[고난도]
20 Normally, / **it takes** *visitors* a whole day / **to look around** the museum.

보통 / 관람객들이 (~하는 데) 하루 전부가 걸린다 / 그 박물관을 둘러보는 데 → 보통, 관람객들이 그 박물관을 둘러보는 데 하루 전부가 걸린다.

= Normally, **it takes** a whole day *for visitors* **to look around** the museum.

Chapter Test

본책 p.62

01 It is necessary / **to clean** your room frequently.
S(가주어) V SC S(진주어)

필요하다 / 너의 방을 자주 청소하는 것은 → 너의 방을 자주 청소하는 것은 필요하다.

어휘 necessary [형] 필요한 frequently [부] 자주

02 **To earn** someone's trust / is **to make** a real friend.
S V SC

누군가의 믿음을 얻는 것은 / 진정한 친구를 만드는 것이다

어휘 earn [동] 얻다

03 After the live concert, / Nina felt **too** *excited* / **to fall asleep**.

그 라이브 콘서트 후에 / Nina는 너무 신이 났다 / 잠이 들기에 → 그 라이브 콘서트 후에, Nina는 잠이 들기에 너무 신이 났다.

≒ After the live concert, Nina felt **so** *excited* **that she couldn't fall asleep**.

04 The park has *a large playground* / (*for children* **to play in**).

그 공원에는 큰 놀이터가 있다 / (어린이들이 놀) → 공원에는 어린이들이 놀 큰 놀이터가 있다.

to부정사구 to play in의 의미상 주어로 children이 쓰였다.

05 Christine went to the stationery shop / **to buy** a new diary.

Christine은 문구점에 갔다 / 새 일기장을 사기 위해 → Christine은 새 일기장을 사기 위해 문구점에 갔다.

to부정사구 to buy ~ diary는 목적을 나타내는 부사적 용법으로 쓰였다.

06 The cake recipe is *simple* **enough** / *for you* **to try** at home.

그 케이크 조리법은 충분히 간단하다 / 네가 집에서 시도할 만큼 → 그 케이크 조리법은 네가 집에서 시도할 만큼 충분히 간단하다.

≒ The cake recipe is **so** *simple* **that you can try** it at home.

to부정사구 to try at home의 의미상 주어로 you가 쓰였다.

어휘 recipe [명] 조리법

07 Nathan thought / he was lucky / **to have** such a harmonious family.

Nathan은 생각했다 / 그가 운이 좋다고 / 그렇게 사이가 좋은 가족을 가지고 있다니 → 그렇게 사이가 좋은 가족을 가지고 있다니 Nathan은 운이 좋다고 생각했다.

thought와 he 사이에는 명사절 접속사 that이 생략되어 있다.

어휘 harmonious [형] 사이가 좋은, 조화로운

08 It is rare / *for pandas* **to eat** / anything other than bamboo.

드물다 / 판다가 먹는 것은 / 대나무 외에 다른 어떤 것을 → 판다가 대나무 외에 다른 어떤 것을 먹는 것은 드물다.

진주어 to eat ~ bamboo 대신 가주어 it이 주어 자리에 쓰였다.

to부정사구 to eat ~ bamboo의 의미상 주어로 pandas가 쓰였다.

어휘 rare [형] 드문, 희귀한

09 Some levels (of the video game) / are hard **to beat** / on your own.

(그 비디오 게임의) 몇몇 단계들은 / 깨기에 어렵다 / 혼자서 → 그 비디오 게임의 몇몇 단계들은 혼자서 깨기에 어렵다.

➲ on one's own은 '혼자서'라고 해석한다.

어휘 beat [동] 깨다, 이기다

10 The lawyer knew / **what to say** / when the judge asked a question.

S V O M (S′ V′ O′)

그 변호사는 알았다 / 무엇을 말할지를 / 그 판사가 질문을 했을 때 → 그 판사가 질문을 했을 때 그 변호사는 무엇을 말할지를 알았다.

어휘 lawyer[명] 변호사 judge [명] 판사

11 Thomas was pleased / **to receive** a special prize / at the festival.

Thomas는 기뻤다 / 특별 경품을 받게 되어 / 그 축제에서 → Thomas는 그 축제에서 특별 경품을 받게 되어 기뻤다.

➲ to부정사구 to receive ~ festival은 감정의 원인을 나타내는 부사적 용법으로 쓰였다.

어휘 receive [동] 받다

12 **It took** several weeks / *for the sailing ship* **to cross** the Atlantic Ocean.

몇 주가 걸렸다 / 그 돛단배가 대서양을 건너는 데 → 그 돛단배가 대서양을 건너는 데 몇 주가 걸렸다.

➲ to부정사구 to cross ~ Ocean의 의미상 주어로 the sailing ship이 쓰였다.

어휘 Atlantic Ocean [명] 대서양

[고난도]
13 Shannon sometimes agrees / **to do** things [that do not interest her].

S M V O

Shannon은 때때로 동의한다 / [그녀를 흥미롭게 하지 않는] 것들을 하기로 → Shannon은 때때로 그녀를 흥미롭게 하지 않는 것들을 하기로 동의한다.

➲ that ~ her는 things를 꾸며주는 주격 관계대명사절이다.

어휘 interest [동] 흥미롭게 하다

[고난도]
14 The cost of the flight, / **not to mention** the hotel, / would be over $1,000.

항공편 가격은 / 호텔은 말할 것도 없이 / 1,000달러가 넘을 것이다 → 호텔은 말할 것도 없이, 항공편 가격만 1,000달러가 넘을 것이다.

[고난도]
15 The bus driver repeatedly reminded / the passengers **not to leave** their seats.

S M V O OC

그 버스 기사는 반복해서 상기시켰다 / 그 승객들에게 그들의 자리를 떠나지 말라고
→ 그 버스 기사는 그 승객들에게 그들의 자리를 떠나지 말라고 반복해서 상기시켰다.

어휘 repeatedly [부] 반복해서

CHAPTER 06 동명사(v-ing)

UNIT 32 명사 역할을 하는 동명사 해석하기 I

본책 p.64

01 **Taking** photos / is not allowed / inside the exhibition hall. <수능응용>

    S   V   M

사진을 찍는 것은 / 허용되지 않는다 / 전시장 안에서 → 전시장 안에서 사진을 찍는 것은 허용되지 않는다.

어휘 allow 图 허용하다 exhibition hall 图 전시장

02 **Jogging** along the river / is part of my daily routine.

    S   V   SC

강을 따라 달리는 것은 / 나의 일과 중 일부분이다

어휘 daily routine 图 일과

03 **Brushing** your teeth / after every meal / is a good habit.

    S   V   SC

너의 이를 닦는 것은 / 매 식사 후에 / 좋은 습관이다 → 매 식사 후에 너의 이를 닦는 것은 좋은 습관이다.

어휘 habit 图 습관

04 **Becoming** an astronaut / takes many years of hard work.

    S   V   O

우주 비행사가 되는 것은 / 수년의 노고를 필요로 한다

어휘 astronaut 图 우주 비행사

고난도
05 **Traveling** abroad / can help / you broaden your horizons.

    S   V   O   OC

해외로 여행하는 것은 / 도울 수 있다 / 네가 너의 시야를 넓히는 것을 → 해외로 여행하는 것은 네가 너의 시야를 넓히는 것을 도울 수 있다.

❶ 「help+목적어(you)+목적격 보어(broaden your horizons)」의 구조이다.

어휘 broaden 图 넓히다

06 The key (to happiness) / is **looking** into your heart. <모의응용>

    S   V   SC

(행복의) 비결은 / 너의 마음을 들여다보는 것이다

어휘 key 图 비결

07 Andy's favorite pastime / is **watching** cat videos online.

    S   V   SC

Andy가 가장 좋아하는 취미는 / 온라인으로 고양이 영상들을 보는 것이다

어휘 pastime 图 취미

08 My dream holiday / would be **relaxing** in a beach resort.

    S   V   SC

나의 꿈의 휴가는 / 해변 휴양지에서 휴식 취하기일 것이다

09 The best preparation (for tomorrow) / is **doing** your best today. – H. Jackson Brown, Jr.
                S   V   SC

(내일을 위한) 가장 좋은 준비는 / 오늘 너의 최선을 다하는 것이다

어휘 preparation 몡 준비

고난도
10 The most important thing / is **supporting** each other / in difficult times.
                S   V   SC

가장 중요한 것은 / 서로를 지지하는 것이다 / 어려운 시기에 → 가장 중요한 것은 어려운 시기에 서로를 지지하는 것이다.

🔾 「the+최상급」은 '가장 ~한/하게'라고 해석한다.

어휘 support 동 지지하다

UNIT 33 명사 역할을 하는 동명사 해석하기 II

본책 p.65

---

01 An introvert would enjoy / **spending** time alone. <모의응용>
             S   V   O

내성적인 사람은 즐길 것이다 / 혼자 시간을 보내는 것을 → 내성적인 사람은 혼자 시간을 보내는 것을 즐길 것이다.

어휘 introvert 몡 내성적인 사람

02 I considered / **putting** some plants / in my room.
    S   V   O

나는 고려했다 / 몇몇 식물을 두는 것을 / 나의 방 안에 → 나는 나의 방 안에 몇몇 식물을 두는 것을 고려했다.

03 Elizabeth hasn't finished / **typing** up her report / yet.
         S   V   O   M

Elizabeth는 끝내지 않았다 / 그녀의 보고서를 타이핑하는 것을 / 아직 → Elizabeth는 아직 그녀의 보고서를 타이핑하는 것을 끝내지 않았다.

04 Many people avoid / **taking** the subway / during rush hour.
          S   V   O

많은 사람들은 피한다 / 지하철을 타는 것을 / 혼잡 시간대에 → 많은 사람들은 혼잡 시간대에 지하철을 타는 것을 피한다.

어휘 rush hour 몡 혼잡 시간대

05 You should stop **living** in the past / and start **moving** forward.
    S   V¹   O¹   V²   O²

너는 과거 속에 사는 것을 멈춰야 한다 / 그리고 앞으로 나아가기 시작해야 한다 → 너는 과거 속에 사는 것을 멈춰야 하고 앞으로 나아가기 시작해야 한다.

🔾 stop과 start가 등위접속사 and로 연결되어 있으며, 조동사 should와 함께 쓰인 동사원형에 해당한다.

고난도
06 At first / Jack denied / **breaking** the window, // but he later admitted it.
     M¹   S¹   V¹   O¹   S² M²   V²   O²

처음에 / Jack은 부인했다 / 그 창문을 깬 것을 // 그러나 그는 나중에 그것을 인정했다 → 처음에 Jack은 그 창문을 깬 것을 부인했지만, 나중에 그것을 인정했다.

🔾 breaking the window 대신 대명사 it이 쓰였다.

07 I still remember / **buying** my first party dress.
   S M   V   O

나는 여전히 기억한다 / 나의 첫 번째 파티 드레스를 산 것을 → 나는 여전히 나의 첫 번째 파티 드레스를 산 것을 기억한다.

08 I will remember / **to buy** a new dress / for the party. <모의응용>
   S   V   O

나는 기억할 것이다 / 새 드레스를 살 것을 / 그 파티를 위해 → 나는 그 파티를 위해 새 드레스를 살 것을 기억할 것이다.

09 Joe regrets / **eating** so much greasy food / last night.
<u>S</u>　<u>V</u>　　　　　　　<u>O</u>

Joe는 후회한다 / 그렇게 많은 기름진 음식을 먹은 것을 / 어젯밤에 → Joe는 어젯밤에 그렇게 많은 기름진 음식을 먹은 것을 후회한다.

어휘 greasy 혱 기름진

10 Olivia will never forget / **staying** in the peaceful cottage (in the woods).
<u>S</u>　　　<u>M</u>　　　　　　　　　<u>O</u>
　　　　　<u>V</u>

Olivia는 결코 잊지 않을 것이다 / (숲 속의) 평화로운 오두막집에서 머문 것을 → Olivia는 숲 속의 평화로운 오두막집에서 머문 것을 결코 잊지 않을 것이다.

어휘 peaceful 혱 평화로운　cottage 몡 오두막

11 Remember / **to return** the book / to the library / by Friday.
　　　<u>V</u>　　　　　　　<u>O</u>

기억하라 / 그 책을 반납할 것을 / 도서관에 / 금요일까지 → 그 책을 금요일까지 도서관에 반납할 것을 기억하라.

◑ 주어 없이 동사로 시작하는 명령문이다.

어휘 return 뚕 반납하다

12 Grace tried / **rebooting** the computer, // but it didn't work.
<u>S¹</u>　<u>V¹</u>　　　　<u>O¹</u>　　　　<u>S²</u>　<u>V²</u>

Grace는 해봤다 / 컴퓨터를 다시 켜는 것을 // 그러나 그것은 효과가 없었다 → Grace는 컴퓨터를 다시 켜는 것을 해봤지만, 그것은 효과가 없었다.

◑ rebooting the computer 대신 대명사 it이 쓰였다.

어휘 reboot 뚕 다시 켜다　work 뚕 효과가 있다

13 Polly stopped / **to thank** the captain / as she left the boat.
<u>S</u>　<u>V</u>　　　　　<u>M</u>　　　<u>S'</u>　<u>V'</u>　　<u>O'</u>
　　　　　　　　　　　　　　　　　　　<u>M</u>

Polly는 멈췄다 / 그 선장에게 감사하기 위해 / 그녀가 배를 떠날 때 → Polly는 배를 떠날 때 그 선장에게 감사하기 위해 멈췄다.

◑ to부정사구 to thank the captain은 목적을 나타내는 부사적 용법으로 쓰였다.

14 A heat-detecting camera can be used for / **spotting** someone. <모의응용>
<u>S</u>　　　　　　<u>V</u>　　<u>전치사</u>　<u>O'(전치사의 목적어)</u>

열 감지 카메라는 ~에 사용될 수 있다 / 누군가를 발견하는 것 → 열 감지 카메라는 누군가를 발견하는 것에 사용될 수 있다.

◑ 조동사가 있는 수동태는 「조동사+be+p.p.」의 형태이다.

어휘 detect 뚕 감지하다　spot 뚕 발견하다

15 Michael was nervous about / **taking** the college entrance exam.
<u>S</u>　<u>V</u>　<u>SC</u>　<u>전치사</u>　　<u>O'(전치사의 목적어)</u>

Michael은 ~에 대해 불안해했다 / 대학교 입학 시험을 보는 것 → Michael은 대학교 입학 시험을 보는 것에 대해 불안해했다.

어휘 nervous 혱 불안해하는　entrance 몡 입학

16 Mr. Stevens seems very fond of / **giving** advice to his colleagues.
<u>S</u>　　　<u>V</u>　<u>M</u>　<u>SC</u>　<u>전치사</u>　　<u>O'(전치사의 목적어)</u>

Stevens씨는 ~을 매우 좋아하는 것 같다 / 그의 동료들에게 조언을 주는 것 → Stevens씨는 그의 동료들에게 조언을 주는 것을 매우 좋아하는 것 같다.

어휘 fond 혱 매우 좋아하는　advice 몡 조언　colleague 몡 동료

17 The K-pop group is famous for / **performing** complicated dance moves.
<u>S</u>　　　　<u>V</u>　<u>SC</u>　<u>전치사</u>　　<u>O'(전치사의 목적어)</u>

그 케이팝 그룹은 ~으로 유명하다 / 복잡한 춤 동작을 해 보이는 것 → 그 케이팝 그룹은 복잡한 춤 동작을 해 보이는 것으로 유명하다.

어휘 perform 뚕 해 보이다　complicated 혱 복잡한　move 몡 동작

고난도
18 The campaign has succeeded in / **raising** awareness (about environmental issues).
<u>S</u>　　　　　<u>V</u>　　<u>전치사</u>　　<u>O'(전치사의 목적어)</u>

그 캠페인은 ~에 성공했다 / (환경 문제에 대한) 인식을 높이는 것 → 그 캠페인은 환경 문제에 대한 인식을 높이는 것에 성공했다.

어휘 succeed 뚕 성공하다　raise 뚕 높이다　environmental 혱 환경의

01 Amy suddenly **felt like following** the trail / on foot. <수능응용>

Amy는 갑자기 그 길을 따라가고 싶었다 / 걸어서 → Amy는 갑자기 걸어서 그 길을 따라가고 싶었다.

어휘 trail 몡 길

02 **It is no use crying** / over spilled milk. <속담>

울어도 소용없다 / 엎지른 우유를 두고 → 엎지른 물은 도로 담을 수 없다.

어휘 spill 통 엎지르다

03 I didn't **feel like exercising**, // so I took a walk instead.

나는 운동하고 싶지 않았다 // 그래서 나는 대신에 산책을 했다 → 나는 운동하고 싶지 않아서 대신에 산책을 했다.

04 Carlos and his sister / will **go snowboarding** / in December.

Carlos와 그의 여동생은 / 스노보드를 타러 갈 것이다 / 12월에 → Carlos와 그의 여동생은 12월에 스노보드를 타러 갈 것이다.

05 **It is nice seeing** / young adults volunteer / at the animal shelter.

봐서 좋다 / 청년들이 봉사하는 것을 / 동물 보호소에서 → 동물 보호소에서 청년들이 봉사하는 것을 봐서 좋다.

○ 「see+목적어(young adults)+목적격 보어(volunteer ~ shelter)」의 구조이다.

어휘 volunteer 통 봉사하다 shelter 몡 보호소

06 My parents **were busy preparing** / for Thanksgiving dinner.

나의 부모님은 준비하느라 바빴다 / 추수감사절 저녁을 → 나의 부모님은 추수감사절 저녁을 준비하느라 바빴다.

어휘 prepare 통 준비하다

07 The store manager **is good at** / **dealing** with customers.

그 매장 책임자는 잘한다 / 고객들을 대하는 것을 → 그 매장 책임자는 고객들을 대하는 것을 잘한다.

어휘 deal with ~을 대하다, ~을 다루다 customer 몡 고객

08 **It is no use worrying** / about things [that may not happen].

걱정해도 소용없다 / [일어나지 않을 수도 있는] 일들에 대해 → 일어나지 않을 수도 있는 일들에 대해 걱정해도 소용없다.

○ that ~ happen은 things를 꾸며주는 주격 관계대명사절이다.

09 As an editor, / he **cannot help noticing** / grammar mistakes.

편집자로서 / 그는 알아차리지 않을 수 없다 / 문법 오류들을 → 편집자로서 그는 문법 오류들을 알아차리지 않을 수 없다.

어휘 notice 통 알아차리다 grammar mistake 문법 오류

10 Danielle **is** really **bad at** / **expressing** her inner feelings.

Danielle은 정말 못한다 / 그녀의 내면의 감정을 표현하는 것을 → Danielle은 그녀의 내면의 감정을 표현하는 것을 정말 못한다.

어휘 express 통 표현하다 inner 형 내면의

11 **On arriving** at the airport, / we went straight / to the check-in counter.

공항에 도착하자마자 / 우리는 바로 갔다 / 탑승 수속 창구로 → 공항에 도착하자마자 우리는 바로 탑승 수속 창구로 갔다.

어휘 straight 뷔 바로 check-in counter 탑승 수속 창구

[고난도]

12 It **is worth remembering** / not to judge a book / by its cover.

기억할 가치가 있다 / 책을 판단하지 않을 것은 / 그것의 표지로 → 겉만 보고 판단하지 않을 것은 기억할 가치가 있다.

⭘ 진주어 not to judge ~ cover 대신 가주어 it이 주어 자리에 쓰였다.

어휘 judge [동] 판단하다 cover [명] 표지

Chapter Test

본책 p.68

01 Nicole's hobby / is **collecting** coins (from different countries).

S V SC

Nicole의 취미는 / (다양한 나라들의) 동전들을 모으는 것이다

어휘 different [형] 다양한

02 Emma is very friendly, // and **it's** always **nice talking** to her.

Emma는 매우 친절하다 // 그리고 그녀에게 이야기하는 것은 항상 좋다 → Emma는 매우 친절하고, 그녀에게 이야기하는 것은 항상 좋다.

S' V'

03 After we graduated, / Henry stopped / **calling** me.

M S V O

우리가 졸업한 후에 / Henry는 멈췄다 / 나에게 전화하는 것을 → 우리가 졸업한 후에, Henry는 나에게 전화하는 것을 멈췄다.

어휘 graduate [동] 졸업하다

04 A lot of museums (in the city) / **are worth visiting**.

(그 도시에 있는) 많은 박물관들은 / 방문할 가치가 있다

05 Don't forget / **to turn off** your phone / before the movie starts.

V O

잊지 말아라 / 너의 전화기를 끌 것을 / 영화가 시작하기 전에 → 영화가 시작하기 전에 너의 전화기를 끌 것을 잊지 말아라.

⭘ 주어 없이 동사로 시작하는 명령문이다.

06 Out of all the chores, / I hate / **washing** the dishes / the most.

M S V O M

모든 허드렛일 중에서 / 나는 싫어한다 / 설거지를 하는 것을 / 가장 → 모든 허드렛일 중에서, 나는 설거지를 하는 것을 가장 싫어한다.

어휘 chore [명] 허드렛일

07 **Operating** a business / is not an easy task / for anyone.

S V SC M

사업체를 운영하는 것은 / 쉬운 일이 아니다 / 누구에게나 → 사업체를 운영하는 것은 누구에게나 쉬운 일이 아니다.

어휘 operate [동] 운영하다 business [명] 사업체 task [명] 일

08 For ten years, / David has done his job / without **complaining**.

M S V O 전치사 O'(전치사의 목적어)

10년 동안 / David는 그의 일을 해왔다 / 불평하는 것 없이 → 10년 동안 David는 불평하는 것 없이 그의 일을 해왔다.

어휘 complain [동] 불평하다

09 I remember / **reading** this book, // but I can't recall / the ending.

S¹ V¹ O¹ S² V² O²

나는 기억한다 / 이 책을 읽은 것을 // 그러나 나는 기억해 낼 수 없다 / 결말을 → 나는 이 책을 읽은 것을 기억하지만, 결말을 기억해 낼 수 없다.

어휘 recall [동] 기억해 내다

10 We regret **to say** / that your application has been rejected.
S V O

저희는 말씀드리게 되어 유감입니다 / 당신의 지원이 거절되었다는 것을 → 저희는 당신의 지원이 거절되었다는 것을 말씀드리게 되어 유감입니다.

● that ~ rejected는 to부정사 to say의 목적어 역할을 하는 명사절이다.

어휘 application [명] 지원 reject [동] 거절하다

11 Our physics professor **is good at** / **explaining** difficult concepts / to us.

우리의 물리학 교수님은 잘 하신다 / 어려운 개념을 설명하는 것을 / 우리에게 → 우리의 물리학 교수님은 우리에게 어려운 개념을 설명하는 것을 잘 하신다.

어휘 physics [명] 물리학 professor [명] 교수 explain [동] 설명하다 concept [명] 개념

12 The company will try / **to determine** the problem (with its products).
S V O

그 회사는 노력할 것이다 / (그것의 제품에 있는) 문제를 알아내려고 → 그 회사는 그것의 제품에 있는 문제를 알아내려고 노력할 것이다.

어휘 determine [동] 알아내다, 판단하다 product [명] 제품

13 Peter is looking forward to / **being** the best man / at his brother's wedding.
S V 전치사 O'(전치사의 목적어)

Peter는 ~을 고대하고 있다 / 신랑 들러리가 되는 것 / 그의 형의 결혼식에서 → Peter는 그의 형의 결혼식에서 신랑 들러리가 되는 것을 고대하고 있다.

[고난도]
14 Sam's parents finally gave up / **persuading** him to eat less junk food.
S M V O

Sam의 부모님은 결국 포기했다 / 그가 더 적은 정크 푸드를 먹도록 설득하는 것을
→ Sam의 부모님은 결국 그가 더 적은 정크 푸드를 먹도록 설득하는 것을 포기했다.

● 「persuade+목적어(him)+목적격 보어(to eat ~ food)」의 구조이다.

어휘 persuade [동] 설득하다

[고난도]
15 Critics **could not help comparing** / the artist's new work / with her older paintings.

비평가들은 비교하지 않을 수 없었다 / 그 예술가의 새로운 작품을 / 그녀의 예전 그림들과
→ 비평가들은 그 예술가의 새로운 작품을 그녀의 예전 그림들과 비교하지 않을 수 없었다.

어휘 critic [명] 비평가 compare [동] 비교하다 work [명] 작품

CHAPTER 07 분사(v-ing/p.p.)

UNIT 35 명사를 앞에서 꾸며주는 분사 해석하기

본책 p.70

01 A **rolling** *stone* / gathers no moss. <속담>

구르는 돌은 / 이끼를 모으지 않는다 → 구르는 돌에는 이끼가 끼지 않는다.

어휘 gather 통 모으다 moss 명 이끼

02 Timothy is one of the **rising** *stars* / in cinema.

Timothy는 떠오르는 스타들 중 한 명이다 / 영화계에서 → Timothy는 영화계에서 떠오르는 스타들 중 한 명이다.

어휘 cinema 명 영화(계)

03 A **speeding** *car* / drove past me / on the highway.

질주하는 차가 / 나를 지나 달려갔다 / 고속도로에서 → 고속도로에서 질주하는 차가 나를 지나 달려갔다.

어휘 speed 통 질주하다

04 It was quiet / except for the sound (of a **barking** *dog*).

조용했다 / (짖고 있는 개의) 소리를 제외하고는 → 짖고 있는 개의 소리를 제외하고는 조용했다.

◐ 상황을 나타내는 비인칭 주어 it이 쓰였으며, 이때 it은 의미를 가지지 않으므로 해석하지 않는다.

어휘 except for ~을 제외하고는 bark 통 짖다

05 The sign warns / pedestrians not to step in / the **drying** *concrete*.

그 표지판은 경고한다 / 보행자들에게 밟지 말라고 / 마르고 있는 콘크리트를 → 그 표지판은 보행자들에게 마르고 있는 콘크리트를 밟지 말라고 경고한다.

◐ 「warn+목적어(pedestrians)+목적격 보어(not to step ~ concrete)」의 구조이다.

어휘 pedestrian 명 보행자

06 In spring, / people like taking pictures / under the **falling** *cherry blossoms*.

봄에 / 사람들은 사진 찍는 것을 좋아한다 / 떨어지는 벚꽃 아래에서 → 봄에 사람들은 떨어지는 벚꽃 아래에서 사진 찍는 것을 좋아한다.

◐ 동명사구 taking ~ blossoms는 동사 like의 목적어로 쓰였으며, like는 동명사와 to부정사를 모두 목적어로 가진다.

07 The swallow appeared / to have a **broken** *wing*. <모의>

그 제비는 보였다 / 부러진 날개를 가진 것처럼 → 그 제비는 부러진 날개를 가진 것처럼 보였다.

어휘 swallow 명 제비

08 Chris put the **folded** *shirts* / in his dresser.

Chris는 개어진 셔츠를 넣었다 / 그의 옷장에 → Chris는 그의 옷장에 개어진 셔츠를 넣었다.

어휘 dresser [명] 옷장

09 The cleaner wiped up / the **spilled** *coffee* / with a towel.

그 청소부는 닦았다 / 쏟아진 커피를 / 수건으로 → 그 청소부는 쏟아진 커피를 수건으로 닦았다.

어휘 wipe up ~을 닦다 spill [동] 쏟다, 엎지르다

10 The smell (of freshly **cut** *grass*) / makes me feel calm.

(갓 베어진 풀의) 냄새는 / 내가 차분하게 느끼도록 만든다

⊙ 「make+목적어(me)+목적격 보어(feel calm)」구조이다.

어휘 freshly [부] 갓, 새롭게

11 The **burned** *wood* (from last night's fire) / turned into ashes.

(어젯밤의 화재로 인해) 탄 나무는 / 재로 변했다

어휘 turn into ~으로 변하다 ash [명] 재

12 Eating **undercooked** *meat* / may lead to food poisoning.

덜 익혀진 고기를 먹는 것은 / 식중독으로 이어질 수도 있다

⊙ 동명사구 Eating undercooked meat은 문장에서 주어 역할을 하고 있다.

어휘 undercook [동] 덜 익히다 lead to ~으로 이어지다

UNIT 36 명사를 뒤에서 꾸며주는 분사 해석하기

본책 p.71

01 Suddenly, / *a boy* (**riding** a bicycle) / slipped on the boardwalk. <모의응용>

갑자기 / (자전거를 타고 있는) 한 남자아이가 / 판자길에서 미끄러졌다

어휘 suddenly [부] 갑자기 slip [동] 미끄러지다 boardwalk [명] 판자길

02 Emma bought / *a dress* (**decorated** with ribbons and lace).

Emma는 샀다 / (리본과 레이스로 장식된) 드레스를 → Emma는 리본과 레이스로 장식된 드레스를 샀다.

어휘 decorate [동] 장식하다

03 *The man* (**living** next door) / works in a department store.

(옆집에 사는) 남자는 / 백화점에서 일한다

어휘 department store [명] 백화점

04 For the next class, / we will read / *a novel* (**written** by Charles Dickens).

다음 수업에 / 우리는 읽을 것이다 / (찰스 디킨스에 의해 쓰인) 소설을 → 다음 수업에 우리는 찰스 디킨스에 의해 쓰인 소설을 읽을 것이다.

05 There were / *many passengers* (**waiting** to get on the train).

~이 있었다 / (기차를 타기 위해 기다리고 있는) 많은 승객들 → 기차를 타기 위해 기다리고 있는 많은 승객들이 있었다.

○ to부정사구 to get on the train은 목적을 나타내는 부사적 용법으로 쓰였다.

어휘 passenger 圀 승객

06 *The song* (**sung** in the movie) / became popular / among teenagers.

(그 영화에서 불린) 노래는 / 인기 있게 되었다 / 십대들 사이에서 → 그 영화에서 불린 노래는 십대들 사이에서 인기 있게 되었다.

어휘 popular 휑 인기 있는   teenager 圀 십대

07 *Anyone* (**entering** the gym) / must wear appropriate shoes.

(체육관에 들어가는) 누구나 / 적절한 신발을 신어야 한다

○ 동사 enter는 전치사가 뒤에 오는 것처럼 해석되지만 실제로는 전치사를 쓰지 않는다. e.g. Anyone entering *to* ~. (X)

어휘 appropriate 휑 적절한

08 The crew will move / *the chairs* (**covered** in plastic wrapping).

작업반이 옮길 것이다 / (비닐 포장지에 싸인) 의자들을 → 작업반이 비닐 포장지에 싸인 의자들을 옮길 것이다.

어휘 crew 圀 작업반   plastic wrapping 비닐 포장지

09 *A woman* (**walking** along the river) / gave me directions (to the museum).

(강을 따라 걷고 있는) 여자가 / 나에게 (박물관으로 가는) 길을 알려줬다

○ 「give+간접 목적어(me)+직접 목적어(directions ~ museum)」의 구조이다.

어휘 directions 圀 길 (안내)

10 Fortunately, / *the food* (**ordered** for the party) / has arrived / just in time.

다행히도 / (그 파티를 위해 주문된) 음식이 / 도착했다 / 딱 제시간에 → 다행히도, 그 파티를 위해 주문된 음식이 딱 제시간에 도착했다.

어휘 fortunately 튀 다행히도   order 圄 주문하다

11 *Students* (**planning** to study abroad) / should talk to their supervisor / first.

(해외에서 공부하려고 계획하고 있는) 학생들은 / 그들의 지도 교수에게 말해야 한다 / 먼저
→ 해외에서 공부하려고 계획하고 있는 학생들은 먼저 그들의 지도 교수에게 말해야 한다.

○ to부정사구 to study abroad는 현재분사 planning의 목적어로 쓰였다.

고난도
12 It will cost a lot of money / to repair *the damage* (**caused** by the hurricane).

많은 돈이 들 것이다 / (허리케인에 의해 야기된) 피해를 복구하는 것은 → 허리케인에 의해 야기된 피해를 복구하는 것은 많은 돈이 들 것이다.

○ 진주어 to repair ~ hurricane 대신 가주어 it이 주어 자리에 쓰였다.

어휘 cost 圄 (비용이) 들다   repair 圄 수리하다   cause 圄 야기하다

01 I heard / something **moving** slowly / in the bushes. <모의응용>
　　S　　V　　　　O　　　　　　　　　OC

나는 들었다 / 무언가가 천천히 움직이는 것을 / 풀숲에서 → 나는 무언가가 풀숲에서 천천히 움직이는 것을 들었다.

어휘 bush 圆 풀숲

02 We had / groceries **delivered** / this morning. <모의응용>
　　S　　V　　　O　　　　　　OC

우리는 (~되게) 했다 / 식료품이 배달되게 / 오늘 아침에 → 우리는 식료품이 오늘 아침에 배달되게 했다.

어휘 grocery 圆 식료품　deliver 圄 배달하다

03 They saw / their daughter **skating** / around the rink.
　　S　　V　　　O　　　　　　　OC

그들은 봤다 / 그들의 딸이 스케이트를 타고 있는 것을 / 스케이트장을 돌며 → 그들은 그들의 딸이 스케이트장을 돌며 스케이트를 타고 있는 것을 봤다.

어휘 rink 圆 스케이트장

04 We are getting / our house **repainted** / next week.
　　S　　V　　　　O　　　　　OC

우리는 (~되게) 할 것이다 / 우리의 집이 다시 페인트칠 되게 / 다음 주에 → 우리는 다음 주에 우리의 집이 다시 페인트칠 되게 할 것이다.

어휘 repaint 圄 다시 페인트칠하다

05 Mr. Jones caught / Samuel **cheating** / on the exam.
　　　S　　　V　　　O　　　　OC

Jones 선생님은 발견했다 / Samuel이 부정행위를 하고 있는 것을 / 시험에서 → Jones 선생님은 Samuel이 시험에서 부정행위를 하고 있는 것을 발견했다.

어휘 cheat 圄 부정행위를 하다

06 Don't leave / your skin **exposed** to bright sunlight / for too long.
　　　V　　　　O　　　　　　OC

두지 말아라 / 너의 피부가 밝은 햇빛에 노출된 채로 / 너무 오랫동안 → 너의 피부를 너무 오랫동안 밝은 햇빛에 노출된 채로 두지 말아라.

❷ 주어 없이 동사로 시작하는 명령문이다.

어휘 expose 圄 노출시키다

07 Within minutes, / the technician had / the photocopier **working** again.
　　　M　　　　　　S　　　　V　　　　O　　　　　OC

몇 분 안에 / 그 기술자는 (~하게) 했다 / 그 복사기가 다시 작동하게 → 몇 분 안에 그 기술자는 그 복사기가 다시 작동하게 했다.

어휘 technician 圆 기술자　photocopier 圆 복사기　work 圄 작동하다

08 I always keep / my pantry **stocked** / with sweet snacks.
　S　　M　　V　　　O　　　　　OC

나는 항상 (~되게) 한다 / 나의 찬장이 채워지게 / 달콤한 간식들로 → 나는 항상 나의 찬장이 달콤한 간식들로 채워지게 한다.

어휘 pantry 圆 찬장, 식품 저장실　stock 圄 채우다

09 Ronald heard / rain **falling** gently / on the roof.
　　S　　V　　　O　　　　OC

Ronald는 들었다 / 비가 조용히 떨어지고 있는 것을 / 지붕 위에 → Ronald는 비가 지붕 위에 조용히 떨어지고 있는 것을 들었다.

어휘 gently 匣 조용히

고난도
10 The police found / the stolen truck **abandoned** / in a rural area.
S V O OC

경찰은 발견했다 / 그 도난당한 트럭이 버려진 것을 / 한 시골 지역에 → 경찰은 그 도난당한 트럭이 한 시골 지역에 버려진 것을 발견했다.

어휘 abandon [동] 버리다 rural [형] 시골의

UNIT 38

감정을 나타내는 분사 해석하기

본책 p.73

01 Enjoy **exciting** activities / such as kite flying and sandcastle building. <수능>

신나는 활동을 즐겨라 / 연 날리기나 모래성 쌓기와 같은 → 연 날리기나 모래성 쌓기와 같은 신나는 활동을 즐겨라.

⊙ 주어 없이 동사로 시작하는 명령문이다.

어휘 activity [명] 활동

02 **Excited** kids formed a long line / in the school cafeteria. <모의응용>

신이 난 아이들이 긴 줄을 섰다 / 학교 구내식당에서 → 신이 난 아이들이 학교 구내식당에서 긴 줄을 섰다.

어휘 form a line 줄을 서다 cafeteria [명] 구내식당

03 Everyone listened closely / to Mary's **amazing** story.

모든 사람이 자세히 귀를 기울였다 / Mary의 놀라운 이야기에 → 모든 사람이 Mary의 놀라운 이야기에 자세히 귀를 기울였다.

어휘 closely [부] 자세히

04 The **tired** puppy fell asleep / after returning from the park.

그 피곤한 강아지는 잠이 들었다 / 공원에서 돌아온 후에 → 그 피곤한 강아지는 공원에서 돌아온 후에 잠이 들었다.

05 It would be **boring** / to do the same job / throughout life.

지루할 것이다 / 같은 일을 하는 것은 / 일생 동안 내내 → 일생 동안 내내 같은 일을 하는 것은 지루할 것이다.

⊙ 진주어 to do ~ life 대신 가주어 it이 주어 자리에 쓰였다.

어휘 throughout [전] ~ 내내

06 Recently, / Jason has got very **interested** / in extreme sports.

최근에 / Jason은 매우 흥미가 있게 되었다 / 극한 스포츠에 → 최근에 Jason은 극한 스포츠에 매우 흥미가 있게 되었다.

어휘 recently [부] 최근에 extreme [형] 극한의

07 A **surprising** amount of waste / is produced / every year.

놀라운 양의 쓰레기가 / 배출된다 / 매년 → 매년 놀라운 양의 쓰레기가 배출된다.

어휘 waste [명] 쓰레기 produce [동] 배출하다, 생산하다

08 **Disappointed** customers complained / to the manager.

실망한 고객들이 불평했다 / 관리자에게 → 실망한 고객들이 관리자에게 불평했다.

어휘 customer [명] 고객 complain [동] 불평하다

고난도
09 The rules (about data protection) / can be **confusing** / to understand.

(데이터 보호에 대한) 규칙들은 / 혼란스러울 수 있다 / 이해하기에 → 데이터 보호에 대한 규칙들은 이해하기에 혼란스러울 수 있다.

⊙ to부정사 to understand는 confusing을 꾸며주는 부사적 용법으로 쓰였다.

어휘 protection [명] 보호

10 Local residents were **shocked** / by yesterday's incident.

지역 주민들은 충격받았다 / 어제의 사건에 의해 → 지역 주민들은 어제의 사건에 의해 충격받았다.

정답 shocked
해설 지역 주민들은 충격을 느끼는 주체이므로 과거분사 shocked가 정답이다.

어휘 local 圈 지역의   resident 圈 주민   incident 圈 사건

UNIT 39 다양한 의미를 나타내는 분사구문 해석하기

본책 p.74

01 Keith played the piano, / **smiling** at me. <수능응용>

Keith는 피아노를 연주했다 / 나를 보고 미소 지으면서 → Keith는 나를 보고 미소 지으면서 피아노를 연주했다.

◑ = Keith played the piano, **as** he smiled at me.

02 **Closing** the window, / Sarah pulled down the blinds.

창문을 닫고 나서 / Sarah는 블라인드를 내렸다

◑ = Sarah closed the window, **and** she pulled down the blinds.

03 **Feeling** cold, / Patricia turned up the heater.

춥게 느껴서 / Patricia는 난방기의 온도를 높였다

◑ = **Because/since/as** Patricia felt cold, she turned up the heater.

04 My father climbed up the stairs, / **carrying** a heavy box.

나의 아버지는 계단을 올라갔다 / 무거운 상자를 나르면서 → 나의 아버지는 무거운 상자를 나르면서 계단을 올라갔다.

◑ = My father climbed up the stairs **as** he carried a heavy box.

05 **Taking** a bite (of the sandwich), / I noticed a strange taste.

(그 샌드위치의) 한 입을 베어 물자마자 / 나는 이상한 맛을 알아차렸다

◑ = **As soon as** I took a bite of the sandwich, I noticed a strange taste.

어휘 bite 圈 한 입   notice 图 알아차리다   strange 圈 이상한

06 **Not wanting** to fall behind the group, / we ran faster.

무리에 뒤쳐지는 것을 원하지 않기 때문에 / 우리는 더 빨리 달렸다

◑ = **Because/since/as** we did not want to fall behind the group, we ran faster.
◑ to부정사구 to fall ~ group은 현재분사 Not wanting의 목적어로 쓰였다.

어휘 fall behind 뒤쳐지다

07 **Picking up** his jacket, / Nathan stormed out of the room.

그의 외투를 집어 들자마자 / Nathan은 방에서 뛰쳐나갔다

◑ = **As soon as** Nathan picked up his jacket, he stormed out of the room.

어휘 pick up 집어 들다   storm 图 뛰쳐나가다

08 **Turning** to page 72, / you will see a painting (by Frida Kahlo).

만약 72쪽으로 넘기면 / 너는 (프리다 칼로의) 그림을 볼 것이다

◑ = **If** you turn to page 72, you will see a painting by Frida Kahlo.

09 Bats sleep upside down, / **hanging** by their feet and legs.

박쥐들은 거꾸로 잔다 / 그들의 발과 다리로 매달린 채로 → 박쥐들은 그들의 발과 다리로 매달린 채로 거꾸로 잔다.

⊙ = Bats sleep upside down **as** they hang by their feet and legs.

어휘 upside down 거꾸로

10 **Driving** for three hours, / Mr. Higgins stopped / for a short break.

세 시간을 운전한 후에 / Higgins씨는 멈췄다 / 짧은 휴식을 위해 → 세 시간을 운전한 후에, Higgins씨는 짧은 휴식을 위해 멈췄다.

⊙ = **After** Mr. Higgins drove for three hours, she stopped for a short break.

어휘 break 몡 휴식

11 **Knowing** that Laura loved sweets, / Mason got / her a box of chocolates.

Laura가 단 것을 좋아한다는 것을 알았기 때문에 / Mason은 샀다 / 그녀에게 한 상자의 초콜릿을
→ Laura가 단 것을 좋아한다는 것을 알았기 때문에, Mason은 그녀에게 한 상자의 초콜릿을 샀다.

⊙ = **Because/since/as** Mason knew that Laura loved sweets, he got her a box of chocolates.
⊙ that ~ sweets는 현재분사 Knowing의 목적어 역할을 하는 명사절이다.
⊙ 「get+간접 목적어(her)+직접 목적어(a box of chocolates)」의 구조이다.

어휘 sweet 몡 단 것

12 The little girl knocked on her neighbor's door, / **wearing** a Halloween mask.

그 어린 여자아이는 그녀의 이웃의 문을 두드렸다 / 할로윈 가면을 쓴 채로 → 그 어린 여자아이는 할로윈 가면을 쓴 채로 그녀의 이웃의 문을 두드렸다.

⊙ = The little girl knocked on her neighbor's door **as** she wore a Halloween mask.

어휘 neighbor 몡 이웃

13 **Riding** slowly, / cyclists can reduce / the chance (of an accident).

만약 천천히 탄다면 / 자전거를 타는 사람들은 줄일 수 있다 / (사고의) 위험을 → 만약 천천히 탄다면, 자전거를 타는 사람들은 사고의 위험을 줄일 수 있다.

⊙ = **If** cyclists ride slowly, they can reduce the chance of an accident.

어휘 cyclist 몡 자전거를 타는 사람 reduce 동 줄이다 chance 몡 위험, 가능성 accident 몡 사고

14 **Chatting** with Alex, / Tilda learned a lot / about her other classmates.

Alex와 이야기를 나누는 동안 / Tilda는 많이 알게 되었다 / 그녀의 다른 반 친구들에 대해
→ Alex와 이야기를 나누는 동안, Tilda는 그녀의 다른 반 친구들에 대해 많이 알게 되었다.

⊙ = **While** Tilda chatted with Alex, she learned a lot about her other classmates.

15 **Arriving** at the shop, / Sophia went to the counter / to ask for a refund.

그 가게에 도착하자마자 / Sophia는 카운터에 갔다 / 환불을 요청하기 위해 → 그 가게에 도착하자마자, Sophia는 환불을 요청하기 위해 카운터에 갔다.

⊙ = **As soon as** Sophia arrived at the shop, she went to the counter to ask for a refund.
⊙ to부정사구 to ask for a refund는 목적을 나타내는 부사적 용법으로 쓰였다.

어휘 ask for ~을 요청하다 refund 몡 환불

16 **Walking** on stage, / the actor realized / he had forgotten his lines.

무대 위로 걸어가면서 / 그 배우는 깨달았다 / 그가 그의 대사를 잊었다는 것을 → 무대 위로 걸어가면서, 그 배우는 그의 대사를 잊었다는 것을 깨달았다.

⊙ = **As** the actor walked on stage, he realized he had forgotten his lines.
⊙ realized와 he 사이에는 명사절 접속사 that이 생략되어 있다.

어휘 realize 동 깨닫다 line 몡 대사

17 **Opening** the parcel, / I found / two jars of homemade jam and a letter.

그 소포를 열었을 때 / 나는 발견했다 / 두 병의 수제 잼과 한 장의 편지를 → 그 소포를 열었을 때, 나는 두 병의 수제 잼과 한 장의 편지를 발견했다.

⊙ = **When** I opened the parcel, I found two jars of homemade jam and a letter.

어휘 parcel 몡 소포

18 **Handing in** her resignation, / Ms. Kent started / packing her belongings.

그녀의 사직서를 제출하고 나서 / Kent씨는 시작했다 / 그녀의 소지품들을 싸기 → 그녀의 사직서를 제출하고 나서, Kent씨는 그녀의 소지품들을 싸기 시작했다.

○ = **After** Ms. Kent handed in her resignation, she started packing her belongings.

○ 동명사구 packing her belongings는 동사 started의 목적어로 쓰였으며, start는 동명사와 to부정사를 모두 목적어로 가진다.

어휘 resignation 몡 사직서 pack 동 싸다 belongings 몡 소지품

19 **Spending** more than $50 / on your order, / you will receive a free gift.

만약 50달러 이상 쓰면 / 너의 주문에 / 너는 무료 사은품을 받을 것이다 → 만약 너의 주문에 50달러 이상 쓰면, 너는 무료 사은품을 받을 것이다.

○ = **If** you spend more than $50 on your order, you will receive a free gift.

어휘 order 몡 주문 receive 동 받다

고난도
20 **Being** extremely small, / microplastics can enter the human body / through the air.

몹시 작기 때문에 / 미세 플라스틱은 인체에 들어갈 수 있다 / 공기를 통해 → 몹시 작기 때문에, 미세 플라스틱은 공기를 통해 인체에 들어갈 수 있다.

○ = **Because/since/as** microplastics are extremely small, they can enter the human body through the air.

○ 동사 enter는 전치사가 뒤에 오는 것처럼 해석되지만 실제로는 전치사를 쓰지 않는다. e.g. Microplastics can enter *to* ~. (X)

어휘 extremely 뷔 몹시 microplastic 몡 미세 플라스틱

40 다양한 형태의 분사구문 해석하기

본책 p.76

01 **Filled** with regret, / Josh tried to put things right. <모의응용>

후회로 가득 찬 채로 / Josh는 일을 바로잡으려고 노력했다

○ 「try+to-v」는 '~하려고 노력하다'라고 해석한다. cf. 「try+v-ing」: (시험 삼아) ~해보다

어휘 regret 몡 후회 put things right 일을 바로잡다

02 **Picked** too soon, / those watermelons are not ripe yet.

너무 빨리 따져서 / 저 수박들은 아직 익지 않았다

어휘 pick 동 따다 ripe 형 익은

03 **Bored** with the conversation, / Jessica changed the topic.

그 대화에 지겨워져서 / Jessica는 주제를 바꿨다

어휘 conversation 몡 대화

04 Ted blew out the candles (on his birthday cake), / **surrounded** by his friends.

Ted는 (그의 생일 케이크 위에 있는) 촛불을 불었다 / 그의 친구들에 의해 둘러싸인 채로
→ Ted는 그의 친구들에 의해 둘러싸인 채로 생일 케이크 위에 있는 촛불을 불었다.

어휘 blow 동 불다 surround 동 둘러싸다

05 **Washed** too frequently, / your jeans will wear out faster.

만약 너무 자주 세탁된다면 / 너의 청바지는 더 빠르게 낡을 것이다

어휘 frequently 뷔 자주 wear out 낡다, 마모되다

06 **Concerned** by the report, / the mayor called a meeting (with her advisors).

그 보고에 의해 걱정되어서 / 그 시장은 (그녀의 참모들과의) 회의를 소집했다

어휘 concern 동 걱정시키다 mayor 몡 시장 call a meeting 회의를 소집하다

[고난도]
07 **Practiced** regularly, / these meditation techniques can lower / your stress level.

만약 정기적으로 실천된다면 / 이 명상 기법들은 낮출 수 있다 / 너의 스트레스 지수를
→ 만약 정기적으로 실천된다면, 이 명상 기법들은 너의 스트레스 지수를 낮출 수 있다.

어휘 practice [동] 실천하다 regularly [부] 정기적으로 lower [동] 낮추다

08 *Night* **coming** on, / the orange light (of sunset) disappeared. <모의>

밤이 오면서 / (석양의) 오렌지 빛이 사라졌다

어휘 disappear [동] 사라지다

09 *The wind* **blowing** hard, / bigger waves formed / on the sea.

바람이 강하게 불면서 / 더 큰 파도가 형성되었다 / 바다 위에 → 바람이 강하게 불면서 바다 위에 더 큰 파도가 형성되었다.

어휘 form [동] 형성되다

10 *Their hands* **held** high, / the children are dancing / in a circle.

그들의 손이 높이 들린 채로 / 그 아이들은 춤추고 있다 / 원을 이루어 → 그 아이들은 손이 높이 들린 채로 원을 이루어 춤추고 있다.

11 *The food* (*in the fridge*) **running out**, / we decided / to buy some groceries.

(냉장고에 있는) 음식이 떨어져 가고 있어서 / 우리는 결정했다 / 약간의 식료품을 사기로
→ 냉장고에 있는 음식이 떨어져 가고 있어서 우리는 약간의 식료품을 사기로 결정했다.

● to부정사구 to buy some groceries는 동사 decided의 목적어로 쓰였다.

어휘 fridge [명] 냉장고 run out 떨어지다, 다 되다

12 *The weather* **being** nice enough, / Mars can be seen / from the Earth.

만약 날씨가 충분히 좋다면 / 화성은 보일 수 있다 / 지구에서 → 만약 날씨가 충분히 좋다면, 화성은 지구에서 보일 수 있다.

● 조동사가 있는 수동태는 「조동사+be+p.p.」의 형태이다.

어휘 Mars [명] 화성

13 *The Christmas season* **approaching**, / carols are playing / everywhere.

크리스마스 기간이 다가오면서 / 캐롤이 재생되고 있다 / 모든 곳에서 → 크리스마스 기간이 다가오면서 모든 곳에서 캐롤이 재생되고 있다.

어휘 approach [동] 다가오다

[고난도]
14 *The elevator* **being** out of order, / we had to take the stairs / all the way up to the tenth floor.

엘리베이터가 고장 나서 / 우리는 계단을 이용해야 했다 / 10층까지 내내 → 엘리베이터가 고장 나서 우리는 10층까지 내내 계단을 이용해야 했다.

어휘 out of order 고장 난 all the way 내내

15 *When* **using** a computer / for a long time, / blink your eyes often. <모의응용>

컴퓨터를 사용할 때 / 오랫동안 / 눈을 자주 깜빡여라 → 컴퓨터를 오랫동안 사용할 때, 눈을 자주 깜빡여라.

● 주어 없이 동사로 시작하는 명령문이다.

어휘 blink [동] 깜빡이다

16 *While* **listening** to the podcast, / Walter felt / like he was not alone.

팟캐스트를 듣는 동안 / Walter는 느꼈다 / 그가 혼자가 아닌 것처럼 → 팟캐스트를 듣는 동안, Walter는 그가 혼자가 아닌 것처럼 느꼈다.

17 *If* **maintained** properly, / leather boots can last / for a few years.

만약 적절하게 관리된다면 / 가죽 부츠는 지속될 수 있다 / 몇 년 동안 → 만약 적절하게 관리된다면, 가죽 부츠는 몇 년 동안 지속될 수 있다.

어휘 maintain [동] 관리하다 properly [부] 적절하게 leather [명] 가죽 last [동] 지속되다

18 *When* **cooked** with garlic and olive oil, / broccoli is more delicious.

마늘과 올리브 오일로 요리되었을 때 / 브로콜리는 더 맛있다

19 *After* **switching off** the TV, / Kenneth threw the remote control / onto the couch.

TV를 끈 후에 / Kenneth는 리모컨을 던졌다 / 소파에 → TV를 끈 후에 Kenneth는 리모컨을 소파에 던졌다.

○ after를 전치사, switching off를 동명사로 볼 수도 있다.

어휘 switch off 끄다 couch 圆 소파

고난도
20 *While* **planting** some flowers / in the garden, / Darren was stung / by a wasp.

몇몇 꽃을 심는 동안 / 정원에 / Darren은 쏘였다 / 말벌에 의해 → 정원에 몇몇 꽃을 심는 동안 Darren은 말벌에 의해 쏘였다.

어휘 plant 圄 심다 sting 圄 쏘다 wasp 圆 말벌

Chapter Test

본책 p.78

01 **Baked** *chicken* will be served / with **mashed** *potatoes*.

구워진 닭고기가 제공될 것이다 / 으깨진 감자와 함께 → 구워진 닭고기가 으깨진 감자와 함께 제공될 것이다.

어휘 bake 圄 굽다 serve 圄 제공하다 mash 圄 으깨다

02 The **changing** *color* (*of the leaves*) / attracts tourists / to my town.

변화하는 (잎들의) 색은 / 관광객을 끌어들인다 / 나의 동네로 → 변화하는 잎들의 색은 나의 동네로 관광객을 끌어들인다.

어휘 attract 圄 끌어들이다 tourist 圆 관광객

03 Vernon went to the laundromat / to get / his coat **dry-cleaned**.
　　　S　　V　　　　　　　M　　　　　　　　M

Vernon은 세탁소에 갔다 / (~되게) 하기 위해 / 그의 코트가 드라이클리닝 되게 → Vernon은 그의 코트가 드라이클리닝 되게 하기 위해 세탁소에 갔다.

○ to부정사구 to get ~ dry-cleaned는 목적을 나타내는 부사적 용법으로 쓰였다.

어휘 laundromat 圆 세탁소

04 **Kept** in a cooler / with ice packs, / the ice cream won't melt / for a few hours.

만약 아이스박스에 보관된다면 / 얼음주머니와 함께 / 그 아이스크림은 녹지 않을 것이다 / 몇 시간 동안
→ 만약 아이스박스에 얼음주머니와 함께 보관된다면, 그 아이스크림은 몇 시간 동안 녹지 않을 것이다.

어휘 cooler 圆 아이스박스 melt 圄 녹다

05 The city has experienced / a **shocking** *increase* (*in crime*) / this year.

그 도시는 경험했다 / (범죄에 있어서) 충격적인 증가를 / 올해 → 그 도시는 올해 범죄에 있어서 충격적인 증가를 경험했다.

어휘 experience 圄 경험하다 increase 圆 증가 crime 圆 범죄

06 They could feel / the ground **shaking** / during the earthquake.
　　S　　V　　　　　O　　　OC　　　　　M

그들은 느낄 수 있었다 / 땅이 흔들리고 있는 것을 / 지진 중에 → 그들은 지진 중에 땅이 흔들리고 있는 것을 느낄 수 있었다.

어휘 earthquake 圆 지진

07 **Having finished** his assignment, / Edward tidied up his desk.

그의 과제를 끝내고 난 후에 / Edward는 그의 책상을 정리했다

○ = After Edward **had finished** his assignment, he **tidied up** his desk.

어휘 assignment 圆 과제 tidy up 정리하다

08 *When* **speaking** to strangers online, / you should be cautious.

온라인에서 낯선 사람들에게 말할 때 / 너는 조심해야 한다

어휘 stranger 몡 낯선 사람 cautious 혱 조심하는, 신중한

09 Mindy accidentally left / the water **running** / in the bathroom sink.
　　　　 S　　　　M　　　V　　　 O　　　　　OC

Mindy는 실수로 뒀다 / 물이 흐르고 있는 채로 / 화장실 세면대에 → Mindy는 실수로 물이 화장실 세면대에 흐르고 있는 채로 뒀다.

어휘 accidentally 凰 실수로 run 통 흐르다

10 The archaeologists discovered / *tombs* (**containing** jewelry and artifacts).

그 고고학자들은 발견했다 / (보석과 공예품을 담고 있는) 무덤들을 → 그 고고학자들은 보석과 공예품을 담고 있는 무덤들을 발견했다.

어휘 archaeologist 몡 고고학자 discover 통 발견하다 tomb 몡 무덤 contain 통 담다, 포함하다 artifact 몡 공예품

11 **Being** awake first, / Oliver got up / and began to make breakfast.

맨 먼저 깨서 / Oliver는 일어났다 / 그리고 아침을 만들기 시작했다 → 맨 먼저 깨서, Oliver는 일어났고 아침을 만들기 시작했다.

○ = **Because/since/as** Oliver was awake first, he got up and began to make breakfast.
○ 동사 got up과 began이 등위접속사 and로 연결되어 병렬 구문을 이룬다.
○ to부정사구 to make breakfast는 동사 began의 목적어로 쓰였으며, begin은 to부정사와 동명사를 모두 목적어로 가진다.

12 **Judging from** her **relieved** *look*, / I think / Nancy heard good news.

그녀의 안도하는 표정으로 판단하건대 / 나는 생각한다 / Nancy가 좋은 소식을 들었다고
→ Nancy의 안도하는 표정으로 판단하건대, 나는 그녀가 좋은 소식을 들었다고 생각한다.

○ think와 Nancy 사이에는 명사절 접속사 that이 생략되어 있다.

어휘 relieved 혱 안도하는

13 Spectators were **surprised** / by the loud bang (outside the stadium).

관중들은 놀랐다 / (경기장 바깥의) 큰 쾅 소리에 의해 → 관중들은 경기장 바깥의 큰 쾅 소리에 의해 놀랐다.

어휘 bang 몡 쾅 소리

고난도
14 *Nobody* **having** any more questions, / Ms. Taylor continued her presentation.

아무도 더 이상 질문을 가지고 있지 않아서 / Taylor씨는 그녀의 발표를 계속했다

어휘 presentation 몡 발표

고난도
15 The scholar explained / the mathematical proof, / **writing** each step / on the whiteboard.

그 학자는 설명했다 / 그 수학적 증명을 / 각 단계를 적으면서 / 흰색 칠판에 → 그 학자는 흰색 칠판에 각 단계를 적으면서 그 수학적 증명을 설명했다.

○ = The scholar explained the mathematical proof, **as** he wrote each step on the whiteboard.

어휘 scholar 몡 학자 explain 통 설명하다 mathematical 혱 수학적 proof 몡 증명

CHAPTER 08 명사절

UNIT 41 that이 이끄는 명사절 해석하기

본책 p.80

01 **That** all stars earn a lot of money / is not true. <모의응용>
　　　S' V' O'　　　　　　　V SC
　　S

모든 스타들이 많은 돈을 번다는 것은 / 사실이 아니다

○ = It is not true **that** all stars earn a lot of money.
　 S(가주어) V SC　　　　　S' V' O'
　　　　　　　　　　　S(진주어)

어휘 earn 통 벌다

02 **That** George was having a difficult time / was obvious.
　　　S' V' O'　　　　　　V SC
　　S

George가 힘든 시간을 보내고 있었다는 것은 / 명백했다

○ = It was obvious **that** George was having a difficult time.
　 S(가주어) V SC　　　　　S' V' O'
　　　　　　　　　　　S(진주어)

어휘 obvious 형 명백한

03 **That** everyone is able to speak freely / is important.
　　　S' V' M'　　　　V SC
　　S

모든 사람이 자유롭게 말할 수 있다는 것은 / 중요하다

○ = It is important **that** everyone is able to speak freely.
　 S(가주어) V SC　　　　S' V' M'
　　　　　　　　　　　S(진주어)

어휘 important 형 중요한

04 It is exciting / **that** we will go on vacation soon.
　 S(가주어) V SC　　　S' V' 전치사 O'(전치사의 목적어) M'
　　　　　　　　　　S(진주어)

신난다 / 우리가 곧 휴가를 갈 것이라는 것은 → 우리가 곧 휴가를 갈 것이라는 것은 신난다.

05 **That** Michelle had refused the offer / really surprised me.
　　　S' V' O'　　　M V O
　　S

Michelle이 그 제안을 거절했었다는 것은 / 정말 나를 놀라게 했다

○ = It really surprised me **that** Michelle had refused the offer.
　 S(가주어) M V O　　　S' V' O'
　　　　　　　　　　S(진주어)

어휘 refuse 통 거절하다　offer 명 제안

06 It is vital / **that** the public has confidence / in the government.
　 S(가주어) V SC　　　S' V' O'　　　　　　M'
　　　　　　　　　　S(진주어)

중요하다 / 대중이 신뢰를 가진다는 것은 / 정부에 → 대중이 정부에 신뢰를 가진다는 것은 중요하다.

어휘 vital 형 중요한　public 명 대중　confidence 명 신뢰　government 명 정부

고난도
07 **That** Kyle won first prize / in the competition / made his parents proud.
　　　S' V' O'　　　　　M'　　　V O OC
　　S

Kyle이 1등상을 탔다는 것은 / 그 대회에서 / 그의 부모님을 자랑스럽게 만들었다 → Kyle이 그 대회에서 1등상을 탔다는 것은 그의 부모님을 자랑스럽게 만들었다.

○ = It made his parents proud **that** Kyle won first prize in the competition.
　 S(가주어) V O OC　　　S' V' O' M'
　　　　　　　　　　　S(신수어)

어휘 competition 명 대회

S′ V′ O′ M′

08 We know / **that** skin protects us / from heat, cold, and dirt. <모의응용>

S V O

우리는 안다 / 피부가 우리를 보호한다는 것을 / 더위, 추위, 그리고 먼지로부터 → 우리는 피부가 더위, 추위, 그리고 먼지로부터 우리를 보호한다는 것을 안다.

어휘 protect [동] 보호하다

S′ V′ SC′ M′

09 Chris said / **that** he might not be back / until tomorrow.

S V O

Chris는 말했다 / 그가 돌아오지 않을 수도 있다고 / 내일까지 → Chris는 내일까지 돌아오지 않을 수도 있다고 말했다.

S′ V′ O′

10 No one believes / **that** Mandy will keep her promise.

S V O

아무도 믿지 않는다 / Mandy가 그녀의 약속을 지킬 것이라고 → 아무도 Mandy가 그녀의 약속을 지킬 것이라고 믿지 않는다.

어휘 promise [명] 약속

S′ V′ M′

11 I reminded my sister / **that** our grandparents were coming / to visit us.

S V IO DO

나는 나의 여동생에게 상기시켰다 / 우리의 조부모님이 오실 것이라는 것을 / 우리를 방문하기 위해
→ 나는 나의 여동생에게 우리의 조부모님이 우리를 방문하기 위해 오실 것이라는 것을 상기시켰다.

● to부정사구 to visit us는 목적을 나타내는 부사적 용법으로 쓰였다.

어휘 remind [동] 상기시키다

S′ V′ M′

12 The charity hopes / **that** more people will donate / next year.

S V O

그 자선단체는 희망한다 / 더 많은 사람들이 기부할 것을 / 내년에 → 그 자선단체는 내년에 더 많은 사람들이 기부할 것을 희망한다.

어휘 charity [명] 자선단체 donate [동] 기부하다

S′ V′ SC′

13 The company understands / **that** its staff is the most valuable asset.

S V O

그 회사는 이해한다 / 그것의 직원이 가장 소중한 자산이라는 것을 → 그 회사는 그것의 직원이 가장 소중한 자산이라는 것을 이해한다.

● 「the+최상급」은 '가장 ~한/하게'라고 해석한다.

어휘 valuable [형] 소중한 asset [명] 자산

[고난도]

S′ V′ SC′

14 The doctor informed the patient / **that** an operation would be necessary.

S V IO DO

그 의사는 그 환자에게 알렸다 / 수술이 필요할 것이라고 → 그 의사는 그 환자에게 수술이 필요할 것이라고 알렸다.

어휘 inform [동] 알리다 necessary [형] 필요한

S′ V′ M′

15 The problem is / **that** we don't improve / by simply living. <모의>

S V SC

문제는 ~이다 / 우리가 나아지지 않는다는 것 / 단순히 살기만 함으로써 → 문제는 우리가 단순히 살기만 함으로써 나아지지 않는다는 것이다.

어휘 improve [동] 나아지다, 개선하다

V′

S′ M′

16 The point is / **that** the world is constantly changing.

S V SC

요점은 ~이다 / 세상이 끊임없이 변하고 있다는 것 → 요점은 세상이 끊임없이 변하고 있다는 것이다.

어휘 constantly [부] 끊임없이

S′ V′ O′ M′

17 Tom's wish would be / **that** he could meet Judy again.

S V SC

Tom의 바람은 ~일 것이다 / 그가 Judy를 다시 만날 수 있는 것 → Tom의 바람은 그가 Judy를 다시 만날 수 있는 것일 것이다.

18 The reality is / **that** most artists never become famous.
 S   V   SC

현실은 ~이다 / 대부분의 예술가들이 결코 유명해지지 않는다는 것 → 현실은 대부분의 예술가들이 결코 유명해지지 않는다는 것이다.

어휘 famous 웹 유명한

19 The bad news is / **that** our flight has been delayed / by three hours.
 S   V   SC   M

나쁜 소식은 ~이다 / 우리의 항공편이 지연되었다는 것 / 세 시간 → 나쁜 소식은 우리의 항공편이 세 시간 지연되었다는 것이다.

어휘 delay 통 지연시키다

고난도
20 The main concern was / **that** the heavy rain could cause flooding.
 S   V   SC

주요 걱정거리는 ~이었다 / 그 폭우가 범람을 야기할 수 있다는 것 → 주요 걱정거리는 그 폭우가 범람을 야기할 수 있다는 것이었다.

어휘 concern 명 걱정거리, 고민 cause 통 야기하다 flooding 명 범람, 홍수

UNIT 42 whether/if가 이끄는 명사절 해석하기

본책 p.82

01 **Whether** you are right or wrong / does not matter. <모의응용>
 S   V

네가 옳은지 그른지는 / 중요하지 않다

○ = It does not matter **whether** you are right or wrong.
 S(가주어) V   S(진주어)

어휘 matter 통 중요하다

02 **Whether** the fire was an accident / is being investigated.
 S   V

그 화재가 사고였는지는 / 조사되고 있다

○ = It is being investigated **whether** the fire was an accident.
 S(가주어) V   S(진주어)

어휘 accident 명 사고 investigate 통 조사하다

03 **Whether** you buy insurance for your trip / is up to you.
 S   V   SC

네가 너의 여행을 위해 보험을 구입하는지는 / 너에게 달려 있다

○ = It is up to you **whether** you buy insurance for your trip.
 S(가주어) V SC   S(진주어)

어휘 insurance 명 보험 up to ~에게 달려 있는, ~의 의무[책임]인

04 It is doubtful / **whether** the construction will be completed on schedule.
 S(가주어) V SC   S(진주어)

의문스럽다 / 그 공사가 예정대로 완료될 것인지는 → 그 공사가 예정대로 완료될 것인지는 의문스럽다.

어휘 doubtful 형 의문스러운 construction 명 공사 complete 통 완료하다 on schedule 예정대로

05 **Whether** or not Ms. Lewis accepts the job / depends on the salary.
 S   V 전치사 O′(전치사의 목적어)

Lewis씨가 그 일을 받아들이는지 아닌지는 / 급여에 달려 있다

○ = It depends on the salary **whether** or not Ms. Lewis accepts the job.
 S(가주어) V 전치사 O′(전치사의 목적어)   S(진주어)

어휘 accept 통 받아들이다 depend on ~에 달려 있다 salary 명 급여

[고난도]
06 It has long been debated / **whether** cloning animals should be allowed.

S(가주어) V S(진주어) M S′ V′

오래 논쟁되어 왔다 / 동물을 복제하는 것이 허용되어야 하는지는 → 동물을 복제하는 것이 허용되어야 하는지는 오래 논쟁되어 왔다.

- 동명사구 cloning animals는 절에서 주어 역할을 하고 있다.
- 조동사가 있는 수동태는 「조동사+be+p.p.」의 형태이다.

어휘 debate [동] 논쟁하다 allow [동] 허용하다

07 Jack asked / **whether[if]** he could stay up / to finish the book. <수능>

S V O S′ V′ M′

Jack은 물었다 / 그가 깨어 있을 수 있는지를 / 그 책을 끝내기 위해 → Jack은 그 책을 끝내기 위해 깨어 있을 수 있는지를 물었다.

- to부정사구 to finish the book은 목적을 나타내는 부사적 용법으로 쓰였다.

어휘 stay up (늦게까지) 깨어 있다

08 Beth was confused about / **whether** she should keep a pet. <모의응용>

S V SC 전치사 O′(전치사의 목적어) S′ V′ O′

Beth는 ~에 대해 혼란스러웠다 / 그녀가 반려동물을 키우는 것이 좋은지 → Beth는 반려동물을 키우는 것이 좋은지에 대해 혼란스러웠다.

어휘 confused [형] 혼란스러운

09 Lily doesn't know / **if** she cooked the dish correctly.

S V O S′ V′ O′ M′

Lily는 알지 못한다 / 그녀가 그 음식을 제대로 요리했는지를 → Lily는 그 음식을 제대로 요리했는지를 알지 못한다.

어휘 correctly [부] 제대로

10 My friends and I couldn't tell / **whether** Ashley was joking or not.

S V O S′ V′

나의 친구들과 나는 구분할 수 없었다 / Ashley가 농담하고 있었는지 아닌지를
→ 나의 친구들과 나는 Ashley가 농담하고 있었는지 아닌지를 구분할 수 없었다.

어휘 tell [동] 구분하다, 분간하다

11 Can you check / **if** the restaurant takes reservations?

S V O S′ V′ O′

확인해주겠니 / 그 식당이 예약을 받는지를 → 그 식당이 예약을 받는지를 확인해주겠니?

어휘 reservation [명] 예약

12 Employees must decide / **if** they want a desktop or a laptop.

S V O S′ V′ O′

직원들은 결정해야 한다 / 그들이 데스크톱을 원하는지 아니면 노트북을 원하는지를 → 직원들은 데스크톱을 원하는지 아니면 노트북을 원하는지를 결정해야 한다.

어휘 employee [명] 직원

[고난도]
13 The police have not commented on / **whether** anyone has been arrested.

S V 전치사 O′(전치사의 목적어) S′ V′

경찰은 ~에 대해 언급하지 않았다 / 누군가 체포되었는지 → 경찰은 누군가 체포되었는지에 대해 언급하지 않았다.

어휘 comment [동] 언급하다 arrest [동] 체포하다

14 The question is / **whether** emoticons help / users to communicate better. <모의응용>

S V SC S′ V′ O′ OC′

문제는 ~이다 / 이모티콘이 도와주는지 / 사용자가 더 잘 소통하도록 → 문제는 이모티콘이 사용자가 더 잘 소통하도록 도와주는지이다.

어휘 communicate [동] 소통하다

Chapter 08 명사절 • 해커스 완전 숙련 구문독해

15 The issue is / **whether** technology has more pros / than cons.
S   V   SC'   S'   V'   O'   M'

문제는 ~이다 / 기술이 더 많은 장점을 가지고 있는지 / 단점보다 → 문제는 기술이 단점보다 더 많은 장점을 가지고 있는지이다.

어휘 pros 圆 장점   cons 圆 단점

16 The choice is / **whether** you do the task alone / or ask for help.
S   V   SC'   S'   V'¹   O'¹   M'¹   V'²   O'²

선택은 ~이다 / 네가 그 일을 혼자 하는지 / 아니면 도움을 요청하는지 → 선택은 네가 그 일을 혼자 하는지 아니면 도움을 요청하는지이다.

○ 동사 do와 ask가 등위접속사 or로 연결되어 병렬 구문을 이룬다.

어휘 task 圆 일, 업무

17 Another consideration would be / **whether** there is enough space / at the venue.
S   V   SC'   V'   S'   M'

또 다른 고려사항은 ~일 것이다 / 충분한 공간이 있는지 / 그 장소에 → 또 다른 고려사항은 그 장소에 충분한 공간이 있는지일 것이다.

어휘 consideration 圆 고려사항   venue 圆 장소

고난도
18 The topic is / **whether** a person's character is shaped / by their environment.
S   V   SC'   S'   V'   M'

주제는 ~이다 / 사람의 성격이 형성되는지 / 그들의 환경에 의해 → 주제는 사람의 성격이 그들의 환경에 의해 형성되는지이다.

어휘 shape 图 형성하다   environment 圆 환경

UNIT 43 의문사가 이끄는 명사절 해석하기
본책 p.84

---

01 **Who** we are now / is a result (of the choices [we made]). <모의응용>
SC'   S'   V'   M'   S   V   SC

우리가 지금 누구인지는 / ([우리가 했던] 선택의) 결과이다

○ choices와 we 사이에는 목적격 관계대명사가 생략되어 있다.

02 Every player understands / **what** the yellow card means. <모의응용>
S   V   O'   S'   V'   O

모든 선수는 이해한다 / 노란색 카드가 무엇을 의미하는지를 → 모든 선수는 노란색 카드가 무엇을 의미하는지를 이해한다.

03 I could not see / **what** the difference was.
S   V   SC'   S'   V'   O

나는 볼 수 없었다 / 차이점이 무엇이었는지를 → 나는 차이점이 무엇이었는지를 볼 수 없었다.

어휘 difference 圆 차이점

04 **Whom** Rupert invites to his party / is none of our business.
O'   S'   V'   M'   S   V   SC

Rupert가 누구를 그의 파티에 초대하는지는 / 우리가 상관할 일이 아니다

○ be none of one's business는 '~가 상관할 일이 아니다'라고 해석한다.

05 The man looked at the options / and asked / **which** was best.
S   V¹   O¹   V²   S'   V'   SC'   O²

그 남자는 선택사항들을 봤다 / 그리고 물었다 / 어느 것이 가장 좋은지를 → 그 남자는 선택사항들을 봤고, 어느 것이 가장 좋은지를 물었다.

○ 동사 looked와 asked가 등위접속사 and로 연결되어 병렬 구문을 이룬다.

06 The audience was guessing / **who** the singer (behind the curtain) was.
S   V   SC'   S'   V'   O

관객은 추측하고 있었다 / (커튼 뒤의) 가수가 누구인지를 → 관객은 커튼 뒤의 가수가 누구인지를 추측하고 있었다.

고난도
07 Ms. Brown's only interest is / **what** will bring happiness / to her children.

Brown씨의 유일한 관심사는 ~이다 / 무엇이 행복함을 가져다줄지 / 그녀의 아이들에게
→ Brown씨의 유일한 관심사는 무엇이 그녀의 아이들에게 행복함을 가져다줄지이다.

어휘 interest 몡 관심사

08 I couldn't decide / **which** activities should be dropped. <수능용용>

나는 결정할 수 없었다 / 어느 활동이 빠져야 하는지를 → 나는 어느 활동이 빠져야 하는지를 결정할 수 없었다.

○ 조동사가 있는 수동태는 「조동사+be+p.p.」의 형태이다.

어휘 activity 몡 활동 drop 통 빼다

09 We will find out / **what** sites our customers visit / most often. <모의용용>

우리는 찾아낼 것이다 / 우리의 고객들이 무슨 사이트를 방문하는지를 / 가장 자주
→ 우리는 우리의 고객들이 무슨 사이트를 가장 자주 방문하는지를 찾아낼 것이다.

어휘 customer 몡 고객

10 The salesclerk recorded / **whose** order was picked up.

그 점원은 기록했다 / 누구의 주문이 찾아가 졌는지를 → 그 점원은 누구의 주문이 찾아가 졌는지를 기록했다.

어휘 salesclerk 몡 점원 record 통 기록하다 order 몡 주문(품) pick up 찾아가다

11 **Which** team we will face first / hasn't been announced yet.

우리가 어느 팀을 먼저 상대할 것인지는 / 아직 발표되지 않았다

어휘 face 통 상대하다, 대면하다 announce 통 발표하다

고난도
12 Think about / **what** kind of person you are / and **what** strengths you have.

~에 대해서 생각해봐라 / 네가 무슨 종류의 사람인지 그리고 네가 무슨 강점을 가지고 있는지
→ 네가 무슨 종류의 사람인지 그리고 네가 무슨 강점을 가지고 있는지에 대해서 생각해봐라.

○ 주어 없이 동사로 시작하는 명령문이다.
○ 명사절 what ~ are와 what ~ have가 등위접속사 and로 연결되어 병렬 구문을 이룬다.

어휘 strength 몡 강점

13 **When** we eat / also impacts / our body weight. <모의용용>

우리가 언제 식사하는지 / 또한 영향을 준다 / 우리의 몸무게에 → 우리가 언제 식사하는지 또한 우리의 몸무게에 영향을 준다.

어휘 impact 통 영향을 주다

14 A key factor (in a student's success) is / **how fast** they learn.

(학생의 성공에 있어서) 중요한 요인은 ~이다 / 그들이 얼마나 빠르게 배우는지 → 학생의 성공에 있어서 중요한 요인은 그들이 얼마나 빠르게 배우는지이다.

어휘 key 몡 중요한 factor 몡 요인 success 몡 성공

15 They couldn't even remember / **why** the argument had started.

그들은 심지어 기억할 수 없었다 / 그 논쟁이 왜 시작되었었는지를 → 그들은 심지어 그 논쟁이 왜 시작되었었는지를 기억할 수 없었다.

어휘 argument 몡 논쟁

16 **When** the conference will take place / hasn't been settled yet.

회의가 언제 열릴지는 / 아직 결정되지 않았다

어휘 conference 명 회의 take place 열리다 settle 통 결정하다

17 Examples (in the dictionary) / show you / **how** words are used.

(사전에 있는) 예시들은 / 너에게 보여준다 / 단어들이 어떻게 사용되는지를 → 사전에 있는 예시들은 너에게 단어들이 어떻게 사용되는지를 보여준다.

어휘 example 명 예시 dictionary 명 사전

고난도
18 **Where** the ancient Egyptians buried Cleopatra / remains a mystery.

고대 이집트인들이 어디에 클레오파트라를 묻었는지는 / 수수께끼로 남아 있다

어휘 ancient 형 고대의 bury 통 묻다

Chapter Test

본책 p.86

01 I forgot / **that** Alex had already given me / his address.

나는 잊었다 / Alex가 이미 나에게 줬다는 것을 / 그의 주소를 → 나는 Alex가 이미 나에게 그의 주소를 줬다는 것을 잊었다.

어휘 address 명 주소

02 **That** the city has excellent public transportation / is helpful.

그 도시가 훌륭한 대중 교통을 가지고 있다는 것은 / 도움이 된다
○ = It is helpful **that** the city has excellent public transportation.
  S(가주어) V SC   S(진주어)

어휘 public transportation 명 대중 교통

03 We could not hear / **what** Peter was saying / at the time.

우리는 들을 수 없었다 / Peter가 무엇을 말하고 있었는지를 / 그때 → 우리는 그때 Peter가 무엇을 말하고 있었는지를 들을 수 없었다.

04 **Whether** the species is a native (of the island) / is uncertain.

그 종이 (그 섬의) 토착종인지는 / 확실하지 않다
○ = It is uncertain **whether** the species is a native of the island.
  S(가주어) V SC   S(진주어)

어휘 species 명 종 native 명 토착종, 자생종 uncertain 형 확실하지 않은

05 The worry is / **that** they will not be able to repay the debt.

걱정은 ~이다 / 그들이 그 빚을 갚을 수 없을 것이라는 것 → 걱정은 그들이 그 빚을 갚을 수 없을 것이라는 것이다.

어휘 repay 통 갚다 debt 명 빚

06 The jury will determine / **if** the suspect is guilty or not.

배심원단이 결정할 것이다 / 그 용의자가 유죄인지 아닌지를 → 배심원단이 그 용의자가 유죄인지 아닌지를 결정할 것이다.

어휘 determine 통 결정하다 suspect 명 용의자 guilty 형 유죄의

07 Frank thought it strange / **that** Joan hadn't called him / for two days.
S · V · O(가목적어) · OC · O(진목적어)

Frank는 이상하다고 생각했다 / Joan이 그에게 전화하지 않았다는 것이 / 이틀 동안

→ Frank는 Joan이 그에게 이틀 동안 전화하지 않았다는 것이 이상하다고 생각했다.

어휘 strange 뒝 이상한

08 Scientists examine the bones (of dinosaurs) / and imagine / **how** they lived.
S · V¹ · O¹ · V² · O²

과학자들은 (공룡들의) 뼈를 조사한다 / 그리고 상상한다 / 그것들이 어떻게 살았는지를

→ 과학자들은 공룡들의 뼈를 조사하고 그것들이 어떻게 살았는지를 상상한다.

○ 동사 examine과 imagine이 등위접속사 and로 연결되어 병렬 구문을 이룬다.

어휘 examine 뙝 조사하다   imagine 뙝 상상하다

09 Many people wonder / **when** they will meet their other half.
S · V · O

많은 사람들이 궁금해한다 / 그들이 언제 그들의 반쪽을 만날 것인지를 → 많은 사람들이 언제 그들의 반쪽을 만날 것인지를 궁금해한다.

어휘 wonder 뙝 궁금해하다   other half 뙝 반쪽, 반려자

10 Monica's concern is / **which** subject she should choose / as a major.
S · V · O' · S' · V' · M' · SC

Monica의 고민은 ~이다 / 그녀가 어느 과목을 선택해야 하는지 / 전공으로 → Monica의 고민은 그녀가 전공으로 어느 과목을 선택해야 하는지이다.

어휘 subject 뙝 과목   major 뙝 전공

11 Nobody could figure out / **why** Teresa left in such a hurry.
S · V · O

아무도 알 수 없었다 / Teresa가 왜 그렇게 서둘러 떠났는지를 → 아무도 Teresa가 왜 그렇게 서둘러 떠났는지를 알 수 없었다.

어휘 figure out 알다, 이해하다

12 **How satisfied** you are with your life / is partly influenced by your personality.
S · V' · M' · V · M

네가 너의 삶에 얼마나 만족하는지는 / 부분적으로 너의 성격에 의해 영향받는다

어휘 satisfied 뙝 만족하는   influence 뙝 영향을 주다   personality 뙝 성격

13 The big question (on everyone's mind) is / **who** will be the next president.
S · V · S' · V' · SC'

(모든 사람의 마음에 있는) 큰 질문은 ~이다 / 누가 다음 대통령이 될 것인지 → 모든 사람의 마음에 있는 큰 질문은 누가 다음 대통령이 될 것인지이다.

어휘 president 뙝 대통령

고난도
14 Health experts disagree over / **whether** it is good / to drink milk every day.
S · V · 전치사 · S'(가주어) · V' · SC' · S'(진주어) · O'(전치사의 목적어)

건강 전문가들은 ~에 대해 의견이 다르다 / 좋은지 / 매일 우유를 마시는 것이 → 건강 전문가들은 매일 우유를 마시는 것이 좋은지에 대해 의견이 다르다.

어휘 expert 뙝 전문가   disagree 뙝 의견이 다르다, 동의하지 않다

고난도
15 The teachers were discussing / **what** supplies would be needed / for the art class.
S · V · S' · V' · M' · O

그 선생님들은 논의하고 있었다 / 무슨 용품이 필요할 것인지를 / 미술 수업에 → 그 선생님들은 미술 수업에 무슨 용품이 필요할 것인지를 논의하고 있었다.

어휘 discuss 뙝 논의하다   supply 뙝 용품, 물품

CHAPTER 09 관계사절

UNIT 44 주격 관계대명사절 해석하기

본책 p.88

01 Blinking is / *an action* [**that protects the eyes**]. <모의>

눈을 깜빡이는 것은 ~이다 / [눈을 보호하는] 행동 → 눈을 깜빡이는 것은 눈을 보호하는 행동이다.

- ← Blinking is *an action.* + *It* protects the eyes.
- 동명사 Blinking은 문장에서 주어 역할을 하고 있다.

어휘 blink [동] 눈을 깜빡이다

02 The café is making / *changes* [**which will improve business**].

그 카페는 만들고 있다 / [사업을 증진시킬] 변화를 → 그 카페는 사업을 증진시킬 변화를 만들고 있다.

어휘 improve [동] 증진시키다, 개선하다

03 Ms. Styles bought / *a holiday package* [**that includes a trip** (**to an island**)].

Styles씨는 구입했다 / [(섬으로의) 여행을 포함하는] 휴가 패키지 여행을 → Styles씨는 섬으로의 여행을 포함하는 휴가 패키지 여행을 구입했다.

어휘 package [명] 패키지 여행 include [동] 포함하다

04 Astronomers are / *scientists* [**who study how the universe works**].

천문학자들은 ~이다 / [우주가 어떻게 돌아가는지를 연구하는] 과학자 → 천문학자들은 우주가 어떻게 돌아가는지를 연구하는 과학자이다.

- how ~ works는 동사 study의 목적어 역할을 하는 명사절이다.

어휘 astronomer [명] 천문학자 universe [명] 우주 work [동] (일, 상황 등이) 돌아가다, 되어 가다

05 Doctors say / we should eat / *food* [**that contains fiber**].

의사들은 말한다 / 우리가 먹는 것이 좋다고 / [섬유질을 함유한] 음식을 → 의사들은 우리가 섬유질을 함유한 음식을 먹는 것이 좋다고 말한다.

- say와 we 사이에는 명사절 접속사 that이 생략되어 있다.

어휘 contain [동] 함유하다

06 *A giant wave* [**which originates from an earthquake**] / is called a tsunami.

[지진에서 비롯되는] 거대한 파도는 / 쓰나미라고 불린다

- 「call+목적어(a giant wave ~ earthquake)+목적격 보어(a tsunami)」의 구조가 수동태로 바뀐 문장이다.

어휘 originate [동] 비롯되다 earthquake [명] 지진

07 We are going to watch / *a film* [**that received many excellent reviews**].

우리는 볼 것이다 / [많은 훌륭한 평을 받았던] 영화를 → 우리는 많은 훌륭한 평을 받았던 영화를 볼 것이다.

어휘 receive [동] 받다 review [명] 평, 후기

08 Napoleon Bonaparte was / *an emperor* [**who led the French army**].

나폴레옹 보나파르트는 ~였다 / [프랑스 군대를 이끌었던] 황제 → 나폴레옹 보나파르트는 프랑스 군대를 이끌었던 황제였다.

어휘 emperor 명 황제

09 There was / *a dog* [**which had the habit of biting anyone nearby**]. <모의응용>

~가 있었다 / [근처에 있는 누구든지 무는 버릇을 가진] 개 → 근처에 있는 누구든지 무는 버릇을 가진 개가 있었다.

❍ biting anyone nearby는 habit을 부연 설명하는 동격의 동명사구이다.

어휘 habit 명 버릇 bite 동 물다

10 The company plans / to control *mosquitoes* [**that carry dangerous viruses**].

그 회사는 계획한다 / [위험한 바이러스를 나르는] 모기를 방제하는 것을 → 그 회사는 위험한 바이러스를 나르는 모기를 방제하는 것을 계획한다.

❍ to부정사구 to control ~ viruses는 동사 plans의 목적어로 쓰였다.

어휘 control 동 방제하다, 저지하다 mosquito 명 모기

UNIT 45 목적격 관계대명사절 해석하기

본책 p.89

01 *The woman* [**who(m) the waiter served**] / ordered salmon steak.

[그 웨이터가 응대했던] 여자는 / 연어 스테이크를 주문했다

❍ ← *The woman* ordered salmon steak. + The waiter served *her*.

어휘 serve 동 응대하다 order 동 주문하다 salmon 명 연어

02 *The party* [**which I attended**] / was a formal event.

[내가 참석했던] 파티는 / 공식적인 행사였다

어휘 attend 동 참석하다 formal 형 공식적인

03 *The tree* [**that I planted last summer**] / is getting bigger.

[지난여름에 내가 심었던] 나무는 / 커지고 있다

어휘 plant 동 심다

04 Wolves (in groups) can do / *things* [**that no single wolf can do**]. <모의응용>

(무리를 이루는) 늑대들은 할 수 있다 / [한 마리의 늑대가 할 수 없는] 것들을 → 무리를 이루는 늑대들은 한 마리의 늑대가 할 수 없는 것들을 할 수 있다.

05 There was an error / on *the photocopies* [**which the presenter handed out**].

오류가 있었다 / [발표자가 나눠줬던] 복사본에 → 발표자가 나눠줬던 복사본에 오류가 있었다.

어휘 photocopy 명 복사본 presenter 명 발표자 hand out 동 나눠주다

06 George is proud of / *the medal* [**that he won at the competition**].

George는 자랑스러워한다 / [그가 시합에서 땄던] 메달을 → George는 시합에서 땄던 메달을 자랑스러워한다.

어휘 competition 명 시합

07 *The book* [**which I read for the report**] / was very entertaining.

[보고서를 위해 내가 읽었던] 책은 / 매우 재미있었다

어휘 entertaining 혱 재미있는

08 They showed us / a photo (of *the person* [**whom they were looking for**]).

그들은 우리에게 보여줬다 / ([그들이 찾고 있었던] 사람의) 사진을 → 그들은 우리에게 그들이 찾고 있었던 사람의 사진을 보여줬다.

● 「show+간접 목적어(us)+직접 목적어(a photo ~ for)」의 구조이다.

09 Yesterday, / I bumped into / *a childhood friend* [**whom I hadn't seen for ages**].

어제 / 나는 우연히 만났다 / [내가 오랫동안 보지 못했었던] 어린 시절 친구를 → 어제 나는 오랫동안 보지 못했었던 어린 시절 친구를 우연히 만났다.

어휘 bump into ~를 우연히 만나다 for ages 오랫동안

10 *The wooden horse* [**that the Trojans brought into the city**] / was full of soldiers.

[트로이 사람들이 도시 안으로 가져왔던] 목마는 / 군인들로 가득 차 있었다

어휘 soldier 몡 군인

11 *The cereal* [**which I like**] / is out of stock / at the grocery store.

[내가 좋아하는] 시리얼이 / 매진이다 / 식료품 가게에 → 내가 좋아하는 시리얼이 식료품 가게에 매진이다.

어휘 out of stock 매진된 grocery 몡 식료품

12 *The applicants* [**who the manager contacts**] / will visit the office / for an interview.

[책임자가 연락하는] 지원자들은 / 사무실에 방문할 것이다 / 면접을 위해 → 책임자가 연락하는 지원자들은 면접을 위해 사무실에 방문할 것이다.

어휘 applicant 몡 지원자 contact 통 연락하다

고난도
13 *An Australian lady* [**whom everyone found inspiring**] / gave a lecture. <모의응용>

[모두가 영감을 불러일으킨다고 생각했던] 한 호주 여성이 / 강연을 했다

● 「find+목적어(an Australian lady)+목적격 보어(inspiring)」의 구조에서 바뀐 관계사절이다.

어휘 inspiring 혱 영감을 불러일으키는 lecture 몡 강연

14 *The client* [**whom I offered advice to**] / was satisfied with the outcome.

[내가 조언을 제공했던] 의뢰인은 / 결과에 만족했다 → 내가 조언을 제공했던 의뢰인은 결과에 만족했다.

● ← *The client* was satisfied with the outcome. + I offered advice to *him*.

어휘 client 몡 의뢰인 offer 통 제공하다 satisfied 혱 만족하는 outcome 몡 결과

15 Is there *anything* [**that I can help you with**]? <모의>

[내가 너를 도울 수 있는] 무언가가 있을까?

16 *The man* [**with whom I am traveling**] / is fluent in French.

[내가 함께 여행하고 있는] 남자는 / 프랑스어에 유창하다

어휘 fluent 혱 유창한

17 *The company* [**for which Dina works**] / provides great employee benefits.

[Dina가 일하는] 회사는 / 아주 좋은 복리 후생을 제공한다

어휘 provide [동] 제공하다 employee benefit 복리 후생, 사원 혜택

18 Sara shared her sandwich / with *the boy* [**whom she sat beside**].

Sara는 그녀의 샌드위치를 나누었다 / [그녀가 옆에 앉은] 소년과 → Sara는 옆에 앉은 소년과 그녀의 샌드위치를 나누었다.

19 The author's mother is / *the person* [**to whom the book is dedicated**].

그 작가의 어머니는 ~이다 / [그 책이 헌정된] 사람 → 그 작가의 어머니는 그 책이 헌정된 사람이다.

어휘 author [명] 작가 dedicate [동] 헌정하다, 바치다

20 Mr. Garcia did a good job / of managing / *the team* [**that he was in charge of**].

Garcia씨는 잘했다 / 관리하는 것을 / [그가 담당했던] 팀을 → Garcia씨는 담당했던 팀을 관리하는 것을 잘했다.

• 동명사구 managing ~ of는 전치사 of의 목적어로 쓰였다.

어휘 do a good job 잘하다 in charge 담당하는, 책임지는

21 Air is not / *the only medium* [**which sound is carried through**]. <모의>

공기는 ~가 아니다 / [소리가 전달되는] 유일한 매개체 → 공기는 소리가 전달되는 유일한 매개체가 아니다.

어휘 medium [명] 매개체

[고난도]
22 The firm needs to renegotiate / with *the supplier* [**from which it buys materials**].

그 회사는 재협상해야 한다 / [그것이 재료를 구입하는] 공급업체와 → 그 회사는 재료를 구입하는 공급업체와 재협상해야 한다.

• to부정사구 to renegotiate ~ materials는 동사 needs의 목적어로 쓰였다.

어휘 renegotiate [동] 재협상하다 supplier [명] 공급업체 material [명] 재료

UNIT 46 소유격 관계대명사절 해석하기

본책 p.91

01 He was / *a historian* [**whose work was focused on business history**]. <모의응용>

그는 ~였다 / [연구가 경영사에 집중되어 있었던] 사학자 → 그는 연구가 경영사에 집중되어 있었던 사학자였다.

• ← He was *a historian*. + *His* work was focused on business history.

어휘 historian [명] 사학자

02 We saw / *a boy* [**whose hair was dyed purple**].

우리는 봤다 / [머리가 보라색으로 염색된] 남자아이를 → 우리는 머리가 보라색으로 염색된 남자아이를 봤다.

어휘 dye [동] 염색하다

03 Ms. Freeman is / *a very busy CEO* [**whose time is valuable**].

Freeman씨는 ~이다 / [시간이 귀한] 매우 바쁜 최고 경영자 → Freeman씨는 시간이 귀한 매우 바쁜 최고 경영자이다.

어휘 valuable [형] 귀한

04 We are looking for / *a dentist* [**whose prices are affordable**].

우리는 ~를 찾고 있다 / [가격이 적당한] 치과 → 우리는 가격이 적당한 치과를 찾고 있다.

어휘 affordable 휑 적당한

05 Lucy wishes to marry / *someone* [**whose lifestyle is similar to hers**]. <모의응용>

Lucy는 결혼하기를 바란다 / [생활 방식이 그녀의 것과 비슷한] 누군가와 → Lucy는 생활 방식이 그녀의 것과 비슷한 누군가와 결혼하기를 바란다.

❍ to부정사구 to marry ~ hers는 동사 wishes의 목적어로 쓰였다.
❍ her lifestyle 대신 소유대명사 hers가 쓰였다.

어휘 similar 휑 비슷한

06 Blackbeard was / *a pirate* [**whose real name was Edward Teach**].

검은 수염은 ~이었다 / [실제 이름이 Edward Teach인] 해적 → 검은 수염은 실제 이름이 Edward Teach인 해적이었다.

어휘 pirate 휑 해적

07 Some technologies can revive / *patients* [**whose hearts have stopped**]. <모의응용>

몇몇 기술은 소생시킬 수 있다 / [심장이 멈춘] 환자들을 → 몇몇 기술은 심장이 멈춘 환자들을 소생시킬 수 있다.

어휘 revive 통 소생시키다

08 I have / *a friend* [**whose dream is to become a programmer**].

나는 가지고 있다 / [꿈이 프로그래머가 되는 것인] 친구를 → 나는 꿈이 프로그래머가 되는 것인 친구를 가지고 있다.

❍ to부정사구 to become a programmer는 주격 보어 역할을 하고 있다.

09 A cartographer is / *an individual* [**whose job involves creating maps**].

지도 제작자는 ~이다 / [업무가 지도를 만드는 것을 수반하는] 사람 → 지도 제작자는 업무가 지도를 만드는 것을 수반하는 사람이다.

❍ 동명사구 creating maps는 동사 involves의 목적어로 쓰였다.

어휘 individual 휑 사람, 개인 involve 통 수반하다

10 They visited / *a castle* [**whose walls were covered with paintings**].

그들은 방문했다 / [벽이 그림으로 덮인] 성을 → 그들은 벽이 그림으로 덮인 성을 방문했다.

11 The hospital employs / *nurses* [**whose services are provided to the elderly**].

그 병원은 고용한다 / [서비스가 나이 든 사람들에게 제공되는] 간호사들을 → 그 병원은 서비스가 나이 든 사람들에게 제공되는 간호사들을 고용한다.

❍ 「the+형용사」는 '~한 사람들'이라고 해석한다.

어휘 employ 통 고용하다 elderly 휑 나이 든

고난도
12 *Children* [**whose parents are bilingual**] / are likely to speak / a second language.

[부모가 두 개의 언어를 할 줄 하는] 아이들은 / 구사할 가능성이 높다 / 제2언어를 → 부모가 두 개의 언어를 할 줄 하는 아이들은 제2언어를 구사할 가능성이 높다.

❍ 「be likely+to-v」는 '~할 가능성이 높다, ~할 것 같다'라고 해석한다.

어휘 bilingual 휑 두 개의 언어를 할 줄 아는

고난도
13 The restaurant offers / *a new menu* [**whose selections include a variety of vegetarian dishes**].

그 식당은 제공한다 / [선택권이 다양한 채식 요리를 포함하는] 새로운 메뉴를 → 그 식당은 선택권이 다양한 채식 요리를 포함하는 새로운 메뉴를 제공한다.

어휘 a variety of 다양한 vegetarian 휑 채식의

UNIT 47 관계대명사 what절 해석하기

본책 p.92

01 **What causes a person to be inactive** / is a lack of goals. <모의>
       S   V   SC

사람을 소극적이게 하는 것은 / 목표의 부족이다

❍ 「cause+목적어(a person)+목적격 보어(to be inactive)」의 구조이다.

어휘 cause 통 ~하게 하다, 야기하다   inactive 형 소극적인   lack 명 부족

02 **What they are proposing** / might not be legal.
      S   V   SC

그들이 제안하고 있는 것은 / 합법적이지 않을 수도 있다

어휘 propose 통 제안하다   legal 형 합법적인

03 **What you mentioned earlier** / is still on my mind.
      S   V M   SC

네가 이전에 말했던 것이 / 여전히 나의 마음에 걸린다

어휘 mention 통 말하다, 언급하다

04 **What I am trying to do** / is to arrange programs (for the kids). <모의응용>
      S   V   SC

내가 하려고 노력하고 있는 것은 / (아이들을 위한) 프로그램을 준비하는 것이다

❍ 「try+to-v」는 '~하려고 노력하다'라고 해석한다. cf. 「try+v-ing」: (시험 삼아) ~해보다

어휘 arrange 통 준비하다

05 **What we read** / influences our perspective (on the world).
      S   V   O

우리가 읽는 것은 / (세상에 대한) 우리의 관점에 영향을 준다

어휘 influence 통 영향을 주다   perspective 명 관점

고난도
06 **What is clear** / is that a misunderstanding has occurred / during the conversation. <모의응용>
      S   V   SC

분명한 것은 / 오해가 발생했다는 것이다 / 대화 중에 → 분명한 것은 대화 중에 오해가 발생했다는 것이다.

어휘 misunderstanding 명 오해   occur 통 발생하다   conversation 명 대화

07 Many radio listeners believed / **what they heard on the radio.** <모의응용>
      S   V   O

많은 라디오 청취자들이 믿었다 / 그들이 라디오에서 들었던 것을 → 많은 라디오 청취자들이 라디오에서 들었던 것을 믿었다.

08 We easily forget / **what is not important to us.**
   S M   V   O

우리는 쉽게 잊어버린다 / 우리에게 중요하지 않은 것을 → 우리는 우리에게 중요하지 않은 것을 쉽게 잊어버린다.

09 Freedom allows / people to do **what they love.**
    S   V   O   OC

자유는 허락한다 / 사람들이 그들이 좋아하는 것을 하도록 → 자유는 사람들이 그들이 좋아하는 것을 하도록 허락한다.

❍ 「allow+목적어(people)+목적격 보어(to do ~ love)」의 구조이다.

어휘 allow 통 허락하다

10 The clerk gave me / exactly **what I asked for**.
　　　S　　V　　IO　　　　　　　DO

그 점원은 나에게 줬다 / 정확히 내가 요청했던 것을 → 그 점원은 나에게 정확히 내가 요청했던 것을 줬다.

어휘 clerk 圕 점원　exactly 凰 정확히

11 Maria still remembers / **what her grandfather said** / **when she was five**.
　　　S　　M　　V　　　　　　　　　　O

Maria는 여전히 기억한다 / 그녀의 할아버지가 말씀하셨던 것을 / 그녀가 다섯 살이었을 때
→ Maria는 그녀가 다섯 살이었을 때 그녀의 할아버지가 말씀하셨던 것을 여전히 기억한다.

12 You cannot separate / your thoughts / from **what you actually experienced**. <모의>
　　　S　　V　　　　　O　　　전치사　　　O'(전치사의 목적어)

너는 분리할 수 없다 / 너의 생각을 / 네가 실제로 경험했던 것으로부터 → 너는 너의 생각을 네가 실제로 경험했던 것으로부터 분리할 수 없다.

어휘 separate 圐 분리하다　actually 凰 실제로　experience 圐 경험하다, 겪다

_{고난도}
13 The interns got / a chance (to use **what they've learned from their mentors**).
　　　S　　V　　　　　　　V'　　　　　　　O
　　　　　　　　　　　　　　　　O

그 인턴들은 가졌다 / (그들이 그들의 멘토로부터 배운 것을 활용할) 기회를 → 그 인턴들은 그들의 멘토로부터 배운 것을 활용할 기회를 가졌다.

❍ to부정사구 to use ~ mentors는 chance를 꾸며주는 형용사적 용법으로 쓰였다.

14 Playing tennis was / **what I did most outside of work**. <모의응용>
　　　S　　V　　　　　SC

테니스를 치는 것은 ~이었다 / 내가 일 외에 가장 많이 한 것 → 테니스를 치는 것은 내가 일 외에 가장 많이 한 것이었다.

❍ 동명사구 Playing tennis는 문장에서 주어 역할을 하고 있다.

15 These dresses are / **what the ancient Greeks wore**. <모의>
　　　S　　V　　　　SC

이 옷들은 ~이다 / 고대 그리스인들이 입었던 것 → 이 옷들은 고대 그리스인들이 입었던 것이다.

어휘 ancient 圐 고대의

16 Homework is / **what most students dislike about school**.
　　　S　　V　　　　SC

숙제는 ~이다 / 대부분의 학생들이 학교에 대해 싫어하는 것 → 숙제는 대부분의 학생들이 학교에 대해 싫어하는 것이다.

어휘 dislike 圐 싫어하다

17 Taking one at a time is / **what you need to concentrate on**.
　　　S　　　　　　V　　　　SC

한 번에 한 가지만 취하는 것은 ~이다 / 네가 집중해야 하는 것 → 한 번에 한 가지만 취하는 것은 네가 집중해야 하는 것이다.

❍ 동명사구 Taking ~ time은 문장에서 주어 역할을 하고 있다.
❍ to부정사구 to concentrate on은 동사 need의 목적어로 쓰였다.

어휘 concentrate 圐 집중하다

18 Getting to see you is / **what made the trip worthwhile**.
　　　S　　　　　　V　　　　SC

너를 보게 된 것은 ~이다 / 여행을 가치 있게 만든 것 → 너를 보게 된 것이 여행을 가치 있게 만든 것이다.

❍ 동명사구 Getting ~ you는 문장에서 주어 역할을 하고 있다.
❍ 「make+목적어(the trip)+목적격 보어(worthwhile)」의 구조이다.

어휘 worthwhile 圐 가치 있는

19 To be proficient in a language, / practice is / **what matters the most**.
　　　　　　　M　　　　　　　　S　　V　　　　SC

언어에 능숙해지기 위해 / 연습이 ~이다 / 가장 중요한 것 → 언어에 능숙해지기 위해서는, 연습이 가장 중요한 것이다.

❍ to부정사구 To be ~ language는 목적을 나타내는 부사적 용법으로 쓰였다.

고난도
20 Life is / **what happens to you** / **while you're busy making other plans.** – John Lennon
S   V   SC

삶은 ~이다 / 너에게 일어나는 것 / 네가 다른 계획들을 세우느라 바쁜 동안 → 삶은 네가 다른 계획들을 세우느라 바쁜 동안 너에게 일어나는 것이다.

❍ 「be busy+v-ing」는 '~하느라 바쁘다'라고 해석한다.

UNIT 48 관계부사절 해석하기

본책 p.94

01 This may be / *the reason* [**why some people do not eat dried fruits**]. <모의응용>

이것은 ~일 수도 있다 / [몇몇 사람들이 말린 과일을 먹지 않는] 이유 → 이것은 몇몇 사람들이 말린 과일을 먹지 않는 이유일 수도 있다.

❍ ← This may be *the reason*. + Some people do not eat dried fruits *for the reason*.

02 Home is / *a place* [**where we can express our feelings**]. <모의응용>

집은 ~이다 / [우리가 우리의 감정을 표현할 수 있는] 장소 → 집은 우리가 우리의 감정을 표현할 수 있는 장소이다.

어휘 express 뗑 표현하다

03 *The way* [**that people live**] / has changed a lot / in just 100 years.

[사람들이 사는] 방식은 / 많이 바뀌었다 / 불과 100년 만에 → 사람들이 사는 방식은 불과 100년 만에 많이 바뀌었다.

04 The scientist recorded / *the time* [**when he made the observation**].

그 과학자는 기록했다 / [그가 관찰을 했던] 시간을 → 그 과학자는 관찰을 했던 시간을 기록했다.

어휘 observation 뗑 관찰

05 Heavy rain is / *the reason* [**for which the river flooded**].

폭우는 ~이다 / [그 강이 범람했던] 이유 → 폭우는 그 강이 범람했던 이유이다.

어휘 flood 뗑 범람하다

06 I went / to *a hotel* [**where there was room service**].

나는 갔다 / [룸서비스가 있었던] 호텔로 → 나는 룸서비스가 있었던 호텔로 갔다.

07 1988 is / *the year* [**when South Korea hosted its first Olympics**].

1988년은 ~이다 / 대한민국이 그것의 첫 번째 올림픽을 주최했던 해 → 1988년은 대한민국이 그것의 첫 번째 올림픽을 주최했던 해이다.

어휘 host 뗑 주최하다

08 They're researching / *the reason* [**why Earth's magnetic field shifts**].

그들은 연구하고 있다 / [지구의 자기장이 바뀌는] 이유를 → 그들은 지구의 자기장이 바뀌는 이유를 연구하고 있다.

어휘 research 뗑 연구하다 shift 뗑 바뀌다

09 The Blue House (in Mexico City) is / *the building* [**where Frida Kahlo lived**].

(멕시코 시티에 있는) 블루 하우스는 ~이다 / [프리다 칼로가 살았던] 건물 → 멕시코 시티에 있는 블루 하우스는 프리다 칼로가 살았던 건물이다.

[고난도]
10 What we were doing / was not interpreted / in *the way* [**in which it was meant**]. <모의응용>

우리가 하고 있었던 것은 / 해석되지 않았다 / [그것이 의도되었던] 방식으로 → 우리가 하고 있었던 것은 그것이 의도되었던 방식으로 해석되지 않았다.

○ What ~ doing은 문장에서 주어 역할을 하는 명사절이다.

어휘 interpret [동] 해석하다, 이해하다

[어법]
11 Sociologists study / *the way* [**that societies develop and function**].

사회학자들은 연구한다 / [사회가 발전하고 기능하는] 방식을 → 사회학자들은 사회가 발전하고 기능하는 방식을 연구한다.

정답 that
해설 관계부사 how는 선행사 way와 함께 쓸 수 없으므로 that이 정답이다.
어휘 sociologist [명] 사회학자 develop [동] 발전하다 function [동] 기능하다

UNIT 49 관계사가 생략된 관계사절 해석하기

본책 p.95

01 We are asking you to donate / *instruments* [**you no longer use**]. <모의응용>

우리는 당신이 기부하도록 요청하고 있습니다 / [당신이 더 이상 사용하지 않는] 악기들을
→ 우리는 당신이 더 이상 사용하지 않는 악기들을 기부하도록 요청하고 있습니다.

○ 「ask+목적어(you)+목적격 보어(to donate ~ use)」의 구조이다.

어휘 donate [동] 기부하다 instrument [명] 악기

02 The couple hired / *a plumber* [**their neighbor recommended**].

그 부부는 고용했다 / [그들의 이웃이 추천했던] 배관공을 → 그 부부는 그들의 이웃이 추천했던 배관공을 고용했다.

어휘 hire [동] 고용하다 plumber [명] 배관공 recommend [동] 추천하다

03 *The problems* [**the company faces**] / are very serious.

[그 회사가 직면하는] 문제들은 / 매우 심각하다

어휘 face [동] 직면하다 serious [형] 심각한

04 Vacuuming is / *the household task* [**Jessica hates the most**].

진공청소기로 청소하는 것은 ~이다 / [Jessica가 가장 싫어하는] 집안일 → 진공청소기로 청소하는 것은 Jessica가 가장 싫어하는 집안일이다.

○ 동명사 Vacuuming은 문장에서 주어 역할을 하고 있다.

어휘 vacuum [동] 진공청소기로 청소하다 household task 집안일

05 *The people* [**I stayed with during the trip**] / are my close friends.

[그 여행 동안에 내가 함께 지냈던] 사람들은 / 나의 친한 친구들이다

어휘 close [형] 친한

06 We will send you / *a $50 coupon* [**you can use on our website**]. <모의응용>

우리는 당신에게 발송할 것입니다 / [우리의 웹사이트에서 당신이 이용할 수 있는] 50달러 쿠폰을
→ 우리는 당신에게 우리의 웹사이트에서 당신이 이용할 수 있는 50달러 쿠폰을 발송할 것입니다.

○ 「send+간접 목적어(you)+직접 목적어(a $50 coupon ~ website)」의 구조이다.

고난도
07 *The sculpture* [**the museum is going to unveil today**] / is worth a lot of money.

[그 박물관이 오늘 공개할] 조각상은 / 아주 큰 돈의 가치가 있다

어휘 sculpture 몡 조각상 unveil 됭 공개하다 worth 혱 ~의 가치가 있는

08 Tomorrow is / *the day* [**the package is supposed to arrive**].

내일은 ~이다 / [소포가 도착하기로 되어 있는] 날 → 내일은 소포가 도착하기로 되어 있는 날이다.

○ 「be supposed+to-v」는 '~하기로 되어 있다'라고 해석한다.

09 The bank teller explained / *the reason* [**the transfer had been delayed**].

그 은행 직원은 설명했다 / [송금이 지연되었던] 이유를 → 그 은행 직원은 송금이 지연되었던 이유를 설명했다.

어휘 bank teller 은행 직원 explain 됭 설명하다 transfer 몡 송금 delay 됭 지연시키다

10 The police have blocked off / *the place* [**the accident occurred**].

경찰은 막았다 / [사고가 발생했던] 장소를 → 경찰은 사고가 발생했던 장소를 막았다.

어휘 block off 막다, 차단하다 accident 몡 사고

11 You should pay your bill / on *the day* [**you receive medical treatment**]. <모의응용>

너는 비용을 지불해야 한다 / [네가 의료 처치를 받는] 날에 → 너는 의료 처치를 받는 날에 비용을 지불해야 한다.

○ pay one's bill은 '비용을 지불하다'라고 해석한다.

어휘 treatment 몡 처치, 치료

고난도
12 The landlord didn't understand / *the reason* [**his tenants were upset with the changes**].

그 임대인은 이해하지 못했다 / [그의 임차인들이 변화에 대해 언짢아 했던] 이유를
→ 그 임대인은 그의 임차인들이 변화에 대해 언짢아 했던 이유를 이해하지 못했다.

어휘 landlord 몡 임대인 tenant 몡 임차인

UNIT 50 콤마와 함께 쓰인 관계사절 해석하기

본책 p.96

01 I invited *Debbie*, / **who was warmly greeted** / **by the club members**. <모의응용>

나는 Debbie를 초대했다 / 그리고 그녀는 따뜻하게 환영받았다 / 동호회 회원들에 의해
→ 나는 Debbie를 초대했고, 그녀는 동호회 회원들에 의해 따뜻하게 환영받았다.

어휘 greet 됭 환영하다

02 *The Titanic*, / **which was a luxury steamship**, / sank on April 15, 1912.

타이타닉호는 / 호화 증기선이었는데 / 1912년 4월 15일에 가라앉았다

어휘 steamship 몡 증기선

03 The class learned / about *the poet Homeros*, / **who wrote The Odyssey**.

그 반은 배웠다 / 시인 호메로스에 대해 / 그런데 그는 '오디세이'를 썼다 → 그 반은 시인 호메로스에 대해 배웠는데, 그는 '오디세이'를 썼다.

04 The city installed more *trash bins*, / **which were made of stainless steel.**

그 도시는 더 많은 쓰레기통을 설치했다 / 그리고 그것들은 스테인리스 스틸로 만들어졌다

→ 그 도시는 더 많은 쓰레기통을 설치했고, 그것들은 스테인리스 스틸로 만들어졌다.

어휘 install 图 설치하다

05 *The company moved to a larger property*, / **which was considered a smart decision.**

그 회사는 더 큰 건물로 이사했다 / 그리고 그것은 현명한 결정으로 여겨졌다 → 회사는 더 큰 건물로 이사했고, 그것은 현명한 결정으로 여겨졌다.

◐ 이때 which는 앞에 나온 절을 선행사로 가졌다.

어휘 property 圆 건물, 부지 consider 图 여기다, 생각하다 decision 圆 결정

06 I met *a young Scottish man*, / **who later became a best-selling author.** <모의응용>

나는 젊은 스코틀랜드 남자를 만났다 / 그런데 그는 나중에 베스트셀러 작가가 되었다

→ 나는 젊은 스코틀랜드 남자를 만났는데, 그는 나중에 베스트셀러 작가가 되었다.

07 *The tour*, / **which was rushed and unprofessional**, / dismayed participants.

그 관광 여행은 / 조급했고 전문적이지 못했으며 / 참가자들을 실망시켰다

어휘 rushed 圈 조급한, 성급히 한 unprofessional 圈 전문적이지 못한 dismay 图 실망시키다 participant 圆 참가자

08 I got a call / from *my accountant*, / **who found a problem** (**with my taxes**).

나는 전화를 받았다 / 나의 회계사로부터 / 그런데 그는 (나의 세금과 관련된) 문제를 발견했다

→ 나는 나의 회계사로부터 전화를 받았는데, 그는 나의 세금과 관련된 문제를 발견했다.

어휘 accountant 圆 회계사 tax 圆 세금

09 An animal's body is composed of *tiny cells*, / **which are mostly water.** <모의>

동물의 몸은 작은 세포들로 구성되어 있다 / 그리고 그것들은 대부분 물이다 → 동물의 몸은 작은 세포들로 구성되어 있고, 그것들은 대부분 물이다.

어휘 be composed of ~으로 구성되어 있다 tiny 圈 작은 cell 圆 세포

10 *Howard Carter,* / **who was a British archaeologist**, / discovered the tomb (of Tutankhamun).

하워드 카터는 / 영국 고고학자였으며 / (투탕카멘의) 무덤을 발견했다

어휘 archaeologist 圆 고고학자 discover 图 발견하다 tomb 圆 무덤

11 *The cost* (*of materials*) *has increased*, / **which has driven up product prices.**

(재료의) 비용이 증가했다 / 그리고 그것은 제품 가격을 끌어올렸다 → 재료의 비용이 증가했고, 그것은 제품 가격을 끌어올렸다.

◐ 이때 which는 앞에 나온 절을 선행사로 가졌다.

어휘 increase 图 증가하다 drive up (가격 등을) 끌어올리다 product 圆 제품

12 *The witness,* / **whose identity was not revealed**, / said the driver went through a red light.

그 목격자는 / 신원이 밝혀지지 않았으며 / 그 운전자가 빨간불을 통과하여 갔다고 말했다

◐ said와 that 사이에는 명사절 접속사 that이 생략되어 있다.

어휘 witness 圆 목격자 identity 圆 신원 reveal 图 밝히다

고난도
13 *The reviews were mainly positive*, / **which convinced** / **her to book the concert ticket.**

평론은 대부분 긍정적이었다 / 그리고 그것은 설득했다 / 그녀가 그 콘서트 표를 예매하도록

→ 평론은 대부분 긍정적이었고, 그것은 그녀가 그 콘서트 표를 예매하도록 설득했다.

◐ 이때 which는 앞에 나온 절을 선행사로 가졌다.

◐ 「convince+목적어(her)+목적격 보어(to book ~ ticket)」의 구조이다.

어휘 convince 图 설득하다 book 图 예매하다

14 He lived during *the Renaissance*, / **when everyone was interested in art.** <모의응용>
그는 르네상스 동안에 살았다 / 그리고 그때 모두가 예술에 관심이 있었다 → 그는 르네상스 동안에 살았고, 그때 모두가 예술에 관심이 있었다.

15 Jake visited *the library*, / **where he borrowed a couple of books.**
Jake는 도서관을 방문했다 / 그리고 그곳에서 그는 몇 권의 책을 빌렸다 → Jake는 도서관을 방문했고, 그곳에서 그는 몇 권의 책을 빌렸다.

16 Lisa misses *her university days*, / **when she used to have plenty of friends.**
Lisa는 그녀의 대학생 시절을 그리워한다 / 그런데 그때 그녀는 친구들이 많았다 → Lisa는 그녀의 대학생 시절을 그리워하는데, 그때 그녀는 친구들이 많았다.

어휘 plenty of 많은

17 My uncle tripped on *a staircase*, / **where he sprained his ankle.**
나의 삼촌은 계단에서 넘어졌다 / 그리고 그곳에서 그는 그의 발목을 접질렸다 → 나의 삼촌은 계단에서 넘어졌고, 그곳에서 그는 그의 발목을 접질렸다.

어휘 trip [동] 넘어지다, 발을 헛디디다 sprain [동] 접질리다 ankle [명] 발목

18 Some animals only come out at *night*, / **when daytime predators are asleep.**
몇몇 동물들은 밤에만 나온다 / 그런데 그때 낮의 포식자들은 자고 있다 → 몇몇 동물들은 밤에만 나오는데, 그때 낮의 포식자들은 자고 있다.

어휘 predator [명] 포식자

19 She purchased a home in *Vancouver*, / **where real estate is extremely expensive.**
그녀는 밴쿠버에 집을 구입했다 / 그런데 그곳에는 부동산이 몹시 비싸다 → 그녀는 밴쿠버에 집을 구입했는데, 그곳에는 부동산이 몹시 비싸다.

어휘 purchase [동] 구입하다 real estate [명] 부동산 extremely [부] 몹시

20 The crowd cheered / on *November 9, 1989*, / **when the Berlin Wall was torn down.**
사람들은 환호했다 / 1989년 11월 9일에 / 그런데 그때 베를린 장벽이 허물어졌다 → 사람들은 1989년 11월 9일에 환호했는데, 그때 베를린 장벽이 허물어졌다.

어휘 crowd [명] 사람들, 군중 cheer [동] 환호하다 tear down 허물다

21 Many plant species inhabit *the Amazon*, / **where it rains almost every day.**
많은 식물종이 아마존에 서식한다 / 그런데 그곳에는 거의 매일 비가 온다 → 많은 식물종이 아마존에 서식하는데, 그곳에는 거의 매일 비가 온다.

● 날씨를 나타내는 비인칭 주어 it이 쓰였으며, 이때 it은 의미를 가지지 않으므로 해석하지 않는다.

어휘 species [명] 종 inhabit [동] 서식하다

22 The novel is set in *the 1950s*, / **when women rarely had professional careers.**
그 소설은 1950년대를 배경으로 한다 / 그런데 그때 여자들은 좀처럼 직업상의 경력을 가지지 않았다
→ 그 소설은 1950년대를 배경으로 하는데, 그때 여자들은 좀처럼 직업상의 경력을 가지지 않았다.

● rarely는 '거의 ~않다'라는 뜻을 나타내는 부정어이다.

어휘 be set in ~을 배경으로 하다 professional [형] 직업상의, 전문적인 career [명] 경력

23 The group looked around *Jamestown*, / **where the English established a colony** / **in 1607.**
그 단체는 제임스타운을 둘러봤다 / 그런데 그곳에 영국 사람들이 식민지를 설립했다 / 1607년에
→ 그 단체는 제임스타운을 둘러봤는데, 그곳에 영국 사람들이 1607년에 식민지를 설립했다.

어휘 establish [동] 설립하다 colony [명] 식민지

[고난도]
24 Life was difficult / during *the Paleolithic period*, / **when Earth was experiencing an ice age.**
삶이 힘들었다 / 구석기 시대 동안에 / 그리고 그때 지구는 빙하기를 겪고 있었다 → 구석기 시대 동안에 삶이 힘들었고, 그때 지구는 빙하기를 겪고 있었다.

01 I told Brian / *a joke* [**that I heard from another friend**].

나는 Brian에게 했다 / [내가 또 다른 친구로부터 들었던] 농담을 → 나는 또 다른 친구로부터 들었던 농담을 Brian에게 했다.

○ 「tell+간접 목적어(Brian)+직접 목적어(a joke ~ friend)」의 구조이다.

02 The hikers were looking for / *a shady area* [**where they could rest**].

도보 여행자들은 찾고 있었다 / [그들이 쉴 수 있는] 그늘이 드리워진 곳을 → 도보 여행자들은 그들이 쉴 수 있는 그늘이 드리워진 곳을 찾고 있었다.

어휘 shady 휑 그늘이 드리워진

03 The memorable characters are / **what makes this drama so interesting**.
　　　　　　　　　　　　　 S　　　　　　　V　　　　　　　　　　　SC

인상적인 등장인물들이 ~이다 / 이 드라마를 아주 흥미롭게 만드는 것 → 인상적인 등장인물들이 이 드라마를 아주 흥미롭게 만드는 것이다.

○ 「make+목적어(this drama)+목적격 보어(so interesting)」의 구조이다.

어휘 memorable 휑 인상적인 character 똉 등장인물

04 *The main reason* [**for which employees quit**] / is low pay.

[직원들이 직장을 그만두는] 주된 이유는 / 낮은 임금이다

어휘 employee 똉 직원 quit 통 (직장·학교 등을) 그만두다

05 *The survey* [**the customers completed**] / asked about the quality (of the service).

[고객들이 작성했던] 설문은 / (서비스의) 질에 대해 물었다

어휘 survey 똉 설문 customer 똉 고객 complete 통 작성하다 quality 똉 품질

06 *Most of the artists* [**whose work is on display at the gallery**] / are internationally famous.

[작품이 미술관에 전시된] 예술가들 중 대부분은 / 국제적으로 유명하다

어휘 on display 전시되어 있는 internationally 툄 국제적으로

07 The Great Recession was / *a time* [**when world economies declined**].

대불황은 ~였다 / [세계 경제가 위축되었던] 시기 → 대불황은 세계 경제가 위축되었던 시기였다.

어휘 economy 똉 경제 decline 통 위축되다, 줄어들다

08 The documentary discusses / *the way* [**that income levels are linked with health**].

그 다큐멘터리는 논한다 / [소득 수준이 건강과 관련된] 방식을 → 그 다큐멘터리는 소득 수준이 건강과 관련된 방식을 논한다.

어휘 discuss 통 논하다 income 똉 소득, 수입 link 통 관련짓다

09 The police are trying to catch / *the man* [**who appears in the camera footage**].

경찰은 잡으려고 노력하고 있다 / [카메라 영상에 나오는] 남자를 → 경찰은 카메라 영상에 나오는 남자를 잡으려고 노력하고 있다.

○ 「try+to-v」는 '~하려고 노력하다'라고 해석한다. cf. 「try+v-ing」: (시험 삼아) ~해보다

어휘 appear 통 나오다, 등장하다 footage 똉 영상, 장면

10 *The team lost its last game*, / **which means** / **it won't compete in the championships.**

그 팀은 그것의 지난 경기를 졌다 / 그리고 그것은 의미한다 / 그것이 선수권 대회에서 겨루지 않을 것이라는 것을
→ 그 팀은 지난 경기를 졌고, 그것은 그 팀이 선수권 대회에서 겨루지 않을 것이라는 것을 의미한다.

⊙ 이때 which는 앞에 나온 절을 선행사로 가졌다.
⊙ means와 it 사이에는 명사절 접속사 that이 생략되어 있다.

어휘 compete [동] 겨루다 championship [명] 선수권 대회

11 *The students* [**whom Mr. Collins tutors**] / tend to achieve / high test scores.

[Collins씨가 가르치는] 학생들은 / 달성하는 경향이 있다 / 높은 시험 점수를 → Collins씨가 가르치는 학생들은 높은 시험 점수를 달성하는 경향이 있다.

어휘 tutor [동] 가르치다 achieve [동] 달성하다

12 Niger is / *a country* [**where the average age** (**of the total population**) **is very young**].

니제르는 ~이다 / [(총인구의) 평균 나이가 매우 젊은] 국가 → 니제르는 총인구의 평균 나이가 매우 젊은 국가이다.

어휘 average [형] 평균의 population [명] 인구

13 **What you should eat / to have a balanced diet** / is indicated in the diagram.
S V M

네가 먹어야 하는 것은 / 균형 잡힌 식습관을 가지기 위해 / 도표에 명시되어 있다 → 네가 균형 잡힌 식습관을 가지기 위해 먹어야 하는 것은 도표에 명시되어 있다.

⊙ to부정사구 to have ~ diet는 목적을 나타내는 부사적 용법으로 쓰였다.

어휘 balanced [형] 균형 잡힌 indicate [동] 명시하다 diagram [명] 도표

[고난도]
14 *A rider and a horse* [**that have won numerous races**] / are preparing for a major event.

[수많은 경주에서 이긴] 기수와 말이 / 중요한 시합을 준비하고 있다

⊙ 선행사가 「사람(A rider)+동물(a horse)」이므로 관계대명사 that이 쓰였다.

어휘 numerous [형] 수많은 prepare [동] 준비하다 major [형] 중요한

[고난도]
15 A contract ensures / that both parties do / *the work* [**for which they are responsible**].

계약은 보장한다 / 당사자들 둘 다 한다는 것을 / [그들이 책임져야 할] 일을 → 계약은 당사자들 둘 다 그들이 책임져야 할 일을 한다는 것을 보장한다.

⊙ that ~ responsible은 문장에서 목적어 역할을 하는 명사절이다.

어휘 contract [명] 계약 ensure [동] 보장하다 party [명] 당사자 responsible [형] 책임져야 할, 책임이 있는

CHAPTER 10 부사절

UNIT 51 시간을 나타내는 부사절 해석하기

본책 p.100

01 **When James saw the landscape,** / he was speechless. <모의>
James가 그 풍경을 봤을 때 / 그는 말문이 막혔다

어휘 landscape [명] 풍경 speechless [형] 말문이 막힌

02 Ms. Murphy traveled around the world / **until she turned 60.**
Murphy씨는 세계를 여행했다 / 그녀가 60세가 되었을 때까지 → Murphy씨는 60세가 되었을 때까지 세계를 여행했다.

03 The door made a loud creaking noise / **as I opened it.**
그 문은 큰 삐걱거리는 소음을 냈다 / 내가 그것을 열었을 때 → 내가 그 문을 열었을 때, 그것은 큰 삐걱거리는 소음을 냈다.

어휘 creaking [형] 삐걱거리는

04 Sally smiled / **when her parents took a picture (of her).**
Sally는 미소 지었다 / 그녀의 부모님이 (그녀의) 사진을 찍었을 때 → Sally는 부모님이 그녀의 사진을 찍었을 때 미소 지었다.

05 It has been decades / **since the volcano erupted.**
수십 년이 지났다 / 그 화산이 폭발한 이래로 → 그 화산이 폭발한 이래로 수십 년이 지났다.

➲ 시간을 나타내는 비인칭 주어 it이 쓰였으며, 이때 it은 의미를 가지지 않으므로 해석하지 않는다.

어휘 decade [명] 십 년 volcano [명] 화산 erupt [동] 폭발하다

06 Do not wear earphones / **while you are walking / on a busy street.** <모의>
이어폰을 끼지 마라 / 네가 걷는 동안 / 붐비는 도로를 → 네가 붐비는 도로를 걷는 동안 이어폰을 끼지 마라.

➲ 주어 없이 동사로 시작하는 명령문이다.

어휘 busy [형] 붐비는

07 Giraffes can stand up / almost **as soon as they are born.**
기린은 일어설 수 있다 / 거의 그것들이 태어나자마자 → 기린은 거의 그것들이 태어나자마자 일어설 수 있다.

08 **When the subway arrived,** / the crowd pushed its way inside.
지하철이 도착했을 때 / 사람들이 안으로 밀치고 들어왔다

어휘 crowd [명] 사람들, 군중

09 Neil received a confirmation e-mail / **after he booked a place (to stay).**
Neil은 확인 이메일을 받았다 / 그가 (지낼) 곳을 예약한 후에 → Neil은 지낼 곳을 예약한 후에 확인 이메일을 받았다.

➲ to부정사 to stay는 place를 꾸며주는 형용사적 용법으로 쓰였다.

어휘 confirmation [명] 확인, 확정 book [동] 예약하다

10 The company will renew the contract / **as soon as it expires.**
그 회사는 계약을 갱신할 것이다 / 그것이 만료되자마자 → 그 회사는 계약이 만료되자마자 갱신할 것이다.

○ the contract 대신 대명사 it이 쓰였다.

어휘 renew 图 갱신하다 contract 图 계약 expire 图 만료되다

11 **As the plane approached England**, / it suddenly began to shake. <모의응용>

비행기가 영국에 접근했을 때 / 그것이 갑자기 흔들리기 시작했다

○ to부정사 to shake는 동사 began의 목적어로 쓰였으며, begin은 to부정사와 동명사를 모두 목적어로 가진다.

어휘 approach 图 접근하다

12 It is important / to pay attention to the food / **while you are cooking it**.

중요하다 / 음식에 집중하는 것은 / 네가 그것을 요리하는 동안 → 네가 음식을 요리하는 동안 그것에 집중하는 것은 중요하다.

○ 진주어 to pay attention ~ it 대신 가주어 it이 주어 자리에 쓰였다.

어휘 pay attention to ~에 집중하다

13 People were living in North America / **before European explorers discovered the continent**.

사람들이 북아메리카에 살고 있었다 / 유럽 탐험가들이 그 대륙을 발견하기 전에 → 유럽 탐험가들이 그 대륙을 발견하기 전에 사람들이 북아메리카에 살고 있었다.

어휘 explorer 图 탐험가 discover 图 발견하다 continent 图 대륙

UNIT 52 원인을 나타내는 부사절 해석하기

본책 p.101

01 It was noisy / **because the parking lot was under construction**. <모의>

시끄러웠다 / 그 주차장이 공사 중이었기 때문에 → 그 주차장이 공사 중이었기 때문에 시끄러웠다.

○ 상황을 나타내는 비인칭 주어 it이 쓰였으며, 이때 it은 의미를 가지지 않으므로 해석하지 않는다.

어휘 parking lot 图 주차장 construction 图 공사

02 I am sorry / **that I hurt your feelings**.

나는 미안하다 / 내가 너의 감정을 상하게 해서 → 너의 감정을 상하게 해서 미안하다.

03 **As an electric vehicle is better** / **for the environment**, / I bought one.

전기 차가 더 좋기 때문에 / 환경에 / 나는 한 대를 샀다 → 전기 차가 환경에 더 좋기 때문에, 나는 한 대를 샀다.

○ an electric vehicle 대신 대명사 one이 쓰였다.

어휘 electric 图 전기의 vehicle 图 차, 탈 것 environment 图 환경

04 Laura is familiar with the area / **since she grew up there**.

Laura는 그 지역에 익숙하다 / 그녀가 그곳에서 자랐기 때문에 → Laura는 그 지역에서 자랐기 때문에 그곳에 익숙하다.

어휘 familiar 图 익숙한

05 Ian was admired / **because he was an excellent singer and poet**.

Ian은 존경받았다 / 그가 훌륭한 가수이자 시인이었기 때문에 → Ian은 훌륭한 가수이자 시인이었기 때문에 존경받았다.

어휘 admire 图 존경하다 poet 图 시인

06 We were all relieved / **that no one was injured** / **in the accident**.

우리는 모두 안도했다 / 아무도 부상당하지 않아서 / 그 사고에서 → 그 사고에서 아무도 부상당하지 않아서 우리는 모두 안도했다.

어휘 relieved 图 안도하는 injure 图 부상을 입히다 accident 图 사고

07   My heart was beating fast / **because too much cash was in my purse.** <모의응용>

나의 심장은 빠르게 뛰고 있었다 / 너무 많은 현금이 나의 지갑 안에 있었기 때문에

→ 너무 많은 현금이 나의 지갑 안에 있었기 때문에, 나의 심장은 빠르게 뛰고 있었다.

어휘 purse 명 지갑

08   Advertising online / is more effective / **in that it reaches a wider audience.**

온라인으로 광고하는 것은 / 더 효과적이다 / 그것이 더 광범위한 시청자에게 도달한다는 점에서

→ 온라인으로 광고하는 것은 그것이 더 광범위한 시청자에게 도달한다는 점에서 더 효과적이다.

○ 동명사구 Advertising online은 문장에서 주어 역할을 하고 있다.
○ 동사 reach는 전치사가 뒤에 오는 것처럼 해석되지만 실제로는 전치사를 쓰지 않는다. e.g. It reaches *to* ~. (X)

어휘 advertise 동 광고하다   effective 형 효과적인   reach 동 도달하다   audience 명 시청자

09   Read the text carefully, / **since it is long** / **and contains a lot of information.**

그 글을 신중하게 읽어라 / 그것이 길기 때문에 / 그리고 많은 정보를 포함하고 있기 때문에 → 그 글은 길고 많은 정보를 포함하고 있으므로, 신중하게 읽어라.

○ 주어 없이 동사로 시작하는 명령문이다.
○ 동사 is와 contains가 등위접속사 and로 연결되어 병렬 구문을 이룬다.

어휘 contain 동 포함하다

10   **As polyester is durable,** / it is commonly used / to make clothing.

폴리에스테르는 오래가기 때문에 / 그것은 흔히 사용된다 / 옷을 만들기 위해 → 폴리에스테르는 오래가기 때문에, 흔히 옷을 만들기 위해 사용된다.

○ to부정사구 to make clothing은 목적을 나타내는 부사적 용법으로 쓰였다.

어휘 durable 형 오래가는   commonly 부 흔히

11   Cowbirds are unusual / **in that they lay their eggs** / **in other birds' nests.**

찌르레기는 특이하다 / 그들이 그들의 알을 낳는다는 점에서 / 다른 새들의 둥지에 → 찌르레기는 다른 새들의 둥지에 그들의 알을 낳는다는 점에서 특이하다.

어휘 unusual 형 특이한   lay 동 낳다

12   **Since Hawaii is surrounded** / **by the Pacific Ocean,** / surfing is a popular pastime there.

하와이는 둘러싸여 있기 때문에 / 태평양에 의해 / 서핑은 그곳에서 인기 있는 취미이다
→ 하와이는 태평양에 의해 둘러싸여 있기 때문에, 서핑은 그곳에서 인기 있는 취미이다.

어휘 surround 동 둘러싸다   pastime 명 취미

고난도
13   Sam was asked / to turn down the volume / **because the sound was disturbing others.**

Sam은 요청받았다 / 음량을 줄이도록 / 그 소리가 다른 사람들을 방해하고 있었기 때문에
→ Sam은 그 소리가 다른 사람들을 방해하고 있었기 때문에 음량을 줄이도록 요청받았다.

○ 「ask+목적어(Sam)+목적격 보어(to turn ~ volume)」의 구조가 수동태로 바뀐 문장이다.

어휘 disturb 동 방해하다

UNIT 53   조건을 나타내는 부사절 해석하기

본책 p.102

01   **If we overeat regularly,** / we may develop digestive problems. <모의응용>

만약 우리가 주기적으로 과식한다면 / 우리는 소화 문제를 일으킬 수도 있다

어휘 overeat 동 과식하다   regularly 부 주기적으로   develop 동 (문제 등을) 일으키다   digestive 형 소화의

02 **If I ride a bus** / **for too long,** / I feel carsick. <모의>

만약 내가 버스를 탄다면 / 너무 오랫동안 / 나는 차멀미를 한다 → 만약 너무 오랫동안 버스를 탄다면, 나는 차멀미를 한다.

어휘 carsick 혱 차멀미를 하는

03 You may contact us anytime / **in case you need assistance.**

너는 언제든 우리에게 연락해도 된다 / 네가 도움을 필요로 하는 경우에 → 네가 도움을 필요로 하는 경우에 언제든 우리에게 연락해도 된다.

어휘 contact 통 연락하다 assistance 명 도움

04 Milk will go bad quickly / **unless it is kept** / **in the refrigerator.**

우유는 빨리 상할 것이다 / 만약 그것이 보관되지 않는다면 / 냉장고에 → 만약 우유가 냉장고에 보관되지 않는다면, 그것은 빨리 상할 것이다.

어휘 refrigerator 명 냉장고

05 **If at first you don't succeed,** / try, try again. - William Edward Hickson

만약 처음에 네가 성공하지 않는다면 / 시도하고, 다시 또 시도해라

어휘 succeed 통 성공하다

06 Ms. Howard said / we can start the seminar without her / **in case she is late.**

Howard씨는 말했다 / 우리가 그녀 없이 세미나를 시작해도 된다고 / 그녀가 늦는 경우에
→ Howard씨는 그녀가 늦는 경우에 우리가 그녀 없이 세미나를 시작해도 된다고 말했다.

○ said와 we 사이에는 명사절 접속사 that이 생략되어 있다.

07 Employees may work from home, / **as long as they notify their supervisor.**

직원들은 집에서 일해도 된다 / 그들이 그들의 관리자에게 알리기만 하면 → 직원들은 그들의 관리자에게 알리기만 하면 집에서 일해도 된다.

어휘 employee 명 직원 notify 통 알리다 supervisor 명 관리자

08 **Unless we reduce carbon emissions,** / global warming will become worse.

만약 우리가 탄소 배출을 줄이지 않는다면 / 지구 온난화는 더 심해질 것이다

어휘 reduce 통 줄이다 carbon 명 탄소 emission 명 배출 global warming 명 지구 온난화

09 Make a reservation / **if you want to ensure** / **you get a seat.**

예약을 해라 / 만약 네가 확실하게 하기를 원한다면 / 네가 자리를 얻는 것을 → 만약 네가 자리를 얻는 것을 확실하게 하기를 원한다면, 예약을 해라.

○ 주어 없이 동사로 시작하는 명령문이다.
○ to부정사구 to ensure ~ seat는 동사 want의 목적어로 쓰였다.
○ ensure와 you 사이에는 명사절 접속사 that이 생략되어 있다.

어휘 reservation 명 예약 ensure 통 확실하게 하다, 보장하다

10 **Unless Michelle is well paid,** / she cannot afford to live / in a city. <수능응용>

만약 Michelle이 보수를 많이 받지 않는다면 / 그녀는 살 형편이 될 수 없다 / 도시에서
→ 만약 Michelle이 보수를 많이 받지 않는다면, 그녀는 도시에서 살 형편이 될 수 없다.

○ to부정사구 to live ~ city는 동사 cannot afford의 목적어로 쓰였다.

어휘 afford 통 ~할 형편이 되다

11 **As long as I can access the Internet,** / nothing else matters. <모의응용>

내가 인터넷에 접속할 수 있기만 하면 / 다른 아무것도 문제되지 않는다

어휘 access 통 접속하다, 접근하다 matter 통 문제되다

고난도
12 **If we cooperate,** / we will be able to complete the project / by the deadline.

만약 우리가 협력한다면 / 우리는 그 프로젝트를 완료할 수 있을 것이다 / 마감 기한까지
→ 만약 우리가 협력한다면, 마감 기한까지 그 프로젝트를 완료할 수 있을 것이다.

어휘 cooperate 통 협력하다 complete 통 완료하다 deadline 명 마감 기한

01 **Although chickens have wings,** / they don't often fly. <모의응용>

비록 닭은 날개를 가지고 있지만 / 그들은 대개 날지 않는다

02 **Though we've only just met**, / it feels like we're best friends.

비록 우리는 단지 이제 막 만났지만 / 우리가 가장 친한 친구들인 것처럼 느껴진다

  ◐ 상황을 나타내는 비인칭 주어 it이 쓰였으며, 이때 it은 의미를 가지지 않으므로 해석하지 않는다.

03 The hikers got lost / **even though they were very skilled.**

그 도보 여행자들은 길을 잃었다 / 비록 그들이 매우 숙련되었지만 → 비록 그 도보 여행자들은 매우 숙련되었지만, 길을 잃었다.

  어휘 skilled 웹 숙련된

04 You could get a sunburn / **even if you put on plenty of sunscreen.**

너는 햇볕에 탈 수 있다 / 비록 네가 충분한 선크림을 바를지라도 → 비록 네가 충분한 선크림을 바를지라도, 너는 햇볕에 탈 수 있다.

  어휘 get a sunburn 햇볕에 타다   plenty of 충분한, 많은   sunscreen 웹 선크림

05 **Although this pearl necklace is pretty old,** / it still looks beautiful.

비록 이 진주 목걸이는 꽤 오래되었지만 / 그것은 여전히 아름답게 보인다

  어휘 necklace 웹 목걸이

06 **Though they are identical twins,** / it is easy to tell them apart.

비록 그들은 일란성 쌍둥이지만 / 그들을 구별하는 것은 쉽다

  ◐ 진주어 to tell them apart 대신 가주어 it이 주어 자리에 쓰였다.

  어휘 identical 웹 일란성의, 동일한   tell apart 구별하다

07 Be sure to put on a helmet, / **even if others point and laugh.** <모의응용>

반드시 헬멧을 써라 / 비록 다른 사람들이 손가락질하고 웃을지라도 → 비록 다른 사람들이 손가락질하고 웃을지라도, 반드시 헬멧을 써라.

  ◐ 주어 없이 동사로 시작하는 명령문이다.

  어휘 point 통 손가락질하다

08 The kids ate all the snacks / **even though they weren't hungry.**

아이들은 그 간식을 전부 먹었다 / 비록 그들은 배고프지 않았지만 → 비록 아이들은 배고프지 않았지만, 그 간식을 전부 먹었다.

09 **Though it took longer than expected,** / Evan finished the assignment.

비록 예상했던 것보다 더 오래 걸렸지만 / Evan은 그 과제를 끝냈다

  어휘 assignment 웹 과제

10 **Although hunting endangered species is illegal,** / some hunters continue to do it.

비록 멸종 위기에 처한 종들을 사냥하는 것은 불법이지만 / 몇몇 사냥꾼들은 그것을 하는 것을 계속한다

  ◐ 동명사구 hunting endangered species는 절에서 주어 역할을 하고 있다.
  ◐ to부정사구 to do it은 동사 continue의 목적어로 쓰였으며, continue는 to부정사와 동명사를 모두 목적어로 가진다.

  어휘 endangered 웹 멸종 위기에 처한   species 웹 종   illegal 웹 불법의, 비합법적인

11 Many people smoke / **even though they recognize** / **that there are health risks.**

많은 사람들이 담배를 피운다 / 비록 그들이 인식하고 있지만 / 건강상의 위험이 있다는 것을
→ 비록 건강상의 위험이 있다는 것을 인식하고 있지만, 많은 사람들이 담배를 피운다.

● that ~ risks는 동사 recognize의 목적어 역할을 하는 명사절이다.

어휘 recognize [동] 인식하다 risk [명] 위험

[고난도]
12 **Although handheld phones are everywhere,** / different countries have different names (for them). <모의응용>

비록 손에 들고 쓸 수 있는 전화기는 어디에나 있지만 / 나라마다 (그것들을 위한) 각각 다른 이름을 가지고 있다
→ 비록 손에 들고 쓸 수 있는 전화기는 어디에나 있지만, 나라마다 그것들을 위한 각각 다른 이름을 가지고 있다.

● handheld phones 대신 대명사 them이 쓰였다.

어휘 handheld [형] 손에 들고 쓸 수 있는 different [형] 각각 다른, 다양한

UNIT 55 목적을 나타내는 부사절 해석하기

본책 p.104

01 The sports club is open all night / **so that busy workers can exercise.** <모의응용>

그 스포츠 클럽은 밤새도록 열려있다 / 바쁜 근로자들이 운동할 수 있도록 → 바쁜 근로자들이 운동할 수 있도록 그 스포츠 클럽은 밤새도록 열려있다.

02 The student studied hard / **in order that she would pass the test.**

그 학생은 열심히 공부했다 / 그녀가 시험을 통과하기 위해 → 그 학생은 시험을 통과하기 위해 열심히 공부했다.

03 The carpenter brought a ladder / **so that he could climb up on the roof.**

그 목수는 사다리를 가져왔다 / 그가 지붕 위에 올라갈 수 있도록 → 그 목수는 지붕 위에 올라갈 수 있도록 사다리를 가져왔다.

어휘 carpenter [명] 목수 ladder [명] 사다리

04 Gary put the ice cream / in the freezer / **lest it should melt.**

Gary는 그 아이스크림을 넣었다 / 냉동고에 / 그것이 녹지 않도록 → Gary는 그 아이스크림이 녹지 않도록 냉동고에 넣었다.

어휘 freezer [명] 냉동고 melt [동] 녹다

05 Abby moved to London / **in order that she could learn English.**

Abby는 런던으로 이사했다 / 그녀가 영어를 배울 수 있도록 → Abby는 영어를 배울 수 있도록 런던으로 이사했다.

06 I keep my files / in alphabetical order / **so that I can easily find** / **what I need.**

나는 나의 파일을 보관한다 / 알파벳 순서대로 / 내가 쉽게 찾을 수 있도록 / 내가 필요한 것을
→ 나는 필요한 것을 쉽게 찾을 수 있도록 나의 파일을 알파벳 순서대로 보관한다.

● what I need는 동사 can ~ find의 목적어 역할을 하는 명사절이다.

어휘 in alphabetical order 알파벳 순서대로

07 Stable living patterns are necessary / **lest we should fall into chaos.** <모의응용>

안정적인 생활 양식이 필요하다 / 우리가 혼란에 빠지지 않도록 → 우리가 혼란에 빠지지 않도록 안정적인 생활 양식이 필요하다.

어휘 stable [형] 안정적인 living pattern 생활 양식 necessary [형] 필요한 chaos [명] 혼란

08 The catalog is revised every year / **in order that it will be up-to-date.** <모의>

그 카탈로그는 매년 개정된다 / 그것이 최신이 되도록 → 그 카탈로그는 최신이 되도록 매년 개정된다.

어휘 revise [동] 개정하다 up-to-date [형] 최신의

09 Dickens wrote *A Christmas Carol* / **so that he could express** / **his views (on poverty)**.

디킨스는 '크리스마스 캐럴'을 썼다 / 그가 표현할 수 있도록 / (가난에 대한) 그의 견해를
→ 디킨스는 가난에 대한 그의 견해를 표현할 수 있도록 '크리스마스 캐럴'을 썼다.

어휘 express 통 표현하다 view 명 견해 poverty 명 가난

10 You should leave for the airport / several hours early / **in order that you catch your flight**.

너는 공항으로 떠나야 한다 / 몇 시간 일찍 / 네가 너의 비행기를 타기 위해 → 너는 너의 비행기를 타기 위해 몇 시간 일찍 공항으로 떠나야 한다.

11 The man whispered to the librarian / **lest he bother** / **other people (in the library)**.

그 남자는 사서에게 속삭였다 / 그가 방해하지 않도록 / (도서관에 있는) 다른 사람들을
→ 그 남자는 도서관에 있는 다른 사람들을 방해하지 않도록 사서에게 속삭였다.

어휘 whisper 통 속삭이다 librarian 명 사서

12 Herostratus destroyed the Temple of Artemis / **so that he would be remembered in history**.

헤로스트라투스는 아르테미스 신전을 훼손했다 / 그가 역사에 기억되도록 → 헤로스트라투스는 그가 역사에 기억되도록 아르테미스 신전을 훼손했다.

어휘 destroy 통 훼손하다 temple 명 신전

UNIT 56 결과를 나타내는 부사절 해석하기

본책 p.105

01 Jupiter is **so** big / **that the other planets could fit inside it**. <모의응용>

목성은 너무 커서 / 나머지 다른 행성들이 그것 안에 꼭 맞을 수 있다

어휘 Jupiter 명 목성 planet 명 행성 fit 통 꼭 맞다

02 The armchair was **so** comfortable / **that Chris fell asleep**.

그 안락의자가 너무 편안했어서 / Chris는 잠이 들었다

어휘 armchair 명 안락의자 comfortable 형 편안한

03 It was **so** light **a** bag / **that it seemed empty**.

그것은 너무 가벼운 가방이어서 / 그것은 비어 있는 것처럼 보였다

어휘 light 형 가벼운

04 It is **such a** good movie / **that the theater is crowded**. <모의>

그것은 너무 좋은 영화여서 / 극장이 붐빈다

05 The boy lied **so** often / **that even his mother didn't trust him**.

그 남자아이는 너무 자주 거짓말을 해서 / 심지어 그의 엄마도 그를 믿지 않았다

어휘 trust 통 믿다

06 The room was **such a** terrible mess / **that no one came into it**.

그 방은 너무 엉망진창이었어서 / 아무도 그곳에 들어오지 않았다

어휘 terrible mess 엉망진창

07 Betty spoke **so** softly / **that we could barely hear her**.

Betty가 너무 조용히 말했어서 / 우리는 그녀를 거의 들을 수 없었다

➐ barely는 '거의 ~않다'라는 뜻을 나타내는 부정어이다.

어휘 softly 凰 조용히, 부드럽게

08 Johnson is **so** brave **a man** / **that people call him a hero**.

Johnson은 너무 용감한 사람이어서 / 사람들은 그를 영웅이라고 부른다

➐ 「call+목적어(him)+목적격 보어(a hero)」의 구조이다.

09 The glass ornament was **so** fragile / **that I was afraid to touch it**.

그 유리 장식은 너무 깨지기 쉬웠어서 / 나는 그것을 만지기가 두려웠다

➐ 「be afraid+to-v」는 '~하기가 두렵다'라고 해석한다.

어휘 ornament 阌 장식 fragile 阌 깨지기 쉬운

10 It was **such a** serious concern / **that Scarlett lost her appetite**.

그것은 너무 심각한 걱정이었어서 / Scarlett은 그녀의 입맛을 잃었다

어휘 serious 阌 심각한 concern 阌 걱정 appetite 阌 입맛

Chapter Test

본책 p.106

01 Cats are easy to care for / **in that they are quite independent**.

고양이는 돌보기에 쉽다 / 그들이 꽤 독립적이라는 점에서 → 고양이는 꽤 독립적이라는 점에서 돌보기에 쉽다.

➐ to부정사 to care for는 easy를 꾸며주는 부사적 용법으로 쓰였다.

어휘 quite 凰 꽤 independent 阌 독립적인

02 The students rushed out of the classroom / **as soon as the bell rang**.

학생들은 교실 밖으로 뛰어나갔다 / 종소리가 울리자마자 → 종소리가 울리자마자 학생들은 교실 밖으로 뛰어나갔다.

어휘 rush out 뛰어나가다

03 **Though operating the machine looks complicated,** / it's actually simple.

비록 그 기계를 작동하는 것이 복잡해 보이지만 / 그것은 사실 간단하다

➐ 동명사구 operating the machine은 절에서 주어 역할을 하고 있다.
➐ operating the machine 대신 대명사 it이 쓰였다.

어휘 operate 阌 작동하다 complicated 阌 복잡한 actually 凰 사실

04 I have **such a** severe headache / **that I need to lie down**.

나는 너무 심한 두통이 있어서 / 나는 누워야 한다

➐ to부정사구 to lie down은 동사 need의 목적어로 쓰였다.

어휘 severe 阌 심한

05 Let's stay indoors / **in case the weather is bad today**.

실내에 머무르자 / 오늘 날씨가 좋지 않은 경우에는 → 오늘 날씨가 좋지 않은 경우에는 실내에 머무르자.

어휘 indoors 凰 실내에

06 They were surprised / **that the ancient building was still standing**.

그들은 놀랐다 / 그 고대의 건물이 여전히 서 있어서 → 그들은 그 고대의 건물이 여전히 서 있어서 놀랐다.

어휘 ancient 阌 고대의

07 Mr. Hopps took notes on his schedule / **lest he forget important meetings.**

Hopps씨는 그의 일정표에 기록했다 / 그가 중요한 회의를 잊어버리지 않도록 → Hopps씨는 중요한 회의를 잊어버리지 않도록 그의 일정표에 기록했다.

어휘 take notes 기록하다

08 Cyclists wear brightly colored clothing / **so that drivers can see them.**

자전거를 타는 사람들은 밝은 색깔의 옷을 입는다 / 운전자들이 그들을 볼 수 있도록
→ 자전거를 타는 사람들은 운전자들이 그들을 볼 수 있도록 밝은 색깔의 옷을 입는다.

● cyclists 대신 대명사 them이 쓰였다.

어휘 cyclist [명] 자전거를 타는 사람 brightly colored 밝은 색깔의, 밝게 칠해진

09 Elena will have to wait, / **as the item [she wants] is not available now.**

Elena는 기다려야 할 것이다 / [그녀가 원하는] 물건이 지금 구할 수 없기 때문에 → Elena가 원하는 물건이 지금 구할 수 없기 때문에 그녀는 기다려야 할 것이다.

● item과 she 사이에는 목적격 관계대명사가 생략되어 있다.

어휘 available [형] 구할 수 있는

10 **Unless the community center secures funding,** / it will be closed down.

만약 그 지역 문화 센터가 재정 지원을 확보하지 않는다면 / 그곳은 문을 닫게 될 것이다

어휘 community center [명] 지역 문화 센터 secure [동] 확보하다 funding [명] 재정 지원

11 I am going to the grocery store / **so that we don't have to order delivery food.**

나는 식료품 가게에 가고 있다 / 우리가 배달 음식을 주문할 필요가 없도록 → 나는 우리가 배달 음식을 주문할 필요가 없도록 식료품 가게에 가고 있다.

어휘 order [동] 주문하다 delivery food 배달 음식

12 You might hurt yourself / **if you don't stretch** / **before doing yoga.**

너는 너 자신을 다치게 할 수도 있다 / 만약 네가 스트레칭을 하지 않는다면 / 요가를 하기 전에
→ 만약 네가 요가를 하기 전에 스트레칭을 하지 않는다면, 너 자신을 다치게 할 수도 있다.

어휘 stretch [동] 스트레칭을 하다

13 It's impolite / to use your phone / **while you're having dinner** / **with others.**

무례하다 / 너의 전화를 사용하는 것은 / 네가 저녁 식사를 하고 있는 동안 / 다른 사람들과
→ 네가 다른 사람들과 저녁 식사를 하고 있는 동안 너의 전화를 사용하는 것은 무례하다.

● 진주어 to use ~ others 대신 가주어 it이 주어 자리에 쓰였다.

어휘 impolite [형] 무례한

14 The investigation will be concluded next week / **as long as there are no issues.**

그 조사는 다음 주에 마무리될 것이다 / 문제가 없기만 하면 → 문제가 없기만 하면 그 조사는 다음 주에 마무리될 것이다.

어휘 investigation [명] 조사 conclude [동] 마무리하다

[고난도]
15 People are encouraged / to apply for volunteer work / **even if they are inexperienced.**

사람들은 권장된다 / 자원봉사를 신청하도록 / 비록 그들이 경험이 없을지라도 → 비록 경험이 없을지라도, 사람들은 자원봉사를 신청하도록 권장된다.

● 「encourage+목적어(people)+목적격 보어(to apply ~ work)」의 구조가 수동태로 바뀐 문장이다.

어휘 encourage [동] 권장하다 apply [동] 신청하다, 지원하다 inexperienced [형] 경험이 없는

CHAPTER 11 가정법

UNIT 57 if가 쓰인 가정법 해석하기

본책 p.108

01 **If** I **were** rich, / I **would donate** a lot of money / to charity. <모의응용>

만약 내가 부자라면 / 나는 많은 돈을 기부할 텐데 / 자선단체에 → 만약 내가 부자라면, 나는 자선단체에 많은 돈을 기부할 텐데.

어휘 donate 图 기부하다 charity 圈 자선단체

02 **If** Jacob **visited** Korea, / I **would take** him to Gyeongbokgung Palace.

만약 Jacob이 한국을 방문한다면 / 나는 그를 경복궁에 데리고 갈 텐데

03 **If** Lisa **helped** us with our class project, / we **could finish** on time.

만약 Lisa가 우리가 우리의 수업 과제를 하는 것을 돕는다면 / 우리는 제시간에 끝낼 수 있을 텐데

◑ help A with B는 'A가 B하는 것을 돕다'라고 해석한다.

어휘 on time 제시간에

04 You **might make** more friends / **if** you **were** not so shy.

너는 더 많은 친구를 사귈 수도 있을 텐데 / 만약 네가 그렇게 수줍어하지 않는다면

→ 만약 네가 그렇게 수줍어하지 않는다면, 너는 더 많은 친구를 사귈 수도 있을 텐데.

◑ if가 이끄는 절은 문장 뒤에 올 수 있으며, 이때 콤마(,)는 주로 생략된다.

05 **If** we **lived** in a desert, / there **would be** nothing (to do). <모의응용>

만약 우리가 사막에 산다면 / (할) 것이 아무것도 없을 텐데

◑ to부정사 to do는 nothing을 꾸며주는 형용사적 용법으로 쓰였다.

어휘 desert 圈 사막

06 **If** Alice **had** some colored pencils, / she **could draw** you a picture.

만약 Alice가 몇 개의 색연필을 가지고 있다면 / 그녀는 너에게 그림을 그려줄 수 있을 텐데

◑ 「draw+간접 목적어(you)+직접 목적어(a picture)」의 구조이다.

07 **If** Jerry **were** patient, / he **might make** smarter decisions.

만약 Jerry가 참을성이 있다면 / 그는 더 현명한 결정을 내릴 수도 있을 텐데

어휘 patient 圈 참을성이 있는 smart 圈 현명한, 영리한

08 Ms. Smith **would focus** on her hobbies / **if** she **retired**.

Smith씨는 그녀의 취미에 집중할 텐데 / 만약 그녀가 은퇴한다면 → 만약 Smith씨가 은퇴한다면, 그녀는 그녀의 취미에 집중할 텐데.

어휘 focus 图 집중하다 retire 图 은퇴하다

09 **If** Charles **studied** French every day, / he **could learn** it faster.

만약 Charles가 프랑스어를 매일 공부한다면 / 그는 그것을 더 빨리 배울 수 있을 텐데

10 **If** I **ate** fewer sweets, / I **might not have** so many cavities.

만약 내가 더 적은 사탕을 먹는다면 / 나는 그렇게 많은 충치를 가지고 있지 않을 수도 있을 텐데

11 **If** Harold **went** on TV, / audiences **would love** watching him.

만약 Harold가 TV에 나온다면 / 시청자들은 그를 보는 것을 좋아할 텐데

○ 동명사구 watching him은 동사 would love의 목적어로 쓰였으며, love는 동명사와 to부정사를 모두 목적어로 가진다.

어휘 audience 몡 시청자, 관중

12 **If** you **became** president, / you **could meet** with other world leaders / in person.

만약 네가 대통령이 된다면 / 너는 다른 나라 지도자들을 만날 수 있을 텐데 / 직접 → 만약 네가 대통령이 된다면, 너는 다른 나라 지도자들을 직접 만날 수 있을 텐데.

어휘 president 몡 대통령 in person 직접

13 **If** my laptop **weren't** broken, / I **might be** able to lend it / to you.

만약 나의 노트북이 고장 나지 않았다면 / 나는 그것을 빌려줄 수도 있을 텐데 / 너에게
→ 만약 나의 노트북이 고장 나지 않았다면, 나는 너에게 그것을 빌려줄 수도 있을 텐데.

14 **If** Emily **had fallen** differently, / she **might have broken** her arm. <모의응용>

만약 Emily가 다르게 떨어졌더라면 / 그녀는 팔이 부러질 수도 있었을 텐데

15 **If** I **had felt** better this morning, / I **could have gone** to school.

만약 내가 오늘 아침에 더 나아졌다고 느꼈더라면 / 나는 학교에 갈 수 있었을 텐데

16 You **could have passed** the driving test / **if** you **had practiced** enough.

너는 운전면허 시험을 통과할 수 있었을 텐데 / 만약 네가 충분히 연습했더라면 → 만약 네가 충분히 연습했더라면, 너는 운전면허 시험을 통과할 수 있었을 텐데.

17 **If** Oliver **had read** the book / more carefully, / he **might have understood** the plot.

만약 Oliver가 그 책을 읽었더라면 / 더 주의 깊게 / 그는 줄거리를 이해할 수도 있었을 텐데
→ 만약 Oliver가 그 책을 더 주의 깊게 읽었더라면, 그는 줄거리를 이해할 수도 있었을 텐데.

어휘 carefully 뷘 주의 깊게 plot 몡 줄거리

18 **If** the conference **had been held** in Seoul, / more people **could have attended**.

만약 그 학회가 서울에서 열렸더라면 / 더 많은 사람들이 참석할 수 있었을 텐데

어휘 conference 몡 학회, 회의 hold 동 (회의 등을) 열다 attend 동 참석하다

19 **If** Mark **had taken** his medication, / he **might have recovered** more quickly.

만약 Mark가 그의 약을 먹었더라면 / 그는 더 빨리 회복할 수도 있었을 텐데

어휘 medication 몡 약 recover 동 회복하다

20 **If** Anna **had left** earlier, / she **would not have missed** her flight.

만약 Anna가 더 일찍 떠났더라면 / 그녀는 그녀의 항공편을 놓치지 않았을 텐데

21 The skater **could not have won** gold medals / **if** she **had not trained** hard.

그 스케이트 선수는 금메달을 딸 수 없었을 텐데 / 만약 그녀가 열심히 훈련하지 않았더라면
→ 만약 그 스케이트 선수가 열심히 훈련하지 않았더라면, 그녀는 금메달을 딸 수 없었을 텐데.

22 **If** the food [I cooked] **had tasted** delicious, / I **would not have been** embarrassed.

만약 [내가 요리했던] 음식이 맛이 좋았더라면 / 나는 당황하지 않았을 텐데

○ food와 I 사이에는 목적격 관계대명사가 생략되어 있다.

어휘 embarrassed 혱 당황한

23 **If** the family **had moved** / to a bigger apartment, / the children **would have had** their own rooms.

만약 그 가족이 이사했더라면 / 더 큰 아파트로 / 그 아이들은 그들 자신의 방을 가졌을 텐데

→ 만약 그 가족이 더 큰 아파트로 이사했더라면, 그 아이들은 그들 자신의 방을 가졌을 텐데.

24 **If** Darwin **had not traveled** the world, / he **could not have developed** his theories (about evolution).

만약 다윈이 세계를 여행하지 않았더라면 / 그는 (진화에 대한) 그의 이론을 발전시킬 수 없었을 텐데

어휘 develop 통 발전시키다　theory 명 이론　evolution 명 진화

---

if가 생략된 가정법 해석하기

본책 p.110

01 **Were** I you, / I **wouldn't make** a single revision / to your essay. <수능용용>

만약 내가 너라면 / 나는 단 하나의 수정도 하지 않을 텐데 / 너의 에세이에 → 만약 내가 너라면, 나는 너의 에세이에 단 하나의 수정도 하지 않을 텐데.

어휘 revision 명 수정

02 **Had** this journey **taken place** / a week earlier, / we **might have enjoyed** it. <수능용용>

만약 이 여행이 일어났더라면 / 일주일 전에 / 우리는 그것을 즐길 수도 있었을 텐데

→ 만약 이 여행이 일주일 전에 일어났더라면, 우리는 그것을 즐길 수도 있었을 텐데.

어휘 journey 명 여행　take place 일어나다

03 **Were** I lost, / I **would ask** for directions / right away.

만약 내가 길을 잃는다면 / 나는 가는 길을 물어볼 텐데 / 곧바로 → 만약 내가 길을 잃는다면, 나는 곧바로 가는 길을 물어볼 텐데.

어휘 right away 곧바로, 즉시

04 **Had** Kelly **run**, / she **might have caught** the last bus.

만약 Kelly가 달렸더라면 / 그녀는 마지막 버스를 탈 수도 있었을 텐데

05 Cam **could sing** Julie the melody / **were** he a talented singer.

Cam은 Julie에게 그 멜로디를 불러줄 수 있을 텐데 / 만약 그가 재능 있는 가수라면

→ 만약 그가 재능 있는 가수라면, Cam은 Julie에게 그 멜로디를 불러줄 수 있을 텐데.

○ 「sing+간접 목적어(Julie)+직접 목적어(the melody)」의 구조이다.

어휘 talented 형 재능 있는

06 **Had** you **checked** your phone, / you **would have seen** the notification.

만약 네가 너의 전화기를 확인했더라면 / 너는 알림을 봤을 텐데

어휘 notification 명 알림

07 **Were** you in my situation, / what **would** you **do**? <모의용용>

만약 네가 나의 상황에 있다면 / 너는 무엇을 할 거니

08 **Had** the idea **occurred** / to Ron sooner, / he **would have mentioned** it.

만약 그 생각이 떠올랐더라면 / Ron에게 더 빨리 / 그는 그것을 언급했을 텐데 → 만약 그 생각이 Ron에게 더 빨리 떠올랐더라면, 그는 그것을 언급했을 텐데.

어휘 occur 통 (머리에) 떠오르다, 발생하다　mention 통 언급하다

09 **Were** it easy to beat the video game, / everyone **would play** it.

만약 그 비디오 게임을 깨는 것이 쉽다면 / 모두가 그것을 할 텐데

○ 진주어 to beat ~ game 대신 가주어 it이 주어 자리에 쓰였다.

10 Bailey **could have explained** her reasoning / **had** she **had** a little more time.

Bailey는 그녀의 논거를 설명할 수 있었을 텐데 / 만약 그녀가 약간의 시간이 더 있었더라면
→ 만약 그녀가 약간의 시간이 더 있었더라면, Bailey는 그녀의 논거를 설명할 수 있었을 텐데.

어휘 explain 图 설명하다 reasoning 圆 논거, 추론

11 **Were** Clara confident, / she **would be** more assertive / in the debate.

만약 Clara가 자신감이 있다면 / 그녀는 더 적극적일 텐데 / 토론에서 → 만약 Clara가 자신감이 있다면, 그녀는 토론에서 더 적극적일 텐데.

어휘 confident 圈 자신감이 있는 assertive 圈 적극적인 debate 圆 토론

고난도
12 Tom probably **could have fulfilled** his dream / **had** his hand **not been injured**. <모의응용>

Tom은 아마 그의 꿈을 이룰 수 있었을 텐데 / 만약 그의 손이 다치지 않았더라면 → 만약 그의 손이 다치지 않았더라면, Tom은 아마 그의 꿈을 이룰 수 있었을 텐데.

어휘 probably 图 아마 fulfill 图 이루다, 달성하다

S+wish 가정법 해석하기

본책 p.111

01 Farmers **wish** / the drought **would end**. <모의응용>

농부들은 바란다 / 가뭄이 끝나길 → 농부들은 가뭄이 끝나길 바란다.

어휘 drought 圆 가뭄

02 I **wish** / I **had received** wise advice / from those (with more life experience). <모의응용>

좋을 텐데 / 내가 지혜로운 조언을 받았더라면 / (더 많은 삶의 경험을 가진) 사람들로부터
→ 내가 더 많은 삶의 경험을 가진 사람들로부터 지혜로운 조언을 받았더라면 좋을 텐데.

○ those는 '(~하는) 사람들'이라고 해석한다.

어휘 receive 图 받다 advice 圆 조언 experience 圆 경험

03 I **wish** / you **would turn off** the loud music.

좋을 텐데 / 네가 그 시끄러운 음악을 끄면 → 네가 그 시끄러운 음악을 끄면 좋을 텐데.

04 Mr. Turner **wishes** / he **had not sold** his sports car.

Turner씨는 바란다 / 그가 그의 스포츠카를 팔지 않았길 → Turner씨는 그의 스포츠카를 팔지 않았길 바란다.

05 Carrie **wishes** / her school **had** a big stage (for school plays).

Carrie는 바란다 / 그녀의 학교가 (학예회를 위한) 큰 무대를 가지길 → Carrie는 그녀의 학교가 학예회를 위한 큰 무대를 가지길 바란다.

06 The player (on the losing team) **wishes** / he **had scored** more points.

(지고 있는 팀의) 선수는 바란다 / 그가 더 많은 점수를 득점했길 → 지고 있는 팀의 선수는 그가 더 많은 점수를 득점했길 바란다.

어휘 score 图 득점하다

07 During the spring, / we **wish** / the beautiful weather **could continue** forever.

봄 동안에 / 우리는 바란다 / 아름다운 날씨가 영원히 계속될 수 있길 → 봄 동안에, 우리는 아름다운 날씨가 영원히 계속될 수 있길 바란다.

어휘 continue 图 계속되다

08 I **wish** / I **had chosen** a different drink / from the menu.

좋을 텐데 / 내가 다른 음료를 골랐더라면 / 메뉴에서 → 내가 메뉴에서 다른 음료를 골랐더라면 좋을 텐데.

어휘 choose 图 고르다

09 Eva **wishes** / the city **would build** a community garden / in her area. <모의용용>

Eva는 바란다 / 그 도시가 공동체 텃밭을 짓기를 / 그녀의 지역에 → Eva는 그 도시가 그녀의 지역에 공동체 텃밭을 짓기를 바란다.

어휘 community 图 공동체 area 图 지역

10 The shop owner **wishes** / customers **had bought** a few more items today.

그 가게 주인은 바란다 / 오늘 손님들이 약간 더 많은 물건을 샀길 → 그 가게 주인은 오늘 손님들이 약간 더 많은 물건을 샀길 바란다.

어휘 owner 图 주인 customer 图 손님 item 图 물건

11 Many students **wish** / they **didn't have to wear** a uniform / at school.

많은 학생들은 바란다 / 그들이 교복을 입을 필요가 없길 / 학교에서 → 많은 학생들은 그들이 학교에서 교복을 입을 필요가 없길 바란다.

고난도
12 Fans (of the drama) **wish** / the main character **had gone through** / some kind of difficulty.

(그 드라마의) 팬들은 바란다 / 주인공이 겪었길 / 모종의 어려움을 → 그 드라마의 팬들은 주인공이 모종의 어려움을 겪었길 바란다.

어휘 main character 图 주인공 go through 겪다 difficulty 图 어려움

UNIT 60 as if 가정법 해석하기

본책 p.112

01 Companies **advertise** their products / **as if** their competitors **did not exist**. <모의용용>

회사들은 그들의 제품을 광고한다 / 마치 그들의 경쟁사들이 존재하지 않는 것처럼
→ 회사들은 마치 그들의 경쟁사들이 존재하지 않는 것처럼 그들의 제품을 광고한다.

어휘 advertise 图 광고하다 product 图 제품 competitor 图 경쟁사 exist 图 존재하다

02 The man **behaves** / **as if** nothing **had happened**. <모의용용>

그 남자는 행동한다 / 마치 아무것도 일어나지 않았던 것처럼 → 그 남자는 마치 아무것도 일어나지 않았던 것처럼 행동한다.

어휘 behave 图 행동하다

03 Emma **feels** / **as if** she **were** still on the roller coaster.

Emma는 느낀다 / 마치 그녀가 아직도 롤러코스터에 있는 것처럼 → Emma는 마치 그녀가 아직도 롤러코스터에 있는 것처럼 느낀다.

04 The actor **interviews** / **as if** he **had won** numerous awards.

그 배우는 인터뷰를 한다 / 마치 그가 수많은 상을 받았던 것처럼 → 그 배우는 마치 그가 수많은 상을 받았던 것처럼 인터뷰를 한다.

어휘 numerous 图 수많은 award 图 상

05 Daniel **rides** his bicycle / **as if** no one else **used** the bike lane.

Daniel은 그의 자전거를 탄다 / 마치 다른 누구도 그 자전거 도로를 사용하지 않는 것처럼
→ Daniel은 마치 다른 누구도 그 자전거 도로를 사용하지 않는 것처럼 그의 자전거를 탄다.

06 The newly released movie **looks** / **as if** it **had been made** / 10 years ago.

그 새로 개봉한 영화는 보인다 / 마치 그것이 만들어졌던 것처럼 / 10년 전에 → 그 새로 개봉한 영화는 마치 그것이 10년 전에 만들어졌던 것처럼 보인다.

07 Paul **greets** Amy / **as if** they **hadn't met** each other / for a long time.

Paul은 Amy를 맞이한다 / 마치 그들이 서로를 만나지 못했던 것처럼 / 오랫동안 → Paul은 마치 그들이 오랫동안 서로를 만나지 못했던 것처럼 Amy를 맞이한다.

어휘 greet 图 맞이하다

08 Julia **introduces** herself / **as if** she **had worked** / in the fashion industry.

Julia는 자기 자신을 소개한다 / 마치 그녀가 일했던 것처럼 / 패션 업계에서 → Julia는 마치 그녀가 패션 업계에서 일했던 것처럼 자기 자신을 소개한다.

➲ 주어와 목적어가 같은 대상이므로 재귀대명사 herself를 쓰며, '자기 자신'이라고 해석한다.

어휘 introduce [동] 소개하다 industry [명] 업계, 산업

09 Despite living in the country, / Francis **talks** / **as if** he **lived** in a big city.

시골에서 살고 있음에도 불구하고 / Francis는 말한다 / 마치 그가 대도시에서 사는 것처럼
→ 시골에서 살고 있음에도 불구하고, Francis는 마치 그가 대도시에서 사는 것처럼 말한다.

어휘 despite [전] ~에도 불구하고 country [명] 시골, 국가

[고난도]
10 Some people **act** / **as if** they **had** / knowledge [that they do not have]. <모의응용>

어떤 사람들은 행동한다 / 마치 그들이 가진 것처럼 / [그들이 가지지 않은] 지식을 → 어떤 사람들은 마치 그들이 가지지 않은 지식을 가진 것처럼 행동한다.

➲ that ~ have는 knowledge를 꾸며주는 목적격 관계대명사절이다.

어휘 act [동] 행동하다 knowledge [명] 지식

UNIT 61 without[but for] 가정법 해석하기

본책 p.113

01 **Without[But for]** friends, / the world **would be** a pretty lonely place. <모의>

만약 친구들이 없다면 / 세상은 아주 외로운 곳일 텐데

➲ = If it were not for[Were it not for] friends, the world would be a pretty lonely place.

어휘 pretty [부] 아주, 꽤

02 **Without[But for]** passion, / they **would not have achieved** anything. <모의응용>

만약 열정이 없었더라면 / 그들은 아무것도 성취하지 못했을 텐데

➲ = If it had not been for[Had it not been for] passion, they would not have achieved anything.

어휘 passion [명] 열정 achieve [동] 성취하다

03 **Without** my wool coat, / I **would feel** very cold today.

만약 나의 모직 코트가 없다면 / 나는 오늘 매우 춥게 느낄 텐데

04 **But for** the lighthouse, / the coast **would have been** invisible / in the dark.

만약 등대가 없었더라면 / 해안이 보이지 않았을 텐데 / 어둠 속에서 → 만약 등대가 없었더라면, 어둠 속에서 해안이 보이지 않았을 텐데.

어휘 lighthouse [명] 등대 coast [명] 해안 invisible [형] 보이지 않는

05 The Olympic Games **might not have been** successful / **without** the volunteers.

올림픽 대회는 성공적이지 못할 수도 있었을 텐데 / 만약 자원 봉사자들이 없었더라면
→ 만약 자원 봉사자들이 없었더라면, 올림픽 대회는 성공적이지 못할 수도 있었을 텐데.

어휘 successful [형] 성공적인 volunteer [명] 자원 봉사자

06 **But for** your advice, / I **would not know** / what to do / after graduation.

만약 너의 조언이 없다면 / 나는 알지 못할 텐데 / 무엇을 해야 할지를 / 졸업 후에 → 만약 너의 조언이 없다면, 나는 졸업 후에 무엇을 해야 할지를 알지 못할 텐데.

➲ 「what+to부정사」는 '무엇을 ~할지'라고 해석한다.

어휘 graduation [명] 졸업

07 **Without** a computer, / the mathematical calculations **could not be performed.**
만약 컴퓨터가 없다면 / 그 수학적인 계산은 실행될 수 없을 텐데

어휘 mathematical [형] 수학적인 calculation [명] 계산 perform [동] 실행하다

08 **But for** Jennifer's message, / Mason **would have forgotten** / about the meeting.
만약 Jennifer의 메시지가 없었더라면 / Mason은 잊어버렸을 텐데 / 회의에 대해
→ 만약 Jennifer의 메시지가 없었더라면, Mason은 회의에 대해 잊어버렸을 텐데.

09 **Without** each member's help, / the challenge **would have been** impossible. <모의응용>
각 구성원의 도움이 없었더라면 / 그 도전은 불가능했을 텐데

어휘 challenge [명] 도전 impossible [형] 불가능한

10 **But for** the rain forecast, / vacationers **would go** swimming / in the river.
만약 비 예보가 없다면 / 피서객들은 수영하러 갈 텐데 / 강에 → 만약 비 예보가 없다면, 피서객들은 강에 수영하러 갈 텐데.

어휘 forecast [명] 예보

11 I **would have left** / the refrigerator door open / **without** the alarm sound.
나는 뒀을 텐데 / 냉장고 문을 열린 상태로 / 만약 경고음이 없었더라면 → 만약 경고음이 없었더라면, 나는 냉장고 문을 열린 상태로 뒀을 텐데.
「leave+목적어(the refrigerator door)+목적격 보어(open)」의 구조이다.

어휘 leave [동] (~인 상태로) 두다 alarm sound 경고음

[고난도]
12 **But for** donations, / the center **might not have** / enough funds (to keep operating). <모의응용>
만약 기부가 없다면 / 그 센터는 가지지 않을 수도 있을 텐데 / (운영을 계속하기 위한) 충분한 자금을
→ 만약 기부가 없다면, 그 센터는 운영을 계속하기 위한 충분한 자금을 가지지 않을 수도 있을 텐데.
to부정사구 to keep operating은 funds를 꾸며주는 형용사적 용법으로 쓰였다.
동명사 operating은 to부정사 to keep의 목적어로 쓰였다.

어휘 donation [명] 기부 fund [명] 자금 operate [동] 운영하다

Chapter Test

본책 p.114

01 Mary **wishes** / her cell phone's battery **lasted** longer.
Mary는 바란다 / 그녀의 휴대폰 배터리가 더 오래 지속되길 → Mary는 그녀의 휴대폰 배터리가 더 오래 지속되길 바란다.

어휘 last [동] 지속되다

02 **If** I **found** a wallet / on the street, / I **would look** for its owner.
만약 내가 지갑을 발견한다면 / 길에서 / 나는 그것의 주인을 찾을 텐데 → 만약 내가 길에서 지갑을 발견한다면, 나는 그것의 주인을 찾을 텐데.

03 It **seems** / **as if** his desk **had never been cleaned.**
보인다 / 마치 그의 책상이 결코 청소된 적이 없었던 것처럼 → 마치 그의 책상이 결코 청소된 적이 없었던 것처럼 보인다.

04 **If** you **had asked** questions, / you **could have learned** the answer.
만약 네가 질문을 했더라면 / 너는 답을 알게 될 수 있었을 텐데

05 Jonathan **wishes** / there **were** a large park / in his neighborhood.
Jonathan은 바란다 / 큰 공원이 있길 / 그의 동네에 → Jonathan은 그의 동네에 큰 공원이 있길 바란다.

어휘 neighborhood [명] 동네

06 **Without** a flashlight, / we **would be** lost / in the woods / at night.

만약 손전등이 없다면 / 우리는 길을 잃을 텐데 / 숲 속에서 / 밤에 → 만약 손전등이 없다면, 우리는 밤에 숲 속에서 길을 잃을 텐데.

07 **If** Mia **were given** another chance, / she **would do** exactly the opposite thing.

만약 Mia에게 또 다른 기회가 주어진다면 / 그녀는 정확히 반대되는 일을 할 텐데

❍ 「give+간접 목적어(Mia)+직접 목적어(another chance)」의 구조가 수동태로 바뀐 문장이다.

어휘 chance 명 기회 exactly 부 정확히 opposite 형 반대되는

08 Kaylee **wishes** / she **had picked** a familiar topic / for her final report.

Kaylee는 바란다 / 그녀가 익숙한 주제를 골랐길 / 그녀의 기말 레포트를 위해 → Kaylee는 그녀의 기말 레포트를 위해 익숙한 주제를 골랐길 바란다.

어휘 pick 동 고르다 familiar 형 익숙한

09 Eric **acts** / **as if** he **didn't care** / about other people's opinions / at all.

Eric은 행동한다 / 마치 그가 상관하지 않는 것처럼 / 다른 사람들의 의견에 대해 / 전혀

→ Eric은 마치 다른 사람들의 의견에 대해 전혀 상관하지 않는 것처럼 행동한다.

어휘 opinion 명 의견 at all 전혀, 조금도

10 Nora **wishes** / she **had gone** on a trip / instead of staying home.

Nora는 바란다 / 그녀가 여행을 갔길 / 집에 있는 것 대신에 → Nora는 그녀가 집에 있는 것 대신에 여행을 갔길 바란다.

❍ 동명사구 staying home은 전치사 instead of의 목적어로 쓰였다.

어휘 instead of ~ 대신에

11 **But for** some good luck, / Michael's plan (to get a perfect score) / **might have failed**.

만약 약간의 행운이 없었더라면 / (만점을 받으려는) Michael의 계획은 / 실패할 수도 있었을 텐데

❍ to부정사구 to get ~ score는 plan을 꾸며주는 형용사적 용법으로 쓰였다.

12 Grace **talks** / **as if** doing the laundry **were** the hardest task / in the world.

Grace는 말한다 / 마치 빨래를 하는 것이 가장 힘든 일인 것처럼 / 세상에서 → Grace는 마치 빨래를 하는 것이 세상에서 가장 힘든 일인 것처럼 말한다.

❍ 동명사구 doing the laundry는 절에서 주어 역할을 하고 있다.
❍ 「the+최상급」은 '가장 ~한/하게'라고 해석한다.

어휘 laundry 명 빨래 task 명 일

13 **Had** the bill **passed**, / the country's situation **would have changed** drastically.

만약 그 법안이 통과되었더라면 / 그 나라의 상황은 급격하게 변화했을 텐데

어휘 pass 동 (법안 등이) 통과되다 situation 명 상황 drastically 부 급격하게

[고난도]
14 **If** I **had seen** a counselor / after the accident, / it **might not have been** traumatic.

만약 내가 상담가를 만나봤더라면 / 그 사고 이후에 / 그것은 트라우마가 되지 않을 수도 있었을 텐데

→ 만약 내가 그 사고 이후에 상담가를 만나봤더라면, 그것은 트라우마가 되지 않을 수도 있었을 텐데.

어휘 counselor 명 상담가 accident 명 사고

[고난도]
15 **Were** Mr. Anderson younger, / he **would have** / a different perspective (on the welfare system).

만약 Anderson씨가 더 젊다면 / 그는 가질 텐데 / (복지 제도에 대한) 다른 관점을 → 만약 Anderson씨가 더 젊다면, 복지 제도에 대한 다른 관점을 가질 텐데.

어휘 perspective 명 관점 welfare 명 복지

CHAPTER 12 비교구문

UNIT 62 원급/비교급/최상급 비교 해석하기

본책 p.116

01 Your dog is almost **as large** / **as** a person.

너의 개는 거의 크다 / 사람만큼 → 너의 개는 거의 사람만큼 크다.

어휘 almost 图 거의

02 I am **not as outgoing** / **as** my sister Olivia.

나는 외향적이지 않다 / 나의 여동생 Olivia만큼 → 나는 나의 여동생 Olivia만큼 외향적이지 않다.

어휘 outgoing 혱 외향적인

03 You can smell **as fresh** / **as** a daisy / with our new perfume.

너는 신선한 향기가 날 수 있다 / 데이지 꽃만큼 / 우리의 새로운 향수로 → 너는 우리의 새로운 향수로 데이지 꽃만큼 신선한 향기가 날 수 있다.

어휘 perfume 몡 향수

04 It was an excellent film, // but it was **not as good** / **as** the book. <모의>

그것은 훌륭한 영화였다 // 그러나 그것은 좋지 않았다 / 책만큼 → 그것은 훌륭한 영화였지만, 책만큼 좋지 않았다.

05 Aaron liked the sculpture *The Thinker* **as much** / **as** *Venus de Milo*.

Aaron은 '생각하는 사람' 조각상을 많이 좋아했다 / '밀로의 비너스'만큼 → Aaron은 '생각하는 사람' 조각상을 '밀로의 비너스'만큼 많이 좋아했다.

어휘 sculpture 몡 조각상

06 At the market, / tomatoes are usually **not so expensive** / **as** cherries.

시장에서 / 토마토는 보통 비싸지 않다 / 체리만큼 → 시장에서, 토마토는 보통 체리만큼 비싸지 않다.

어휘 usually 图 보통

07 Two heads are **better** / **than** one. <속담>

두 개의 머리는 더 낫다 / 하나보다 → 백지장도 맞들면 낫다.

08 Crows are **smarter** / **than** other types of birds.

까마귀들은 더 똑똑하다 / 다른 종류의 새들보다 → 까마귀들은 다른 종류의 새들보다 더 똑똑하다.

09 The express train stops **less often** / **than** the local train.

급행 열차는 덜 자주 멈춘다 / 완행 열차보다 → 급행 열차는 완행 열차보다 덜 자주 멈춘다.

어휘 express 혱 급행의 often 图 자주 local 혱 완행의, 지역의

10 Heather can read **faster** / **than** most of her classmates.

Heather는 더 빨리 읽을 수 있다 / 그녀의 반 친구들 대부분보다 → Heather는 그녀의 반 친구들 대부분보다 더 빨리 읽을 수 있다.

11 This washing machine is **less noisy** / **than** other models.

이 세탁기는 덜 시끄럽다 / 다른 모델보다 → 이 세탁기는 다른 모델보다 덜 시끄럽다.

어휘 washing machine 뗑 세탁기

^{고난도}
12 The upper part (of the rock) / erodes **more slowly** / **than** the base. <모의응용>

(바위의) 윗부분은 / 더 천천히 침식된다 / 맨 아래 부분보다 → 바위의 윗부분은 맨 아래 부분보다 더 천천히 침식된다.

어휘 upper 뗑 위의 base 뗑 맨 아래 부분

13 A bus tour is / **the easiest** way (to enjoy popular tourist spots). <모의응용>

버스 여행은 ~이다 / (인기 있는 관광지들을 즐기는) 가장 쉬운 방법 → 버스 여행은 인기 있는 관광지들을 즐기는 가장 쉬운 방법이다.

❍ to부정사구 to enjoy ~ spots는 way를 꾸며주는 형용사적 용법으로 쓰였다.

어휘 popular 뗑 인기 있는 tourist spot 뗑 관광지

14 Tina wakes up **the earliest** / in her family.

Tina는 가장 일찍 일어난다 / 그녀의 가족 중에서 → Tina는 그녀의 가족 중에서 가장 일찍 일어난다.

15 Michael has **the worst** luck / of anyone [I know].

Michael은 가장 나쁜 운을 가지고 있다 / [내가 아는] 모든 사람 중에서 → Michael은 내가 아는 모든 사람 중에서 가장 나쁜 운을 가지고 있다.

❍ anyone과 I 사이에는 목적격 관계대명사가 생략되어 있다.

어휘 luck 뗑 운

16 The candidate [who gets **the most** votes] / will become the mayor.

[가장 많은 표를 받는] 후보자는 / 시장이 될 것이다

❍ who ~ votes는 candidate를 꾸며주는 주격 관계대명사절이다.

어휘 candidate 뗑 후보자 vote 뗑 표, 투표 mayor 뗑 시장

17 The wildlife [that is **the most seriously** threatened] / includes seabirds.

[가장 심각하게 위협받는] 야생 동물은 / 바닷새들을 포함한다

❍ that ~ threatened는 wildlife를 꾸며주는 주격 관계대명사절이다.

어휘 wildlife 뗑 야생 동물 seriously 閉 심각하게 threaten 통 위협하다 include 통 포함하다

^{고난도}
18 The young boy drew attention / for showing **the greatest** skill / in the competition.

그 어린 남자아이는 주목을 끌었다 / 가장 우수한 기량을 보여주는 것으로 / 그 대회에서
→ 그 어린 남자아이는 그 대회에서 가장 우수한 기량을 보여주는 것으로 주목을 끌었다.

어휘 draw 통 끌다 attention 뗑 주목 skill 뗑 기량, 기술 competition 뗑 대회

UNIT 63 원급 표현 해석하기

본책 p.118

01 The students described their emotions / **as fully as possible.** <모의응용>

학생들은 그들의 감정을 묘사했다 / 가능한 한 충분히 → 학생들은 가능한 한 충분히 그들의 감정을 묘사했다.

어휘 describe 통 묘사하다 emotion 뗑 감정 fully 閉 충분히, 완전히

02 Arthur ran / **as fast as he could.** <모의응용>

Arthur는 달렸다 / 그가 할 수 있는 한 빠르게 → Arthur는 그가 할 수 있는 한 빠르게 달렸다.

03 We hope / you will start working / **as soon as possible.** <모의>

우리는 바란다 / 네가 일하는 것을 시작하기를 / 가능한 한 빨리 → 우리는 네가 가능한 한 빨리 일하는 것을 시작하기를 바란다.

- hope와 you 사이에는 명사절 접속사 that이 생략되어 있다.
- 동명사 working은 동사 will start의 목적어로 쓰였으며, start는 동명사와 to부정사를 모두 목적어로 가진다.

04 My text message / was **four times as long** / **as** the one [Frida sent].

나의 문자 메시지는 / 네 배 길었다 / [Frida가 보냈던] 것보다 → 나의 문자 메시지는 Frida가 보냈던 것보다 네 배 길었다.

- text message 대신 대명사 one이 쓰였다.
- one과 Frida 사이에는 목적격 관계대명사가 생략되어 있다.

어휘 text message [명] 문자 메시지

05 Everyone wants / their orders to arrive / **as quickly as possible.**

모든 사람은 원한다 / 그들의 주문품들이 도착하기를 / 가능한 한 빠르게 → 모든 사람은 그들의 주문품들이 가능한 한 빠르게 도착하기를 원한다.

- 「want+목적어(their orders)+목적격 보어(to arrive ~ possible)」의 구조이다.

어휘 order [명] 주문품 arrive [동] 도착하다

06 The swimming pool / is **three times as wide** / **as** it is deep.

그 수영장은 / 세 배 넓다 / 그것이 깊은 것보다 → 그 수영장은 그것이 깊은 것보다 세 배 넓다.

- swimming pool 대신 대명사 it이 쓰였다.

어휘 wide [형] 넓은 deep [형] 깊은

07 We tiptoed / **as quietly as we could** / to avoid waking up the baby.

우리는 발끝으로 걸었다 / 우리가 할 수 있는 한 조용하게 / 아기를 깨우는 것을 피하기 위해
→ 우리는 아기를 깨우는 것을 피하기 위해 우리가 할 수 있는 한 조용하게 발끝으로 걸었다.

- to부정사구 to avoid ~ baby는 목적을 나타내는 부사적 용법으로 쓰였다.
- 동명사구 waking ~ baby는 to부정사 to avoid의 목적어로 쓰였다.

어휘 tiptoe [동] 발끝으로 걷다 avoid [동] 피하다

08 In the last two minutes, / you should fill out / **as many** answers **as possible.**

마지막 2분 동안 / 너는 기입해야 한다 / 가능한 한 많은 답을 → 마지막 2분 동안, 너는 가능한 한 많은 답을 기입해야 한다.

어휘 fill out 기입하다 answer [명] 답

09 The corporation's main goal / is making **as much** profit **as possible.**

그 회사의 주된 목표는 / 가능한 한 많은 이익을 내는 것이다

- 동명사구 making ~ possible은 문장에서 주격 보어 역할을 하고 있다.

어휘 corporation [명] 회사, 기업 main [형] 주된 goal [명] 목표 profit [명] 이익

[고난도]
10 The popularity (of horror movies) / is **twice as high** / **as** that (of animation). <모의>

(공포 영화의) 인기는 / 두 배 높다 / (애니메이션의) 그것보다 → 공포 영화의 인기는 애니메이션의 그것보다 두 배 높다.

- popularity 대신 대명사 that이 쓰였다.

어휘 popularity [명] 인기

01 Some stars (in the universe) / are **thousands of times hotter** / **than** the Sun. <모의응용>

(우주에 있는) 몇몇 항성들은 / 수천 배 더 뜨겁다 / 태양보다 → 우주에 있는 몇몇 항성들은 태양보다 수천 배 더 뜨겁다.

어휘 star 몡 항성 universe 몡 우주

02 **The more active** you are, / **the more** energy you spend. <모의응용>

네가 활동적이면 활동적일수록 / 너는 더 많은 에너지를 쓴다

어휘 active 톙 활동적인 spend 통 쓰다, 보내다

03 The sound (of thunder) / became **louder and louder**.

(천둥의) 소리가 / 점점 더 커졌다

어휘 thunder 몡 천둥

04 Guavas contain **three times more** vitamin C / **than** oranges.

구아바는 세 배 더 많은 비타민C를 함유하고 있다 / 오렌지보다 → 구아바는 오렌지보다 세 배 더 많은 비타민C를 함유하고 있다.

어휘 contain 통 함유하다

05 **Fewer and fewer** people / are carrying cash / these days.

점점 더 적은 사람들이 / 현금을 가지고 다닌다 / 요즘에 → 요즘에 점점 더 적은 사람들이 현금을 가지고 다닌다.

어휘 carry 통 가지고 다니다 cash 몡 현금

06 **The later** you begin your homework, / **the more difficult** it will be.

네가 너의 숙제를 늦게 시작하면 할수록 / 그것은 더 힘겨워질 것이다

07 Tigers are roughly **four times heavier** / **than** humans.

호랑이는 대략 네 배 더 무겁다 / 사람보다 → 호랑이는 사람보다 대략 네 배 더 무겁다.

어휘 roughly 뿐 대략

08 **The longer** Helen stayed / on the sunbed, / **the more sunburned** she got.

Helen이 오래 있으면 있을수록 / 일광욕 침대에 / 그녀는 햇볕에 더 타게 되었다 → Helen이 일광욕 침대에 오래 있으면 있을수록, 햇볕에 더 타게 되었다.

어휘 sunburned 톙 햇볕에 탄

09 Footsteps approached **nearer and nearer** / in the dark hall. <모의>

발소리가 점점 더 가까이 다가왔다 / 어두운 복도에서 → 어두운 복도에서 발소리가 점점 더 가까이 다가왔다.

어휘 footstep 몡 발소리, 발자국 approach 통 다가오다 hall 몡 복도

10 Being hit by lightning / is **five times more likely** / **than** winning the lottery.

번개에 맞는 것은 / 다섯 배 더 있음 직하다 / 복권에 당첨되는 것보다 → 번개에 맞는 것은 복권에 당첨되는 것보다 다섯 배 더 있음 직하다.

➊ 동명사구 Being ~ lightning은 문장에서 주어 역할을 하고 있다.

어휘 lightning 몡 번개 likely 톙 있음 직한, 그럴듯한 lottery 몡 복권

11 The detective story grew **more and more mysterious** / as I read it.

그 탐정 소설은 점점 더 이해하기 힘들어졌다 / 내가 그것을 읽어 나가면서 → 그 탐정 소설은 내가 그것을 읽어 나가면서 점점 더 이해하기 힘들어졌다.

➊ read는 과거형으로 쓰였다. (read-read-read)

어휘 detective 몡 탐정, 형사 mysterious 톙 이해하기 힘든, 기이한

12 **The more sociable** Andrew was, / **the easier** it was / for him to make new friends.

Andrew가 사교적이면 사교적일수록 / 더 쉬웠다 / 그가 새로운 친구를 만드는 것은

→ Andrew가 사교적이면 사교적일수록 그가 새로운 친구를 만드는 것은 더 쉬웠다.

○ 진주어 to make new friends 대신 가주어 it이 주어 자리에 쓰였다.

○ to부정사구 to make new friends의 의미상 주어로 him이 쓰였다.

어휘 sociable 혱 사교적인

최상급 표현 해석하기

본책 p.120

---

01 A hairstyle can be / **one of the simplest means** (of nonverbal communication). <모의>

머리모양은 ~가 될 수 있다 / (비언어적인 의사소통의) 가장 간단한 방식들 중 하나

→ 머리모양은 비언어적인 의사소통의 가장 간단한 방식들 중 하나가 될 수 있다.

어휘 means 혱 방식, 수단 nonverbal 혱 비언어적인 communication 혱 의사소통

02 John is **one of the shortest students** / in his class.

John은 가장 키가 작은 학생들 중 하나이다 / 그의 반에서 → John은 그의 반에서 가장 키가 작은 학생들 중 하나이다.

03 Saturn is **the second biggest** planet / in our solar system.

토성은 두 번째로 가장 큰 행성이다 / 우리의 태양계에서 → 토성은 우리의 태양계에서 두 번째로 가장 큰 행성이다.

어휘 Saturn 혱 토성 planet 혱 행성 solar system 혱 태양계

04 The car is **the costliest product** / **that has ever been made** by the company.

그 차는 가장 비싼 제품이다 / 지금까지 그 회사에 의해 만들어진 제품 중에서 → 그 차는 지금까지 그 회사에 의해 만들어진 제품 중에서 가장 비싼 제품이다.

어휘 costly 혱 비싼 product 혱 제품

05 Venice turned into **one of the richest cities** / in the world. <모의응용>

베니스는 가장 부유한 도시들 중 하나로 변했다 / 세계에서 → 베니스는 세계에서 가장 부유한 도시들 중 하나로 변했다.

어휘 turn into ~으로 변하다

06 *The Mahabharata* is known / as **the longest poem** / **that has ever been written**.

'마하바라타'는 알려져 있다 / 가장 긴 시로 / 지금까지 쓰인 시 중에서 → '마하바라타'는 지금까지 쓰인 시 중에서 가장 긴 시로 알려져 있다.

07 San Marino, / which is surrounded by Italy, / is **the third smallest** country / in Europe.

산마리노는 / 이탈리아에 의해 둘러싸여 있는데 / 세 번째로 가장 작은 나라이다 / 유럽에서

→ 산마리노는 이탈리아에 의해 둘러싸여 있는데, 유럽에서 세 번째로 가장 작은 나라이다.

○ 관계대명사 which 앞에 콤마(,)가 쓰이면 콤마 앞의 선행사에 대한 부가적인 정보를 덧붙인다.

어휘 surround 동 둘러싸다 country 혱 나라

08 Ms. Hart is / **one of the most talented wedding dress designers** [I know].

Hart씨는 ~이다 / [내가 아는] 가장 재능이 있는 웨딩드레스 디자이너들 중 하나 → Hart씨는 내가 아는 가장 재능이 있는 웨딩드레스 디자이너들 중 하나이다.

○ designers와 I 사이에는 목적격 관계대명사가 생략되어 있다.

어휘 talented 혱 재능이 있는

09 The vampire squid is probably / **the strangest sea creature** / **that has ever existed**.

뱀파이어 오징어는 아마 ~일 것이다 / 가장 이상한 해양 생물 / 지금까지 존재한 해양 생물 중에서
→ 뱀파이어 오징어는 아마 지금까지 존재한 해양 생물 중에서 가장 이상한 해양 생물일 것이다.

어휘 probably 图 아마 strange 혱 이상한 sea creature 몡 해양 생물 exist 통 존재하다

10 Mexico consumed / **the third largest** amount of bottled water / in 1999. <모의>

멕시코는 소비했다 / 세 번째로 가장 많은 양의 병에 든 생수를 / 1999년에 → 멕시코는 1999년에 세 번째로 가장 많은 양의 병에 든 생수를 소비했다.

어휘 consume 통 소비하다 amount 몡 양

11 Telling lies is / **one of the fastest ways** (of losing people's trust).

거짓말을 하는 것은 ~이다 / (사람들의 신뢰를 잃는) 가장 빠른 길들 중 하나 → 거짓말을 하는 것은 사람들의 신뢰를 잃는 가장 빠른 길들 중 하나이다.

🔾 동명사구 Telling lies는 문장에서 주어 역할을 하고 있다.
🔾 동명사구 losing people's trust는 전치사 of의 목적어로 쓰였다.

어휘 lie 몡 거짓말 trust 몡 신뢰

고난도
12 **The most wonderful thing** / **that has ever happened** to me / was meeting you.

가장 멋진 일은 / 지금까지 나에게 일어난 일 중에서 / 너를 만난 것이었다 → 지금까지 나에게 일어난 일 중에서 가장 멋진 일은 너를 만난 것이었다.

🔾 동명사구 meeting you는 문장에서 주격 보어 역할을 하고 있다.

어휘 wonderful 혱 멋진 happen 통 일어나다

UNIT 66 최상급의 의미를 나타내는 원급/비교급 표현 해석하기

본책 p.121

01 **No other** place (on Earth) is **colder** / **than** Antarctica.

(지구상의) 어떤 곳도 더 춥지 않다 / 남극 대륙보다 → 지구상의 어떤 곳도 남극 대륙보다 더 춥지 않다.

🔾 = Antarctica is **the coldest** place on earth.

어휘 Antarctica 몡 남극 대륙

02 In my opinion, / **no other** painting is **as beautiful** / **as** the *Mona Lisa*.

나의 생각에 / 어떤 그림도 아름답지 않다 / '모나리자'만큼 → 나의 생각에, 어떤 그림도 '모나리자'만큼 아름답지 않다.

🔾 = In my opinion, the *Mona Lisa* is **the most beautiful** painting.

어휘 opinion 몡 생각, 의견

03 UY Scuti is **bigger** / **than all the other** stars (in space).

방패자리 UY는 더 크다 / (우주에 있는) 다른 모든 항성보다 → 방패자리 UY는 우주에 있는 다른 모든 항성보다 더 크다.

🔾 = UY Scuti is **the biggest** star in space.

04 **No other** part (of the city) is **as crowded** / **as** the downtown area.

(그 도시의) 어떤 지역도 붐비지 않는다 / 도심 지역만큼 → 그 도시의 어떤 지역도 도심 지역만큼 붐비지 않는다.

🔾 = The downtown area is **the most crowded** part of the city.

어휘 crowded 혱 붐비는 downtown area 몡 도심 지역

05 Trevor trains **harder** / **than any other** player (on his soccer team).

Trevor는 더 열심히 훈련한다 / (그의 축구 팀에 있는) 다른 어떤 선수보다 → Trevor는 그의 축구 팀에 있는 다른 어떤 선수보다 더 열심히 훈련한다.

🔾 = Trevor trains **the hardest** on his soccer team.

어휘 train 통 훈련하다

06 The Pacific Ocean is **deeper** / **than all the other** bodies of water.

태평양은 더 깊다 / 다른 모든 수역보다 → 태평양은 다른 모든 수역보다 더 깊다.

○ = The Pacific Ocean is **the deepest** body of water.

어휘 Pacific Ocean 태평양 body of water 수역

07 **No other** element is **as abundant** / in the universe / **as** hydrogen.

어떤 원소도 풍부하지 않다 / 우주에서 / 수소만큼 → 우주에서 어떤 원소도 수소만큼 풍부하지 않다.

○ = Hydrogen is **the most abundant** element in the universe.

어휘 element 圐 원소 abundant 圐 풍부한

08 The final exam is **more important** / **than any other** test / for most students.

기말 시험은 더 중요하다 / 다른 어떤 시험보다 / 대부분의 학생들에게 → 기말 시험은 대부분의 학생들에게 다른 어떤 시험보다 더 중요하다.

○ = The final exam is **the most important** test for most students.

어휘 important 圐 중요한

09 This mountain is **steeper** / **than any other** mountain (in the region).

이 산은 더 가파르다 / (그 지역에 있는) 다른 어떤 산보다 → 이 산은 그 지역에 있는 다른 어떤 산보다 더 가파르다.

○ = This mountain is **the steepest** mountain in the region.

어휘 steep 圐 가파른 region 圐 지역

10 Perhaps **no** period (in life) is **as stressful** / **as** the first year (of college). <모의응용>

어쩌면 (인생의) 어떤 시기도 스트레스가 많지 않다 / (대학의) 첫 해만큼 → 어쩌면 인생의 어떤 시기도 대학의 첫 해만큼 스트레스가 많지 않다.

○ = Perhaps the first year of college is **the most stressful** period in life.

어휘 perhaps 圐 어쩌면, 아마 period 圐 시기 stressful 圐 스트레스가 많은

Chapter Test

본책 p.122

01 The animated movie is **far funnier** / **than** the comic book.

그 애니메이션 영화는 훨씬 더 웃기다 / 그 만화책보다 → 그 애니메이션 영화는 그 만화책보다 훨씬 더 웃기다.

02 The Amazon River is **the second longest** river / on Earth.

아마존강은 두 번째로 가장 긴 강이다 / 지구상에서 → 아마존강은 지구상에서 두 번째로 가장 긴 강이다.

03 We go to the beach / **as often as possible** / in the summer.

우리는 해변에 간다 / 가능한 한 자주 / 여름에 → 우리는 여름에 가능한 한 자주 해변에 간다.

04 Text messages are **not so powerful** / **as** in-person communication. <모의응용>

문자 메시지는 강력하지 않다 / 대면 의사소통만큼 → 문자 메시지는 대면 의사소통만큼 강력하지 않다.

어휘 powerful 圐 강력한 in-person 圐 대면의

05 Generally, / adults' bones are **less flexible** / **than** those of babies.

일반적으로 / 어른들의 뼈는 덜 유연하다 / 아기들의 것보다 → 일반적으로, 어른들의 뼈는 아기들의 것보다 덜 유연하다.

○ bones 대신 대명사 those가 쓰였다.

어휘 generally 圐 일반적으로 adult 圐 어른 bone 圐 뼈 flexible 圐 유연한

06 **The harder** Antonio exercised, / **the stronger** he became.

Antonio가 열심히 운동하면 할수록 / 그는 더 강해졌다

어휘 exercise 동 운동하다

07 For the essay, / Jane submitted **twice as many** pages / **as** I did.

에세이로 / Jane은 두 배 많은 페이지를 제출했다 / 내가 그랬던 것보다 → 에세이로, Jane은 내가 그랬던 것보다 두 배 많은 페이지를 제출했다.

❍ submitted 대신 대동사 did가 쓰였다.

어휘 submit 동 제출하다

08 Mark spends / **as much** time **as he can** / with his best friends.

Mark는 보낸다 / 그가 할 수 있는 한 많은 시간을 / 그의 가장 친한 친구들과 → Mark는 그가 할 수 있는 한 많은 시간을 그의 가장 친한 친구들과 보낸다.

09 Going in a straight line / is not always **the fastest** route.

직선으로 가는 것이 / 항상 가장 빠른 길은 아니다

❍ 동명사구 Going ~ line은 문장에서 주어 역할을 하고 있다.

어휘 route 명 길

10 Ms. Harris is / **one of the most experienced teachers** / in our school.

Harris 선생님은 ~이다 / 가장 경험이 풍부한 선생님들 중 하나 / 우리 학교에서 → Harris 선생님은 우리 학교에서 가장 경험이 풍부한 선생님들 중 하나이다.

어휘 experienced 형 경험이 풍부한

11 **No other** advertising medium works **as effectively** / **as** social media. <모의응용>

어떤 광고 매체도 효과적으로 작용하지 않는다 / 소셜 미디어만큼 → 어떤 광고 매체도 소셜 미디어만큼 효과적으로 작용하지 않는다.

어휘 advertising medium 광고 매체 work 동 작용하다, 일하다 effectively 부 효과적으로

12 The newspaper company has / **50 times more** readers / **than** its competitors.

그 신문사는 가지고 있다 / 50배 더 많은 독자들을 / 그것의 경쟁사보다 → 그 신문사는 그것의 경쟁사보다 50배 더 많은 독자들을 가지고 있다.

어휘 reader 명 독자 competitor 명 경쟁사

13 The new software is **not as innovative** / **as** the version [it replaced].

그 새로운 소프트웨어는 혁신적이지 않다 / [그것이 대체한] 버전만큼 → 그 새로운 소프트웨어는 그것이 대체한 버전만큼 혁신적이지 않다.

❍ version과 it 사이에는 목적격 관계대명사가 생략되어 있다.

어휘 innovative 형 혁신적인 replace 동 대체하다

14 I woke up early, // so I could watch / **the greatest** sunrise / in my life. <모의응용>

나는 일찍 일어났다 // 그래서 나는 볼 수 있었다 / 가장 훌륭한 일출을 / 나의 인생에서 → 나는 일찍 일어나서, 나의 인생에서 가장 훌륭한 일출을 볼 수 있었다.

어휘 sunrise 명 일출

^{고난도}
15 In the Northern Hemisphere, / the days get **shorter and shorter** / during the autumn.

북반구에서는 / 날이 점점 더 짧아진다 / 가을 동안에 → 북반구에서는, 가을 동안에 날이 점점 더 짧아진다.

어휘 autumn 명 가을

CHAPTER 13 it과 특수구문

UNIT 67 다양한 쓰임의 it 해석하기 I

본책 p.124

01 Susan repeated her request. // I couldn't refuse **it**. <모의>

Susan은 그녀의 요청을 반복했다. // 나는 그것을 거절할 수 없었다.

❍ her request 대신 대명사 it이 쓰였다.

어휘 repeat 图 반복하다 request 閔 요청 refuse 图 거절하다

02 Wendy played Henry / the song [she wrote], // and he really liked **it**.

Wendy는 Henry에게 연주해줬다 / [그녀가 쓴] 곡을 // 그리고 그는 그것을 매우 좋아했다

→ Wendy는 Henry에게 그녀가 쓴 곡을 연주해줬고, 그는 그것을 매우 좋아했다.

❍ 「play+간접 목적어(Henry)+직접 목적어(the song she wrote)」의 구조이다.
❍ song과 she 사이에는 목적격 관계대명사가 생략되어 있다.
❍ song 대신 대명사 it이 쓰였다.

03 James wanted to go for a walk / in the park. // I thought / **it** was a good idea.

James는 산책하기를 원했다 / 공원에서 // 나는 생각했다 / 그것이 좋은 생각이라고

→ James는 공원에서 산책하기를 원했다. 나는 그것이 좋은 생각이라고 생각했다.

❍ to부정사구 to go ~ park는 동사 wanted의 목적어로 쓰였다.
❍ thought과 it 사이에는 명사절 접속사 that이 생략되어 있다.
❍ to go ~ park 대신 대명사 it이 쓰였다.

고난도
04 Our flight was delayed / for several hours. // **It** completely ruined our trip.

우리의 항공편이 지연되었다 / 몇 시간 동안 // 그것은 우리의 여행을 완전히 망쳤다.

→ 우리의 항공편이 몇 시간 동안 지연되었다. 그것은 우리의 여행을 완전히 망쳤다.

❍ Our flight ~ hours 대신 대명사 it이 쓰였다.

어휘 flight 閔 항공편 delay 图 지연시키다 completely 图 완전히 ruin 图 망치다

05 **It** is too hot and dry / these days. <모의>

너무 덥고 건조하다 / 요즘에 → 요즘에 너무 덥고 건조하다.

❍ 날씨를 나타내는 비인칭 주어 it이 쓰였다.

06 **It** is getting colder and colder. <모의>

점점 더 추워지고 있다.

❍ 날씨를 나타내는 비인칭 주어 it이 쓰였다.
❍ 「비교급+and+비교급」은 '점점 더 ~한/하게'라고 해석한다.

07 **It** is a little after 12. // Let's break for lunch. <모의>

12시가 조금 지났다. // 점심 식사를 위해 잠시 쉬자.

❍ 시간을 나타내는 비인칭 주어 it이 쓰였다.

08 **It** has been rainy / all afternoon, // so I feel gloomy.

비가 왔다 / 오후 내내 // 그래서 나는 우울하게 느낀다 → 오후 내내 비가 와서, 나는 우울하게 느낀다.

❍ 날씨를 나타내는 비인칭 주어 it이 쓰였다.

어휘 gloomy 휑 우울한

^{고난도}
09 **It** was too noisy / in the café, // but it didn't bother us.

너무 시끄러웠다 / 카페 안이 // 그러나 그것은 우리를 신경 쓰이게 하지 않았다 → 카페 안이 너무 시끄러웠지만, 그것은 우리를 신경 쓰이게 하지 않았다.

❍ 첫 번째 절에 상황을 나타내는 비인칭 주어 it이 쓰였다.
❍ 두 번째 절에 It ~ café 대신 대명사 it이 쓰였다.

어휘 noisy 휑 시끄러운 bother 통 신경 쓰이게 하다

UNIT 68 다양한 쓰임의 it 해석하기 II

본책 p.125

01 **It** is unwise / **to do multiple things** / **at once**. <모의>
　　S(가주어) V SC S(진주어)

현명하지 못하다 / 여러 가지 일을 하는 것은 / 동시에 → 여러 가지 일을 동시에 하는 것은 현명하지 못하다.

어휘 unwise 휑 현명하지 못한 multiple 휑 여러 가지의, 복합의 at once 동시에

02 With a tablet, / **it** is easy / **to draw pictures**. <모의응용>
　　　　M　　　　S(가주어) V SC S(진주어)

태블릿으로 / 쉽다 / 그림을 그리는 것은 → 태블릿으로, 그림을 그리는 것은 쉽다.

03 **It** is interesting / **how the country town has changed**.
　　S(가주어) V SC S' V' S(진주어)

흥미롭다 / 그 시골 마을이 어떻게 바뀌었는지는 → 그 시골 마을이 어떻게 바뀌었는지는 흥미롭다.

어휘 interesting 휑 흥미로운

04 Mary says / **it** is fun / **to visit old churches and temples**.
　　S V S'(가주어) V' SC' O S'(진주어)

Mary는 말한다 / 재미있다고 / 오래된 교회와 절을 찾아가는 것이 → Mary는 오래된 교회와 절을 찾아가는 것이 재미있다고 말한다.

❍ says와 it 사이에는 명사절 접속사 that이 생략되어 있다.

어휘 visit 통 찾아가다, 방문하다 church 휑 교회 temple 휑 절, 사원

05 **It** was clear / **that the professor was an expert (on medieval history)**.
　　S(가주어) V SC S' V' SC' S(진주어)

분명했다 / 그 교수가 (중세 역사의) 전문가였다는 것은 → 그 교수가 중세 역사의 전문가였다는 것은 분명했다.

어휘 clear 휑 분명한 professor 휑 교수 expert 휑 전문가 medieval 휑 중세의

^{고난도}
06 **It** isn't known / **whether the comet came** / **from outside the solar system**.
　　S(가주어) V S' V' M' S(진주어)

알려지지 않았다 / 그 혜성이 왔는지는 / 태양계 밖에서 → 그 혜성이 태양계 밖에서 왔는지는 알려지지 않았다.

어휘 comet 휑 혜성 solar system 휑 태양계

07 I consider **it** your duty / **to feed your dog**. <모의>
　　S V O(가목적어) OC O(진목적어)

나는 너의 의무라고 생각한다 / 너의 개에게 먹이를 주는 것이 → 나는 너의 개에게 먹이를 주는 것이 너의 의무라고 생각한다.

어휘 consider 통 생각하다, 고려하다 duty 휑 의무 feed 통 먹이를 주다

08 Sheila finds **it** difficult / **to talk to people [she doesn't know well]**.
S V O(가목적어) OC O(진목적어)

Sheila는 어렵다고 생각한다 / [그녀가 잘 알지 못하는] 사람들에게 말하는 것이 → Sheila는 그녀가 잘 알지 못하는 사람들에게 말하는 것이 어렵다고 생각한다.

● people과 she 사이에는 목적격 관계대명사가 생략되어 있다.

어휘 find [동] 생각하다, 찾다 difficult [형] 어려운

09 Being wet / makes **it** more likely / **that you will catch a cold**. <모의응용>
S V O(가목적어) OC O(진목적어) (S′ V′ O′)

젖어 있는 것은 / 더 있음 직하게 만든다 / 네가 감기에 걸릴 것을 → 젖어 있는 것은 네가 감기에 걸릴 것을 더 있음 직하게 만든다.

● 동명사구 Being wet은 문장에서 주어 역할을 하고 있다.

어휘 likely [형] 있음 직한, 그럴듯한 catch a cold 감기에 걸리다

10 We consider **it** mandatory / **to submit all paperwork on time**.
S V O(가목적어) OC O(진목적어)

우리는 필수적이라고 생각한다 / 모든 서류를 제시간에 제출하는 것이 → 우리는 모든 서류를 제시간에 제출하는 것이 필수적이라고 생각한다.

어휘 mandatory [형] 필수적인 submit [동] 제출하다 paperwork [명] 서류 on time 제시간에

[고난도]
11 I think **it** regrettable / **that many businesses (on this street) are closing down**.
S V O(가목적어) OC O(진목적어) (S′ V′)

나는 유감이라고 생각한다 / (이 거리에 있는) 많은 가게들이 폐점하고 있는 것이 → 나는 이 거리에 있는 많은 가게들이 폐점하고 있는 것이 유감이라고 생각한다.

어휘 regrettable [형] 유감인 business [명] 가게, 사업체 close down 폐점하다, 폐쇄하다

UNIT 69 강조 구문 해석하기

본책 p.126

01 **It is** *in food and medicine* / **that** herbs are widely used. <모의응용>

바로 음식과 약에서이다 / 허브가 널리 사용되는 것은 → 허브가 널리 사용되는 것은 바로 음식과 약에서이다.

● 부사구(in food and medicine)가 강조되고 있다.

● ← Herbs are widely used *in food and medicine*.

어휘 widely [부] 널리

02 **It was** *her self-confidence* / **that** encouraged Isabella to achieve everything. <모의응용>

바로 그녀의 자신감이었다 / Isabella가 모든 것을 성취하도록 용기를 북돋았던 것은
→ Isabella가 모든 것을 성취하도록 용기를 북돋았던 것은 바로 그녀의 자신감이었다.

● 주어(her self-confidence)가 강조되고 있다.

● ← *Her self-confidence* encouraged Isabella to achieve everything.

● 「encourage+목적어(Isabella)+목적격 보어(to achieve everything)」의 구조이다.

어휘 self-confidence [명] 자신감 encourage [동] 용기를 북돋우다 achieve [동] 성취하다

03 **It was** *the television show* / **that** people were talking about / online.

바로 그 텔레비전 쇼였다 / 사람들이 이야기하고 있었던 것은 / 온라인에서 → 사람들이 온라인에서 이야기하고 있었던 것은 바로 그 텔레비전 쇼였다.

● 목적어(the television show)가 강조되고 있다.

● ← People were talking about *the television show* online.

04 **It was** *before the recession* / **that** the couple sold their house.

바로 불황 전이었다 / 그 부부가 그들의 집을 팔았던 것은 → 그 부부가 그들의 집을 팔았던 것은 바로 불황 전이었다.

● 부사구(before the recession)가 강조되고 있다.

● ← The couple sold their house *before the recession*.

05 **It is** *how you get back up after falling* / **that** matters the most.

바로 네가 무너진 후에 어떻게 다시 일어서는지이다 / 가장 중요한 것은 → 가장 중요한 것은 바로 네가 무너진 후에 어떻게 다시 일어서는지이다.

- 주어(how ~ falling)가 강조되고 있다.
- ← *How you get back up after falling* matters the most.

어휘 get back up 다시 일어서다 matter [동] 중요하다

06 **It was** *a letter (written by my grandfather)* / **that** I found / in the attic.

바로 (나의 할아버지에 의해 쓰인) 편지였다 / 내가 발견했던 것은 / 다락에서 → 내가 다락에서 발견했던 것은 바로 나의 할아버지에 의해 쓰인 편지였다.

- 목적어(a letter ~ grandfather)가 강조되고 있다.
- ← I found *a letter written by my grandfather* in the attic.
- 과거분사구 written ~ grandfather는 letter를 꾸며준다.

어휘 attic [명] 다락

07 **It was** *when Sam saw the Grand Canyon* / **that** he appreciated its size.

바로 Sam이 그랜드 캐니언을 봤을 때였다 / 그가 그것의 규모를 인정했던 것은 → Sam이 그랜드 캐니언의 규모를 인정했던 것은 바로 그가 그것을 봤을 때였다.

- 부사절(when ~ Grand Canyon)이 강조되고 있다.
- ← *When Sam saw the Grand Canyon*, he appreciated its size.

어휘 appreciate [동] 인정하다, 진가를 알아보다

[고난도]
08 **It was** *the United States* / **that** had the largest final energy consumption / in 2016. <모의응용>

바로 미국이었다 / 가장 큰 최종 에너지 소비를 가졌던 것은 / 2016년에 → 2016년에 가장 큰 최종 에너지 소비를 가졌던 것은 바로 미국이었다.

- 주어(the United States)가 강조되고 있다.
- ← *The United States* had the largest final energy consumption in 2016.

어휘 consumption [명] 소비

UNIT 70 부정 구문 해석하기

본책 p.127

01 **No** pets are allowed / in the restaurant. <모의응용>

어떤 반려동물도 허용되지 않는다 / 그 식당에서는 → 그 식당에서는 어떤 반려동물도 허용되지 않는다.

어휘 allow [동] 허용하다

02 **None of** my neighbors had seen / the thief. <모의응용>

나의 이웃들 중 아무도 보지 못했었다 / 그 도둑을 → 나의 이웃들 중 아무도 그 도둑을 보지 못했었다.

어휘 neighbor [명] 이웃 thief [명] 도둑

03 **Neither of** my parents was at home / when the delivery arrived.

나의 부모님 중 어느 쪽도 집에 있지 않았다 / 배달이 도착했을 때 → 나의 부모님 중 어느 쪽도 배달이 도착했을 때 집에 있지 않았다.

어휘 delivery [명] 배달 arrive [동] 도착하다

04 **No** residents will be able to access the lobby / during the repair work.

어떤 주민도 로비에 접근할 수 없을 것이다 / 보수 공사 동안에 → 어떤 주민도 보수 공사 동안에 로비에 접근할 수 없을 것이다.

어휘 resident [명] 주민 access [동] 접근하다 during [전] ~ 동안에 repair work 보수 공사

05 The police questioned both men, // but **neither of** them could speak English. <모의응용>

경찰은 두 남자 모두에게 질문을 했다 // 그러나 그들 중 어느 쪽도 영어를 할 수 없었다

→ 경찰은 두 남자 모두에게 질문을 했지만, 그들 중 어느 쪽도 영어를 할 수 없었다.

어휘 question [동] 질문을 하다

06 Expensive concert stages do **not always** satisfy / fans. <모의응용>

비싼 콘서트 무대가 항상 만족시키는 것은 아니다 / 팬들을 → 비싼 콘서트 무대가 팬들을 항상 만족시키는 것은 아니다.

어휘 satisfy [동] 만족시키다

07 **Not every** teacher requires / students to give a presentation.

모든 선생님이 요구하는 것은 아니다 / 학생들이 발표를 하도록 → 모든 선생님이 학생들이 발표를 하도록 요구하는 것은 아니다.

- 「require+목적어(students)+목적격 보어(to give a presentation)」의 구조이다.

어휘 require [동] 요구하다 give a presentation 발표를 하다

08 Though most do, / **not all** plants grow flowers or produce seeds.

비록 대부분이 그렇지만 / 식물이 모두 꽃을 피우거나 씨앗을 생산하는 것은 아니다

- grow ~ seeds 대신 대동사 do가 쓰였다.
- 동사 grow와 produce가 등위접속사 or로 연결되어 병렬 구문을 이룬다.

어휘 produce [동] 생산하다 seed [명] 씨앗

09 **Not every** successful start-up company began / with enough funds.

모든 성공적인 신생 기업들이 시작한 것은 아니다 / 충분한 자금을 가지고 → 모든 성공적인 신생 기업들이 충분한 자금을 가지고 시작한 것은 아니다.

어휘 successful [형] 성공적인 start-up company 신생 기업 enough [형] 충분한 fund [명] 자금

[고난도]
10 Doing the right thing / is **not always** easy, // but it is always worth doing.

옳은 일을 하는 것이 / 항상 쉽지는 않다 // 그러나 그것은 항상 할 가치가 있다 → 옳은 일을 하는 것이 항상 쉽지는 않지만, 그것은 항상 할 가치가 있다.

- 동명사구 Doing the right thing은 문장에서 주어 역할을 하고 있다.
- doing the right thing 대신 대명사 it이 쓰였다.
- 「be worth+v-ing」는 '~할 가치가 있다'라고 해석한다.

UNIT 71 도치 구문 해석하기

본책 p.128

01 *Not only* **do kids learn** art, // but they also learn acting / at the theater. <모의응용>

부정어구 조동사 S^1 Vr^1 O^1 S^2 M^2 V^2 O^2 M^2

아이들은 예술을 배울 뿐만 아니라 // 그들은 연기도 배운다 / 극장에서 → 아이들은 극장에서 예술을 배울 뿐만 아니라 연기도 배운다.

어휘 acting [명] 연기

02 *Little* **does the rabbit come** / out of its burrow / during the day.

부정어 조동사 S Vr M M

그 토끼는 거의 나오지 않는다 / 그것의 굴 밖으로 / 낮 동안에 → 그 토끼는 낮 동안에 그것의 굴 밖으로 거의 나오지 않는다.

03 *Never in my life* **have I seen** / a snake as large as that one.

부정어구 조동사 S p.p. O

나의 삶에서 나는 결코 본 적이 없다 / 저것만큼 큰 뱀을 → 나의 삶에서 나는 저것만큼 큰 뱀을 결코 본 적이 없다.

- 「as+형용사/부사의 원급+as」는 '…만큼 ~한/하게'라고 해석한다.
- snake 대신 대명사 one이 쓰였다.

04 *Seldom* **am I** eager to get in an argument, // but injustice cannot be tolerated.

부정어 be동사 S¹ SC¹ S² V²

나는 논쟁에 참여하는 것을 좀처럼 하고 싶지 않다 // 하지만 부당함은 용인될 수 없다
→ 나는 논쟁에 참여하는 것을 좀처럼 하고 싶지 않지만, 부당함은 용인될 수 없다.

⊙「be eager+to-v」는 '~하고 싶어하다'라고 해석한다.

어휘 argument [명] 논쟁, 논거 injustice [명] 부당함 tolerate [동] 용인하다, 참다

05 *Nowhere* **did the article mention** / the names (of the winners).

부정어 조동사 S Vr O

그 기사는 아무데도 언급하지 않았다 / (수상자들의) 이름을 → 그 기사는 수상자들의 이름을 아무데도 언급하지 않았다.

어휘 article [명] 기사 mention [동] 언급하다

[고난도]
06 *Never before* **had impressionist artwork been considered** / so valuable. <모의응용>

부정어구 조동사 S p.p. C

인상주의 예술 작품은 이전에 결코 생각되지 않았었다 / 그렇게 가치가 크다고 → 인상주의 예술 작품은 그렇게 가치가 크다고 이전에 결코 생각되지 않았었다.

⊙「consider+목적어(impressionist artwork)+목적격 보어(so valuable)」의 구조가 수동태로 바뀐 문장이다.

어휘 impressionist [형] 인상주의의 valuable [형] 가치가 큰, 귀중한

07 *Under the tree* **were sleeping** / **a swan and its babies.**

장소의 부사구 V S

그 나무 아래에서 자고 있었다 / 백조와 그것의 새끼들이 → 백조와 그것의 새끼들이 그 나무 아래에서 자고 있었다.

어휘 swan [명] 백조

08 *Here* **comes** / **a parade of wagons (covered with flowers).**

방향의 부사 V S

여기로 온다 / (꽃들로 덮인) 수레의 행렬이 → 꽃들로 덮인 수레의 행렬이 여기로 온다.

⊙ 과거분사구 covered with flowers는 wagons를 꾸며준다.

어휘 parade [명] 행렬, 행진 wagon [명] 수레 cover [동] 덮다

09 *In the background (of the painting)* **stand** / **huge mountains.**

장소의 부사구 V S

(그 그림의) 배경에 있다 / 거대한 산들이 → 그 그림의 배경에 거대한 산들이 있다.

어휘 background [명] 배경 stand [동] 있다, 서다 huge [형] 거대한

10 *On the island* **live** / **more than 500 kinds of tropical plants.**

장소의 부사구 V S

그 섬에는 산다 / 500종 이상의 열대 식물들이 → 그 섬에는 500종 이상의 열대 식물들이 산다.

어휘 island [명] 섬 tropical [형] 열대의

11 *There* **runs** / **the man [who stole your wallet]!**

방향의 부사 V S

저기로 달린다 / [너의 지갑을 훔친] 남자가 → 너의 지갑을 훔친 남자가 저기로 달린다!

⊙ who ~ wallet은 man을 꾸며주는 주격 관계대명사절이다.

어휘 steal [동] 훔치다 wallet [명] 지갑

12 *By the river* **gathered** / **numerous people (enjoying picnics with their friends).**

장소의 부사구 V S

강 옆에 모여 있었다 / (그들의 친구들과 소풍을 즐기는) 수많은 사람들이 → 그들의 친구들과 소풍을 즐기는 수많은 사람들이 강 옆에 모여 있었다.

⊙ 현재분사구 enjoying ~ friends는 people을 꾸며준다.

어휘 gather [동] 모여 있다, 모으다 numerous [형] 수많은 picnic [명] 소풍

13 Our incomes increase, // and *so* **do our expenditures**. <모의응용>
$\underset{S^1}{}$ $\underset{V^1}{}$ $\underset{조동사}{}$ $\underset{S^2}{}$

우리의 소득은 증가한다 // 그리고 우리의 소비도 그렇다 → 우리의 소득은 증가하고, 우리의 소비도 그렇다.

어휘 income 몡 소득 increase 툉 증가하다 expenditure 몡 소비

14 Movie critics love the new action movie, // and *so* **do audiences**.
$\underset{S^1}{}$ $\underset{V^1}{}$ $\underset{O^1}{}$ $\underset{조동사}{}$ $\underset{S^2}{}$

영화 평론가들은 그 새로운 액션 영화를 좋아한다 // 그리고 관객들도 그렇다 → 영화 평론가들은 그 새로운 액션 영화를 좋아하고, 관객들도 그렇다.

어휘 critic 몡 평론가 audience 몡 관객

15 Ken didn't call me, // *nor* **did he send** me a text message.
$\underset{S^1}{}$ $\underset{V^1}{}$ $\underset{O^1}{}$ $\underset{조동사}{}$ $\underset{S^2}{}$ $\underset{Vr^2}{}$ $\underset{IO^2}{}$ $\underset{DO^2}{}$

Ken은 나에게 전화하지 않았다 // 그는 나에게 문자 메시지를 보내지도 않았다 → Ken은 나에게 전화하지 않았고, 나에게 문자 메시지를 보내지도 않았다.

● 「send+간접 목적어(me)+직접 목적어(a text message)」의 구조이다.

어휘 text message 몡 문자 메시지

16 I didn't hear the bell, // and *neither* **did anyone else** (**in the classroom**).
$\underset{S^1}{}$ $\underset{V^1}{}$ $\underset{O^1}{}$ $\underset{조동사}{}$ $\underset{S^2}{}$

나는 종소리를 듣지 못했다 // 그리고 (교실 안에 있는) 다른 누구도 그렇지 못했다 → 나는 종소리를 듣지 못했고, 교실 안에 있는 다른 누구도 그렇지 못했다.

17 Dr. Lawrence subscribes to / this science journal, // and *so* **do other professors**.
$\underset{S^1}{}$ $\underset{V^1}{}$ $\underset{O^1}{}$ $\underset{조동사}{}$ $\underset{S^2}{}$

Lawrence 박사는 구독한다 / 이 과학 학술지를 // 그리고 다른 교수들도 그렇다 → Lawrence 박사는 이 과학 학술지를 구독하고, 다른 교수들도 그렇다.

어휘 subscribe 툉 구독하다 journal 몡 학술지, 잡지

고난도
18 Listeners did not take notes, // *nor* **did they understand** / everything [the speaker said].
$\underset{S^1}{}$ $\underset{V^1}{}$ $\underset{O^1}{}$ $\underset{조동사}{}$ $\underset{S^2}{}$ $\underset{Vr^2}{}$ $\underset{O^2}{}$ <모의응용>

청자들은 메모를 하지 않았다 // 그들은 이해하지도 않았다 / [발표자가 말한] 모든 것들을
→ 청자들은 메모를 하지 않았고, 발표자가 말한 모든 것들을 이해하지도 않았다.

● everything과 the speaker 사이에는 목적격 관계대명사가 생략되어 있다.

어휘 take notes 메모를 하다

동격 구문 해석하기

본책 p.130

01 *The United Nations*, **or the UN**, / is an organization (established in 1945).

국제 연합, 즉 UN은 / (1945년에 설립된) 조직이다

● 과거분사구 established in 1945는 organization을 꾸며준다.

어휘 organization 몡 조직 establish 툉 설립하다

02 *Catherine*, **my next-door neighbor**, / asked to borrow a can opener.

나의 옆집 이웃인 Catherine은 / 깡통 따개를 빌려달라고 부탁했다

03 *Her goal* **of becoming the head manager** / was nearly accomplished.

총책임자가 되는 그녀의 목표는 / 거의 성취되었다

어휘 goal 몡 목표 nearly 퇸 거의 accomplish 툉 성취하다

04 Scientists must accept *the possibility* / **that they might be wrong.** <모의용용>

과학자들은 가능성을 받아들여야 한다 / 그들이 틀릴 수도 있다는 → 과학자들은 그들이 틀릴 수도 있다는 가능성을 받아들여야 한다.

어휘 accept 图 받아들이다   wrong 圈 틀린

05 *Roald Dahl*, **the famous children's book author**, / wrote about 50 books.

유명한 동화 작가인 로알드 달은 / 약 50권의 책을 썼다

06 *A PIN*, **or personal identification number**, / is needed / to access your account.

PIN, 즉 개인 식별 번호가 / 필요하다 / 너의 계좌에 접근하기 위해 → PIN, 즉 개인 식별 번호가 너의 계좌에 접근하기 위해 필요하다.

○ to부정사구 to access your account는 목적을 나타내는 부사적 용법으로 쓰였다.

어휘 personal 圈 개인의   identification 圈 식별, 신원 확인   account 圈 계좌

07 I don't have / any *intention* **of developing bad habits** / **in my life**.

나는 가지고 있지 않다 / 나쁜 습관을 키우려는 어떠한 의도도 / 나의 삶에서 → 나는 나의 삶에서 나쁜 습관을 키우려는 어떠한 의두두 가지고 있지 않다.

어휘 intention 圈 의도   develop 图 키우다, 발전시키다   habit 圈 습관

08 Among economists, / there is a common *belief* / **that the economy will improve soon**.

경제학자들 사이에 / 공통된 믿음이 있다 / 경제가 곧 회복될 것이라는 → 경제학자들 사이에, 경제가 곧 회복될 것이라는 공통된 믿음이 있다.

어휘 economist 圈 경제학자   common 圈 공통된   economy 圈 경제   improve 图 회복되다, 개선하다

09 *The fact* / **that he is the Minister of Health** / qualifies him as an expert (in the health field). <모의용용>

사실은 / 그가 보건부 장관이라는 / 그에게 (보건 분야의) 전문가로서의 자격을 준다
→ 그가 보건부 장관이라는 사실은 그에게 보건 분야의 전문가로서의 자격을 준다.

어휘 minister 圈 장관   qualify 图 자격을 주다   field 圈 분야

고난도
10 *FOBO*, **or Fear of a Better Option**, / is *the anxiety* / **that something better will come along.** <모의>

FOBO, 즉 더 나은 선택권에 대한 두려움은 / 걱정이다 / 더 나은 무언가가 나올 것이라는
→ FOBO, 즉 더 나은 선택권에 대한 두려움은 더 나은 무언가가 나올 것이라는 걱정이다.

어휘 anxiety 圈 걱정   come along 나오다, 생기다

---

73 병렬 구문 해석하기

본책 p.131

01 Both **admission** and **parking** / are free of charge / for the festival. <모의용용>

입장과 주차 둘 다 / 무료이다 / 그 축제에서 → 입장과 주차 둘 다 그 축제에서 무료이다.

어휘 admission 圈 입장   free of charge 무료인

02 The winter brings / not only **snow** but also **ice**.

겨울은 가져온다 / 눈뿐만 아니라 얼음도 → 겨울은 눈뿐만 아니라 얼음도 가져온다.

03 Both **my mom** and **my grandmother** like / to play chess.

나의 엄마와 나의 할머니 둘 다 좋아한다 / 체스를 두는 것을 → 나의 엄마와 나의 할머니 둘 다 체스를 두는 것을 좋아한다.

○ to부정사구 to play chess는 동사 like의 목적어로 쓰였으며, like는 to부정사와 동명사를 모두 목적어로 가진다.

04 The engineer found / a **simple** but **effective** solution (to the problem).

그 기술자는 발견했다 / (그 문제에 대한) 간단하지만 효과적인 해결책을 → 그 기술자는 그 문제에 대한 간단하지만 효과적인 해결책을 발견했다.

어휘 engineer 몡 기술자 simple 혱 간단한 effective 혱 효과적인 solution 몡 해결책

05 **Friends** and **family** are invited / to attend the company event.

친구와 가족은 초대된다 / 그 회사 행사에 참석하도록 → 친구와 가족은 그 회사 행사에 참석하도록 초대된다.

○ 「invite+목적어(friends and family)+목적격 보어(to attend ~ event)」의 구조가 수동태로 바뀐 문장이다.

어휘 invite 통 초대하다 attend 통 참석하다

06 The shelter tried / either **to find** homes for the dogs or **to care** for them.

그 보호소는 노력했다 / 개들에게 집을 찾아주거나 그것들을 돌봐주려고 → 그 보호소는 개들에게 집을 찾아주거나 그것들을 돌봐주려고 노력했다.

○ 「try+to-v」는 '~하려고 노력하다'라고 해석한다. cf. 「try+v-ing」: (시험 삼아) ~해보다

어휘 shelter 몡 보호소 care 통 돌봐주다

07 The teacher explained / that **shouting** and **fighting** were against the rules.

그 선생님은 설명했다 / 소리지르기와 싸우기가 규칙에 위반된다고 → 그 선생님은 소리지르기와 싸우기가 규칙에 위반된다고 설명했다.

○ that ~ rules는 문장에서 목적어 역할을 하는 명사절이다.

어휘 explain 통 설명하다 against 젠 (규칙 등에) 위반하여

08 Neither **the taxi driver** nor **the passenger** noticed / that the traffic light turned green.

그 택시 운전사도 승객도 알아채지 못했다 / 신호등이 초록색이 된 것을 → 그 택시 운전사도 승객도 신호등이 초록색이 된 것을 알아채지 못했다.

○ that ~ green은 문장에서 목적어 역할을 하는 명사절이다.

어휘 passenger 몡 승객 notice 통 알아채다

어법
09 Exercise not only **strengthens** the heart / but also **reduces** the risk (of disease).

운동은 심장을 튼튼하게 할 뿐만 아니라 / (질병의) 위험도 줄인다

정답 reduces
해설 동사 strengthens와 상관접속사 not only A but also B로 연결된 병렬 구문이므로 reduces가 정답이다.

어휘 strengthen 통 튼튼하게 하다 reduce 통 줄이다 risk 몡 위험 disease 몡 질병

74 삽입 구문 해석하기

본책 p.132

01 Though the temperature was hot/((, **almost 28 degrees,**))/ he wore a jacket.

비록 기온이 뜨거웠지만 / ((거의 28도 정도로)) / 그는 재킷을 입었다 → 비록 기온이 거의 28도 정도로 뜨거웠지만, 그는 재킷을 입었다.

어휘 temperature 몡 기온 almost 튀 거의

02 The Burj Khalifa/((—**the world's tallest building**—))/was completed / in 2010.

부르즈 할리파는 / ((세계에서 가장 높은 빌딩인)) / 완성되었다 / 2010년에 → 세계에서 가장 높은 빌딩인 부르즈 할리파는 2010년에 완성되었다.

어휘 complete 통 완성하다

03 I have chosen / a topic [which ((**I believe**)) everyone is interested in].

나는 골랐다 / [((내가 믿기에)) 모든 사람이 흥미 있어 하는] 주제를 → 나는 내가 믿기에 모든 사람이 흥미 있어 하는 주제를 골랐다.

04 Skylarks rarely((, **if ever,**)) sing in the winter. <모의>

종달새는 좀처럼 ((만약 한다 할지라도)) 겨울에 지저귀지 않는다. → 만약 한다 할지라도, 종달새는 좀처럼 겨울에 지저귀지 않는다.

05 The chances of rain are high/((, **nearly 70 percent,**))// so take your umbrella.

비의 확률이 높다 / ((거의 70퍼센트 정도로)) // 그러므로 너의 우산을 가져가라 → 비의 확률이 거의 70퍼센트 정도로 높으므로, 너의 우산을 가져가라.

어휘 chance 명 확률, 기회

06 Despite liking movies/((, **especially romantic comedies,**))/ Melanie seldom has time (to watch them).

영화를 좋아함에도 불구하고 / ((특히 로맨틱 코미디를)) / Melanie는 (그것들을 볼) 시간을 좀처럼 가지고 있지 않다

→ 영화, 특히 로맨틱 코미디를 좋아함에도 불구하고, Melanie는 그것들을 볼 시간을 좀처럼 가지고 있지 않다.

◐ 동명사구 liking movies는 전치사 Despite의 목적어로 쓰였다.
◐ to부정사구 to watch them은 time을 꾸며주는 형용사적 용법으로 쓰였다.

어휘 despite 전 ~에도 불구하고   especially 부 특히

07 Her father/((—**a well-respected lawyer**—))/has decided to run for Congress.

그녀의 아버지는 / ((아주 존경받는 변호사인)) / 국회의원에 입후보하기로 결정했다

→ 아주 존경받는 변호사인 그녀의 아버지는 국회의원에 입후보하기로 결정했다.

◐ to부정사구 to run for Congress는 동사 has decided의 목적어로 쓰였다.

어휘 well-respected 형 아주 존경받는   lawyer 명 변호사   decide 동 결정하다

08 I bought / the computer [that ((**I thought**)) would be the best for my purposes].

나는 샀다 / [((내가 생각하기에)) 나의 목적에 가장 적합했던] 컴퓨터를 → 나는 내가 생각하기에 나의 목적에 가장 적합했던 컴퓨터를 샀다.

◐ that ~ purposes는 computer를 꾸며주는 주격 관계대명사절이다.

어휘 purpose 명 목적

09 Vincent van Gogh's *The Starry Night*/((—**along with his other paintings**—))/is on display / in New York.

빈센트 반 고흐의 '별이 빛나는 밤'은 / ((그의 다른 그림들과 함께)) / 전시되어 있다 / 뉴욕에

→ 빈센트 반 고흐의 '별이 빛나는 밤'은 그의 다른 그림들과 함께 뉴욕에 전시되어 있다.

어휘 on display 전시되어 있는

[고난도]
10 Changing one word / in your essay / will make little((, **if any**)), difference / in your final grade.

한 단어를 바꾸는 것은 / 너의 에세이에서 / ((만약 있다고 해도)) 거의 없는 차이를 만들 것이다 / 너의 최종 성적에

→ 만약 있다고 해도, 너의 에세이에서 한 단어를 바꾸는 것은 너의 최종 성적에 거의 차이를 만들지 않을 것이다.

◐ 동명사구 Changing ~ essay는 문장에서 주어 역할을 하고 있다.
◐ little은 '거의 없는'이라는 의미의 부정어이며, 불가산명사 앞에 온다.

어휘 difference 명 차이

UNIT 75 생략 구문 해석하기

본책 p.133

01 I had planned to go to Hawaii, // but I decided not to.^(go) <모의>

나는 하와이에 가기로 계획했었다 // 그러나 나는 그러지(= 가지) 않기로 결정했다 → 나는 하와이에 가기로 계획했었지만, 그러지 않기로 결정했다.

◐ to부정사구 to go to Hawaii는 동사 had planned의 목적어로 쓰였다.

(vintage car)
02 The vintage car (parked over there) / must be Mr. Taylor's.

(저기 주차된) 구형 자동차는 / Taylor씨의 것(= 구형 자동차)임이 틀림없다

◐ 과거분사구 parked over there는 car를 꾸며준다.

03 **(hang out all the time)**

Amanda and I used to hang out all the time, // but we don't[∨]anymore.

Amanda와 나는 늘 어울리곤 했다 // 그러나 우리는 더 이상 그러지(= 늘 어울리지) 않는다 → Amanda와 나는 늘 어울리곤 했지만, 우리는 더 이상 그러지 않는다.

어휘 hang out 團 어울리다, 놀다   all the time 늘, 언제나

04 **(empty the trash bin)**

Ross emptied the trash bin / because his mother asked him to[∨].

Ross는 쓰레기통을 비웠다 / 그의 엄마가 그에게 그래 달라고(= 쓰레기통을 비워 달라고) 요청했기 때문에
→ Ross는 그의 엄마가 그에게 쓰레기통을 비워 달라고 요청했기 때문에 쓰레기통을 비웠다.

○ 「ask+목적어(him)+목적격 보어(to)」의 구조이다.

05 **(order a mushroom soup)**

Keira was going to order a mushroom soup, // but the waiter advised her not to[∨].

Keira는 버섯 수프를 주문하려고 했다 // 그러나 웨이터는 그녀에게 그러지(= 버섯 수프를 주문하지) 말라고 조언했다
→ Keira는 버섯 수프를 주문하려고 했지만, 웨이터는 그녀에게 그러지 말라고 조언했다.

○ 「advise+목적어(her)+목적격 보어(not to)」의 구조이다.

어휘 order 團 주문하다   advise 團 조언하다

06 **(you are)**

You should use logical arguments / when[∨]trying to persuade others.

너는 논리적인 논거를 사용해야 한다 / (네가) 다른 사람을 설득하려고 노력할 때 → 너는 다른 사람을 설득하려고 노력할 때 논리적인 논거를 사용해야 한다.

어휘 logical 團 논리적인   persuade 團 설득하다

07 **(people are)**

People often discover lost objects / when[∨]cleaning the house.

사람들은 종종 잃어버린 물건을 발견한다 / (사람들이) 집을 청소할 때 → 사람들은 집을 청소할 때 종종 잃어버린 물건을 발견한다.

어휘 often 團 종종, 자주   discover 團 발견하다   object 團 물건

08 **(the room was)**

The room, / though[∨]small, / was cozy / and boasted a stunning view.

그 방은 / 비록 (그 방은) 작았지만 / 아늑했다 / 그리고 멋진 전망을 자랑했다 → 그 방은 비록 작았지만, 아늑했고 멋진 전망을 자랑했다.

어휘 cozy 團 아늑한   boast 團 자랑하다   stunning 團 멋진   view 團 전망

09 **(I am)**

Once[∨]at home, / I will change out of these uncomfortable clothes.

(나는) 집에 가는 대로 / 나는 이 불편한 옷을 갈아입을 것이다 → 나는 집에 가는 대로, 이 불편한 옷을 갈아입을 것이다.

어휘 uncomfortable 團 불편한

고난도
10 **(Fred was)**

Fred tripped / because he didn't look / where he was going / while[∨]walking.

Fred는 넘어졌다 / 그는 보지 않았기 때문에 / 그가 어디로 가고 있는지를 / (Fred가) 걷고 있는 동안
→ Fred는 걷고 있는 동안 그가 어디로 가고 있는지를 보지 않았기 때문에 넘어졌다.

○ where ~ going은 동사 didn't look의 목적어 역할을 하는 명사절이다.

어휘 trip 團 넘어지다

Chapter Test

본책 p.134

01 **It** is going to be **hot** and **humid** / this month.

덥고 습할 것이다 / 이번 달에는 → 이번 달에는 덥고 습할 것이다.

○ 날씨를 나타내는 비인칭 주어 it이 쓰였다.

02 **Not every** city park has / playgrounds (for kids).

모든 도시 공원이 가지고 있는 것은 아니다 / (아이들을 위한) 놀이터를 → 모든 도시 공원이 아이들을 위한 놀이터를 가지고 있는 것은 아니다.

어휘 playground 團 놀이터

03 **It appears that** your subscription ended / last month.

너의 구독이 끝난 것 같다 / 지난달에 → 너의 구독이 지난달에 끝난 것 같다.

어휘 subscription 圆 구독 end 圄 끝나다

04 *MSF*, **or Doctors Without Borders**, / is a worldwide charity.

MSF, 즉 국경 없는 의사회는 / 세계적인 자선단체이다

어휘 worldwide 圈 세계적인 charity 圆 자선단체

05 **None of** my friends have visited / the new department store / yet.

나의 친구들 중 아무도 방문하지 않았다 / 그 새로운 백화점을 / 아직 → 나의 친구들 중 아무도 그 새로운 백화점을 아직 방문하지 않았다.

어휘 department store 圆 백화점

06 **It** was difficult / **to replace the lightbulb (in the ceiling light)**.
   S(가주어) V   SC   S(진주어)

어려웠다 / (천장 조명의) 전구를 교체하는 것은 → 천장 조명의 전구를 교체하는 것은 어려웠다.

어휘 replace 圄 교체하다 lightbulb 圆 전구 ceiling 圆 천장

07 *To my right* **lies** / **a clay pot** [**that was made 5,000 years ago**].
   장소의 부사구   V   S

나의 오른쪽에 놓여있다 / [5,000년 전에 만들어졌던] 토분이 → 나의 오른쪽에 5,000년 전에 만들어졌던 토분이 놓여있다.

❍ that ~ ago는 clay pot을 꾸며주는 주격 관계대명사절이다.

어휘 lie 圄 놓여있다 clay pot 토분(흙으로 만든 화분)

(finish his assignment on time)

08 William tried to finish his assignment on time, // but he could not.

William은 그의 과제를 제시간에 끝내려고 노력했다 // 그러나 그는 그럴(= 그의 과제를 제시간에 끝낼) 수 없었다
→ William은 그의 과제를 제시간에 끝내려고 노력했지만, 그럴 수 없었다.

❍ 「try+to-v」는 '~하려고 노력하다'라고 해석한다. cf. 「try+v-ing」: (시험 삼아) ~해보다

어휘 assignment 圆 과제

09 **It was** *after getting home* / **that** I realized / I had left my bag at school.

바로 집에 온 후였다 / 내가 깨달았던 것은 / 내가 학교에 나의 가방을 두고 왔다는 것을
→ 내가 학교에 나의 가방을 두고 왔다는 것을 깨달았던 것은 바로 집에 온 후였다.

❍ 부사구(after getting home)가 강조되고 있다.
❍ realized와 I 사이에는 명사절 접속사 that이 생략되어 있다.

어휘 realize 圄 깨닫다 leave 圄 두고 오다

10 My uncle came to my graduation, // and *so* **did my cousin (from California)**.
   S¹   V¹   M¹   조동사   S²

나의 삼촌이 나의 졸업식에 왔다 // 그리고 (캘리포니아에 사는) 나의 사촌도 그랬다 → 나의 삼촌이 나의 졸업식에 왔고, 캘리포니아에 사는 나의 사촌도 그랬다.

어휘 graduation 圆 졸업식, 졸업

11 *Never* **had Ted wished** / to spend the whole afternoon / at the library.
   부정어 조동사 S   p.p.   O

Ted는 결코 바란 적이 없었다 / 오후 전부를 보내기를 / 도서관에서 → Ted는 오후 전부를 도서관에서 보내기를 결코 바란 적이 없었다.

❍ to부정사구 to spend ~ library는 동사 had ~ wished의 목적어로 쓰였다.

어휘 spend 圄 보내다, 쓰다 whole 圈 전부의

(Charlotte was)

12 Charlotte couldn't find / what she was looking for / when shopping online.

Charlotte은 찾을 수 없었다 / 그녀가 찾고 있었던 것을 / (Charlotte이) 온라인으로 쇼핑하고 있었을 때
→ Charlotte은 온라인으로 쇼핑하고 있었을 때 그녀가 찾고 있었던 것을 찾을 수 없었다.

❍ what ~ for는 문장에서 목적어 역할을 하는 명사절이다.

13 *The fact* / **that John is still awake** / shows that he drank too much coffee today.

사실은 / John이 아직도 깨어있다는 / 그가 오늘 너무 많은 커피를 마셨다는 것을 보여준다

→ John이 아직도 깨어있다는 사실은 그가 오늘 너무 많은 커피를 마셨다는 것을 보여준다.

❍ that ~ today는 동사 shows의 목적어로 쓰였다.

어휘 awake 휑 깨어 있는

14 *The Vegetarian*/((—**Han Kang's serial novel**—))/was awarded the Man Booker Prize.

'채식주의자'는 / ((한강의 연작 소설인)) / 맨부커상을 받았다 → 한강의 연작 소설인 '채식주의자'는 맨부커상을 받았다.

❍ 「award+간접 목적어(*The Vegetarian*)+직접 목적어(the Man Booker Prize)」의 구조가 수동태로 바뀐 문장이다.

어휘 serial novel 연작 소설

15 Not only **the speed** but also **the grace** (of Michelle's ice skating) / impressed us.

(Michelle의 아이스 스케이팅의) 속도뿐만 아니라 우아함도 / 우리에게 깊은 인상을 줬다

어휘 grace 휑 우아함 impress 통 깊은 인상을 주다